신의 손만이 한 사람을 사로잡아 신에게 바쳐지는 인간으로 만드는 것이다. 파라오로서 너는 네 백성의 으뜸가는 종이니, 네게는 다른 사람들이 누리는 휴식과 평온한 기쁨을 맛볼 권리가 없다. 너는 외로울 것이다. 그것은 길 잃은 자의 절망적인 외로움이 아니라, 선박을 이끄는 선장의 외로움이다. 선장은 배를 둘러싼 신비한 힘들의 진리를 알아내어 배가 나아가야 할 올바른 방향을 선택해야 한다. 너 자신보다 이집트를 사랑하여라. 그러면 길이 보일 것이다. ─세티 1세의 유언

이집트에 현존하는 신전 가운데 규모가 가장 큰 것으로 알려진 카르낙 신전의 대열주와 파라오의 석상

카르낙 아몬 대신전 입구에 세워진 람세스2세 상의 다리 부분. 다리 사이에 아름다운 네페르타리의 전신상이 보인다.

RAMSÈS 람세스

RAMSÈS
Le Temple des Millions d'Années(volume 2)
by Christian Jacq

Copyright ⓒ Editions Robert Laffont, Paris, 1996
Korean translation copyright ⓒ Munhakdongne Publishing Corp., 1997

This Korean translation is published by arrangement with
les Editions Robert Laffont
through Sibylle Books Literary Agency, Seoul.
All Rights Reserved.

이 도서의 국립중앙도서관 출판예정도서목록(CIP)은
서지정보유통지원시스템 홈페이지(http://seoji.nl.go.kr)와
국가자료종합목록 구축시스템(http://kolis-net.nl.go.kr)에서 이용하실 수 있습니다.
(CIP제어번호: CIP2004000305)

RAMSÈS 람세스

영원의 신전

크리스티앙 자크 장편소설
김정란 옮김

문학동네

고대 중동 지역

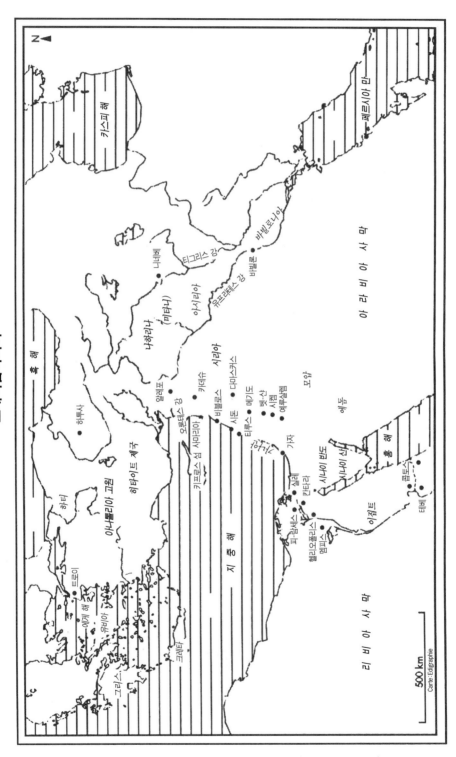

이집트

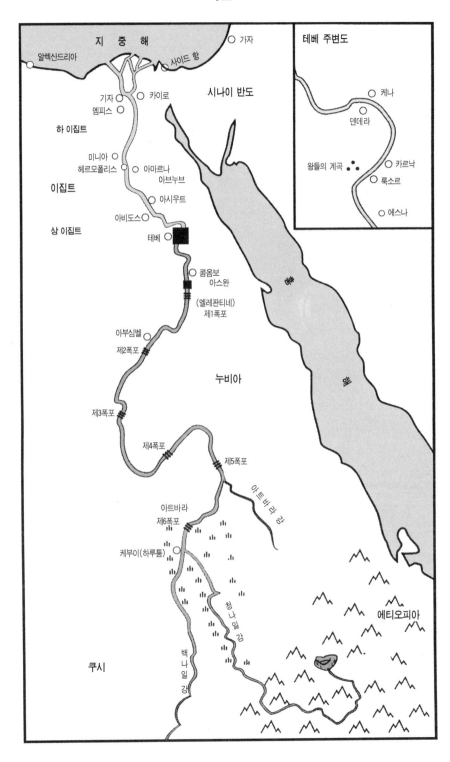

1

람세스는 혼자였다. 혼자서 보이지 않는 분의 징조를 기다리고 있었다.

사막, 끝이 보이지 않는 그 불타는 불모의 땅을, 아직도 열쇠를 찾지 못한 자신의 운명을 그는 홀로 대면하고 있는 것이다.

스물세 살의 람세스는 키 180센티미터의 건장한 체격이 돋보이는 청년이었다. 베네치아풍의 풍성한 금발머리, 긴 얼굴, 툭 튀어나온 이마, 짙은 눈썹, 작고 날카로운 눈, 긴 매부리코, 아름다운 둥근 귀, 두툼한 입술, 단단한 턱. 그의 얼굴은 위풍당당하고 매혹적이었다.

그 젊은 나이에, 그는 얼마나 먼 길을 달려왔던가! 그는 왕실 서기관이었으며, 아비도스에서 신비에 입문한 자였고, 세티의 왕좌 곁으로 부름받은 섭정공이었다.

위대한 파라오 세티, 나라의 행복과 풍요와 평화를 한 치의 흔들림 없이 지켜낸 탁월한 왕 세티는 15년 간의 눈부신 통치를 끝내고 세상을 떠났다. 15년의 짧은 세월은 따오기처럼 여름날의 석양 속으로 날아가버렸다.

무섭고 엄격한 아버지 세티는 언제나 멀찍이 떨어져서 아들이 미처 깨닫지 못하는 사이에 아들로 하여금 다양한 시련을 겪게 함으로써 힘을 발휘할 수 있는 존재로 다듬어갔다.

진정한 힘을 소유하고 있는 자는 왕이다. 왕만이 그것을 소유할 수 있다. 왕은 자기의 계획을 전혀 드러내지 않은 채 경험의 마법을 통해서 한단계 한단계 람세스에게 그 힘을 전해주었다.

시간이 지날수록 아들은 아버지와 가까워졌고 그들의 정신은 같은 믿음, 같은 열정 안에서 하나가 되었다.

지금은 죽음의 침묵 속으로 사라져버린 빛나는 시간들, 은혜의 순간들.

람세스의 가슴은 파라오의 말씀을 가장 소중한 보석처럼 받아 간직하는 술잔과도 같았다. 그는 그 말씀들이 생각과 행동으로 드러나게 하기 위해 가슴을 활짝 열었다. 그러나 세티는 자신의 형제들인 신들을 만나러 가버렸다. 람세스는 세티라는 존재를 빼앗기고, 자신의 존재마저도 빼앗기고, 홀로 남았다.

그는 텅 빈 자신의 존재, 어깨를 누르는 무거운 짐을 도저히 감당할 능력이 없는 존재를 느꼈다. 이집트를 다스린다는 것…… 열세 살에, 그는 마치 가질 수 없는 장난감을 갖고 싶어하는 어린아이처럼 그것을 꿈꾸었지만, 왕위는 그의 형 세나르에게 약속된 것이라고 스스로를 달래며 그 미친 생각을 포기했었다.

그러나 왕위계승에 관한 파라오 세티와 왕비의 생각은 세인의 생각과 달랐다. 그들은 왕의 역할을 수행할 사람으로 람세스를 지목

했다. 왜 그들은 보다 강하고 능력 있는 사람을 선택하지 않았을까? 람세스는 일대일로 겨루는 싸움이라면 어떤 적과도 맞설 수 있었다. 그러나, 불확실한 미래의 강물 위에 떠 있는 이집트라는 배를 저어갈 준비는 되어 있지 않았다. 누비아 전투에서 그는 용맹함을 증명해 보였다. 필요하다면, 그는 지칠 줄 모르는 자신의 에너지를 무기로 전쟁터에 뛰어들어 나라를 지키기 위한 길목에 설 것이다. 그러나 꿍꿍이속을 알 수 없는 관리들과 귀족들, 신전의 고위 사제들은 어떻게 다스려야 하는 것일까?

가문의 창시자인 람세스1세는 늙은 대신이었다. 정치고문들은 그가 원하지 않았던 권력을 그에게 맡겼다. 그가 왕위에 올랐을 때, 그의 계승자가 될 세티는 이미 인생에서 많은 것을 경험한 성숙한 남자였다. 그러나 람세스는 이제 겨우 스물세 살, 아버지의 그늘 아래서 사소한 일 하나하나까지도 아버지의 지도를 받고 부름에 답하며 살아가는 것에 만족하고 있었다. 길잡이를 믿고 따라가는 길은 얼마나 멋진가! 세티의 명령을 받아 일하고 복종함으로써 이집트에 봉사할 수 있었고, 어떤 의문에 대해서든 아버지로부터 해답을 얻을 수 있다…… 그 천국은 이제는 다다를 수 없는 곳이 되어버리고 말았다.

그런데 운명은 무모하게도 람세스와 같은 혈기방장한 젊은 청년에게 세티를 대신할 것을 요구하고 있다!

차라리 한바탕 웃음을 터뜨리고, 아무도 그를 찾을 수 없는 머나먼 사막으로 도망쳐버리는 것이 낫지 않을까?

그를 지지해주는 사람들에게 기대를 걸 수도 있다. 까다롭고 충실한 동조자인 어머니 투야, 아름답고 조용한 아내 네페르타리, 왕실 건축 현장의 건축가가 된 히브리인 친구 모세, 외교관 아샤, 땅꾼 세타우, 자신의 운명을 람세스의 운명에 건 개인비서 아메니.

적들은 더 강한 자들이 아닐까? 세나르는 왕좌를 향한 야망을 포기할 사람이 아니다. 동생이 왕위에 오르는 것을 막기 위해서 그는 어떤 사람들과 어떤 동맹을 맺어놓았을까? 지금 당장 세나르가 앞에 나타난다면, 람세스는 저항조차 할 수 없을지도 모른다. 두 개의 땅을 상징하는 그 왕관을 그가 그토록 원한다면 차라리 가져가게 하라!

그러나 아버지가 위임한 책임을 포기하고 아버지를 배반할 권리가 자기에게 있는 것일까? 세티의 생각이 잘못된 것이라고, 번복할 수도 있었을 것이라고 우기는 것은 억지다. 람세스는 스스로를 속일 순 없었다. 그의 운명은 보이지 않는 분의 대답에 달려 있었다.

그는 이곳 사막에서, 위험한 기운이 넘실대는 이 붉은 땅 한가운데에서 그 대답을 얻고자 했다.

람세스는 무릎을 꿇고 앉아 먼 하늘을 바라보며 기다렸다. 바위들과 모래 안에 숨어 있는 불이 그의 영혼을 채우든지, 아니면 파괴하든지 할 때까지, 한 사람의 파라오는 고독과 거대함에 사로잡힌 한 인간에 불과했다. 불이 그의 영혼을 심판할 것이다.

태양이 높아지고 있었다. 바람이 가라앉았다. 영양 한 마리가 모래 둔덕에서 둔덕으로 건너뛰었다. 긴박한 위험이 느껴졌다.

갑자기, 그 위험은 공허로부터 빠져나왔다.

길이 4미터에 무게가 300킬로그램은 족히 될 거대한 사자였다. 활활 타는 불처럼 붉은 빛깔의 갈기 때문에 사자는 마치 승리의 전사처럼 당당해 보였다. 놈은 주름 잡힌 갈색의 탄탄한 몸을 유연하게 움직였다.

람세스를 알아본 사자의 포효는 엄청났다. 사방 15킬로미터 거리까지 쩌렁쩌렁 울리는 소리였다. 무시무시한 송곳니가 달린 턱뼈와 날카로운 발톱을 가진 야수는 자기의 먹이를 노려보았다.

세티의 아들은 야수를 피할 수 없었다.

사자는 람세스에게 다가오다가 몇 미터 앞에서 멈추어 섰다. 람세스는 사자의 황금빛 눈동자를 바라보았다. 그들은 꽤 오랜 시간 동안 경계의 눈빛을 나누었다.

야수가 꼬리로 파리 한 마리를 쫓았다. 갑자기 신경질적이 된 사자가 다시 앞으로 걸어오기 시작했다.

람세스가 사자의 눈동자에서 눈길을 떼지 않은 채 천천히 일어섰다.

—너구나, 학살자. 죽어가는 너를 내가 구해주었지.

람세스는 위험을 잊고, 누비아의 사바나 풀숲에서 고통에 찬 비명을 지르던 새끼사자를 떠올렸다. 뱀에게 물린 뒤 세타우가 약으로 치료해주기 전까지 녀석은 놀라운 저항력으로 죽음을 막아내고 있었다. 상처는 아물고 새끼사자는 이제 거대한 야수가 되었다.

람세스가 없는 사이에, 사자는 광야로 뛰쳐나왔다. 야수의 본능을 물리칠 수 없게 된 것일까? 한때 주인이었던 사람에게도 사납고 잔인해질 정도로?

—결정하라, 학살자. 평생을 두고 내 동지가 되든지, 아니면 날 죽여라.

사자는 뒷다리로 일어서더니 두 앞발로 람세스의 양쪽 어깨를 짚었다. 엄청난 무게가 짓눌러 내렸지만, 왕자는 버텨냈다. 사자의 발톱은 숨겨져 있고 머리는 람세스의 코에 스칠 듯 가까이 다가와 있었다.

그들 사이에는, 우정과 믿음과 존경이 있었다.

—네가 내 운명의 길을 정해주었다.

이제, 세티가 '빛의 아들'이라고 명명한 자에게는 선택의 여지가 없었다.

2

멤피스의 궁전은 국상중이었다. 남자들은 수염을 깎지 않았고, 여자들은 머리를 풀어헤쳤다. 세티의 시신을 미라로 만드는 70일 동안, 이집트는 권력의 공백상태로 지내게 될 것이다. 왕위는 비어 있을 것이다. 세티의 미라를 매장함으로써, 세티가 하늘의 빛과 결합한 이후에야, 왕위 계승자가 선포되는 것이다.

국경 지대의 초소들은 경계태세에 들어갔고, 군대는 섭정공 람세스와 왕비 투야의 명령을 받들어 어떤 침략 기도도 분쇄할 만반의 태세를 갖추었다. 히타이트 족을 비롯한 전면적 침입 가능성은 당장은 없을 듯했지만, 기습 가능성은 배제할 수 없었다. 몇 세기 전부터 델타 지방의 부유한 농업지역은 시나이 반도를 헤매고 다니는 '사막의 부랑자' 베두인 족이 즐겨 노리는 곳이 되어왔고, 아시아

소공국 제후들이 이집트 북동부를 치기 위해 서로 제휴하는 경우도 가끔 있었다.

세티의 죽음으로 공포 분위기가 조성되었다. 파라오가 사라지면, 혼돈의 세력이 이집트를 덮쳐 왕조와 왕조를 거치며 이룩된 문명을 파괴해버릴지도 모르는 것이다. 젊은 람세스에게 과연 '두 개의 땅'*을 보호할 능력이 있을까? 유력인사들은 아무도 람세스를 신뢰하지 않았다. 그들은 모두 람세스가 좀더 능란하고 합리적 성격을 가진 셰나르에게 자리를 양보해주기를 바라고 있었다.

남편이 죽은 후에도 투야 왕비는 평소의 습관을 바꾸지 않았다. 가늘고 곧은 코, 엄격하고 날카로운 눈빛을 지닌 크고 둥근 눈동자, 각진 턱, 날씬한 몸매…… 마흔두 살의 왕비는 여전히 오연해 보였다. 그녀는 반박의 여지가 없는 정신적인 권위를 지녔다.

새벽이 밝기가 무섭게, 투야는 타마리스와 단풍나무가 자라고 있는 정원에서 잠깐의 산책을 즐겼다. 그렇게 거닐면서, 세속적인 회의들과 신에게 영광을 돌리는 제의들로 꽉 찬 하루 일과를 계획하곤 했다.

세티가 가버린 지금, 어떤 행동도 그녀에겐 의미가 없었다. 투야는 한시라도 빨리 사람들의 세계에서 멀리 떨어진, 갈등 없는 세계로 가서 남편을 만나보고 싶은 마음밖에는 없었다. 그러나 그녀는 운명이 그녀에게 부과하는 세월의 무게를 받아들였다. 마지막 숨이 다할 때까지 나라에 봉사함으로써 자신에게 주어졌던 행복을 나라에 되돌려주지 않으면 안 되는 것이다.

네페르타리의 우아한 실루엣이 새벽 안개 속에서 빠져나왔다. 백

---

* 상 이집트와 하 이집트, 즉 나일 강 계곡(남쪽)과 델타지역(북쪽).

성들의 표현처럼 '궁전의 가장 아름다운 여인보다도 더 아름다운' 빛나는 검은 머리털과 숭고한 부드러움을 지닌 람세스의 아내는 현자 프타 호텝과 같은 옛 작가들을 숭배하며 성장했다. 그녀는 젊은 나이에 비해 놀라울 정도로 성숙했다. 네페르타리는 남의 마음에 들려고 노력하지 않았지만, 그녀 자신이 매혹 그 자체였다.

―오늘 아침엔 이슬이 담뿍 내렸군요, 폐하. 이 땅의 관대함을 그 누가 다 노래할 수 있을까요.

―네페르타리야, 왜 이렇게 일찍 일어났느냐?

―쉬어야 하실 분은 왕비님이 아니신가요?

―잠을 이룰 수가 없구나.

―어찌하면 폐하의 고통을 덜어드릴 수 있을지요?

슬픈 미소가 투야의 입술 가에 맴돌았다.

―세티는 누구와도 바꿀 수 없는 귀중한 분이셨다. 나의 여생은 이제 기나긴 고통일 뿐. 람세스가 무사히 왕위에 오르면 조금은 그 고통이 가라앉겠지. 이제 그것이 내가 살아야 할 유일한 이유구나.

―폐하, 전 불안합니다.

―무엇을 두려워하느냐?

―선왕의 뜻이 받들어지지 않을까 걱정입니다.

―누가 감히 선왕의 뜻을 거스르겠느냐?

네페르타리는 아무 말도 않고 조용히 고개 숙였다.

―내 맏아들 셰나르를 생각하고 있구나. 그렇지? 나는 그애의 허영심과 야심을 알고 있다. 그러나 아버지의 뜻을 거스를 정도로 정신 나간 애는 아니다.

떠오르는 태양의 황금빛 햇살이 왕비의 정원을 비추었다.

―내가 너무 순진하다고 생각하느냐, 네페르타리? 네 생각은 내

생각과 다른 것 같구나.

—폐하…….

—어떤 확실한 정보라도 있는 게냐?

—아뇨, 그저 느낌일 뿐입니다. 막연한 느낌입니다.

—네 정신은 직관적이고 번개처럼 예리하지. 중상모략을 할 줄도 모르고. 그렇지만 람세스를 왕위에 오르지 못하게 하려면 람세스를 없애버리는 방법밖에 없지 않느냐?

—그것이 바로 제가 두려워하는 것입니다, 폐하.

투야는 타마리스 나뭇가지 하나를 쓰다듬었다.

—셰나르가 형제 살육의 범죄 위에 자신의 통치기반을 세우려 할까?

—폐하도 그러시겠지만 제게도 그건 끔찍한 생각입니다. 그렇지만 그 생각을 쫓아버릴 수가 없습니다. 그 생각이 가당치 않은 것이라면, 저를 엄하게 꾸짖어주십시오. 그러나 저는 입을 다물 수가 없습니다.

—람세스의 신변은 어떻게 보호하고 있느냐?

—사자와 개, 그리고 친위대장 세라마나가 그이를 지키고 있습니다. 그이가 사막에서 외로운 방황을 끝내고 돌아온 뒤부터는 절대로 경호 없이 혼자 있지 않도록 그이를 설득했습니다.

—열흘 전부터 국상이 시작되었으니, 두 달 뒤에는 세티의 불멸의 육신이 영혼의 처소에 들 것이다. 그러면 람세스는 왕위에 오르게 된다. 너는 이집트의 왕비가 되는 거다.

람세스가 다가와 어머니에게 절을 하고 부드럽게 끌어안았다. 이렇게 연약한 몸으로 어머니는 자기에게 위엄과 고결함의 본보기를 보여주고 있는 것이다.

―어째서 신은 우리에게 이토록 가혹한 시련을 내리시는 걸까요?

―아들아, 세티의 정신은 네 안에 살아 있다. 그의 시대는 끝나고 너의 시대가 시작되었다. 네가 그의 위업을 이어받는다면, 그는 죽음을 이길 것이다.

―아버님의 그림자가 너무 큽니다.

―너는 빛의 아들이 아니더냐? 우리를 둘러싸고 있는 어둠을 흩어다오. 우리를 두렵게 하는 혼돈을 물리쳐다오.

람세스가 어머니와의 포옹을 풀었다.

―제 사자와 저는 사막에서 서로 형제가 되었습니다.

―그것이 네가 바라던 징조가 아니었더냐?

―그렇습니다. 어머님께 한 가지 청을 드려도 되겠습니까?

―얘기해보아라.

―아버님께서 이집트 바깥에서 당신의 힘을 외국에 떨치고 계시는 동안에는, 어머님께서 나라를 다스리셨지요.

―전통이 그렇게 하기를 원했으니까.

―어머니께서는 권력을 행사해보신 경험이 있으시고, 또 모두들 어머니를 공경하고 있습니다. 어째서 어머니께서 왕위에 오르지 않으십니까?

―왜냐하면 세티께서 원하시는 바가 아니기 때문이다. 아들아, 그분이 택하신 것은 너다. 왕이 되어야 하는 것은 바로 너다. 나는 전력을 다해서 너를 돕겠다. 그리고 네가 원한다면, 조언을 해주마.

람세스는 더이상 고집을 부리지 않았다.

어머니는 운명의 흐름을 되돌려서 그를 그의 짐으로부터 해방시켜줄 수 있는 유일한 사람이었다. 그러나 투야는 선왕의 결정을 충실히 따르고, 자기의 위치를 바꾸지 않을 것이다. 이제 어떤 의심과 고통에 시달리게 된다 해도, 람세스는 자신의 길을 따라야 했다.

람세스의 친위대장 세라마나는 미래의 이집트 왕이 살고 있는 궁전의 측랑(側廊)을 떠나지 않았다.

이 사르디니아 거인의 허락을 받지 않고는 아무도 궁전 안으로 들어갈 수 없었다. 투야 왕비는 그에게 불청객들을 따돌릴 것과, 위험할 때에는 망설이지 말고 칼을 쓸 것을 명했다.

세라마나는 사람들이 다투는 소리를 듣고 방문객들이 드나드는 현관 쪽으로 급히 달려갔다.

―무슨 일이야?

―이 사람이 들어가겠다고 떼를 쓰고 있어요.

위병이 떡 벌어진 어깨에다 온몸에 털이 많은 거구의 남자를 가리키며 말했다.

―나는 히브리인 모세다. 나는 람세스의 죽마고우이고, 파라오를 위해 일하고 있는 건축가다.

―뭘 원하느냐?

―람세스는 나를 들어가지 못하게 한 적이 없다!

―이제는 내가 결정을 내린다.

―섭정공께서 연금당하신 건가?

―보안 때문에 어쩔 수 없다…… 방문 목적은?

―너하고는 관계없는 일이다.

―그렇다면 집에 돌아가라. 다시는 궁전 근처에 얼씬거리지 말아라. 안 그러면 감옥에 처넣어버릴 테니까.

모세를 꼼짝 못 하게 하기 위해선 최소한 네 명의 위병이 필요할 것 같았다.

—내가 왔다고 섭정공께 알려라. 아니면 후회하게 될 테니.

—위협해봐야 소용 없어.

—내 친구가 날 기다린단 말야! 모르겠나?

오랫동안 해적질을 하며 숱한 격전을 치른 세라마나에게는 위험에 대한 날카로운 감각이 발달되어 있었다. 맷집은 좋아 보이지만 말투가 고상한 이 모세라는 자는 믿을 만한 친구처럼 보였다.

람세스와 모세는 서로 끌어안았다. 모세가 큰 소리로 말했다.

—이건 궁전이 아니라 숫제 요새군그래!

—어머니와 아내, 아메니와 세라마나는 말할 것도 없고 최악의 경우를 두려워하는 사람들이 워낙 많다네.

—최악의 경우라니…… 그건 무슨 뜻인가?

—테러를 말하는 거지.

정원으로 변한 섭정공 접견실의 문전에서 덩치 큰 사자가 졸고 있었다. 사자의 앞발 사이에는 황금빛의 개가 앉아 있었다.

—이런 놈들과 같이 있으면서 뭘 두려워하나?

—네페르타리는 셰나르가 왕위를 포기하지 않았다고 확신하고 있어.

—세티를 매장하기 전에 무력을 행사한다…… 그건 그답지 않은 방법인데. 셰나르는 암약하면서 시간을 버는 편을 더 좋아할걸.

—지금 그에게는 시간이 없으니까.

—맞는 말이군…… 그렇지만 감히 자네에게 맞서진 못할 걸세.

—신들께서 자네의 말을 들어주셨으면 좋겠군. 두 사람이 싸워봐야 이집트에 득 될 게 하나도 없지. 카르낙에선 뭐라고들 하나?

—자네에 대한 나쁜 소문들이 떠돌고 있네.

모세는 총감독인 달인의 지도를 받으며 카르낙의 거대한 건축현장에서 감독의 일을 수행하고 있었다.

—누가 그런 소문을 퍼뜨리고 있나?

—아몬 신전의 사제들, 일부 귀족들, 남쪽지방의 대신 같은 사람들이지. 자네의 누이 돌렌테와 매형 사리가 그들을 부추기고 있고. 멤피스에서 먼 곳으로 귀양을 보내니 참을 수 없다는 거겠지.

—그 뻔뻔스러운 사리라는 작자가 나와 아메니를 없애려고 했다네. 멤피스를 떠나 테베로 가게 한 건 사실 너무 가벼운 처벌이야.

—그 독초들은 북부지방에서만 자라고, 남쪽의 테베에서는 시들어 죽는 종자라는 건가. 그들에게 진짜 귀양살이를 시켰어야 했네.

—돌렌테는 나의 누이이고, 사리는 나의 개인교사였잖아.

—왕이 자기 인척들에게 그렇게 약해져서야 쓰겠나?

람세스는 아픈 데를 찔린 것 같았다.

—모세, 난 아직 왕이 아닐세.

—어쨌든 자넨 그들을 고발해서, 사법 절차를 밟게 해야 했네.

—누이와 매형이 또 마각을 드러내면, 그땐 엄벌에 처하겠네.

—자네 말을 믿어봄세. 자네의 적들이 자네에게 얼마나 적대적인지 잘 모르는 것 같아.

—난 아버님의 죽음을 슬퍼하고 있네.

—그래서 백성과 나라는 잊어버려도 된다, 그 말인가? 하늘에 계신 세티께서 이런 신통치 않은 태도를 칭찬하실 것 같은가?

—군왕의 마음은 비정해야 한단 말인가?

—아무리 합당한 고뇌라 해도, 자기의 고뇌 속에 갇혀 있는 인간이 어떻게 한 나라를 다스릴 수 있겠는가? 셰나르가 나를 매수해서, 자네에게 반기를 들게 만들려고 했었네. 이제 위험이 어느 정도

인지 알겠나?

　모세의 말에 람세스는 경악했다. 모세가 말을 이었다.

　—자네의 맞수는 만만치 않은 사람일세. 이제 정신을 좀 차리겠
나?

3

델타와 나일 강 골짜기가 만나는 지점에 자리잡은 국가 경제의 중심지 멤피스는 거의 마비상태였다. '좋은 여행' 항에서도, 대부분의 선박들은 부두에 묶여 있었다. 70일 간의 국상기간 동안 교역은 중단되었고, 귀족들의 저택에서 향연도 벌어지지 않았다.

세티의 죽음은 이 대도시를 위기상황으로 몰아넣었다. 그가 다스리는 동안, 멤피스는 번영일로에 있었다. 그러나 대상인(大商人)들의 눈에는 멤피스가 벌써 취약해진 것처럼 보였다. 그들은 힘없는 파라오가 등극하면 이집트의 미래가 허약하고 불확실해질 거라고 생각했다. 어느 누가 세티에 버금가는 파라오가 될 수 있겠는가? 세티의 맏아들인 세나르라면 상업적 수완이 뛰어난 군주가 될 수 있을 것이다. 그러나 병든 세티는 다혈질의 젊은 람세스를 더 좋아했다. 람세스의 잘생긴 얼굴은 한 나라의 우두머리라기보다는 바람둥이 사내 정도에나 어울릴 법했다. 탁월한 선견지명을 지닌 사람들도 가끔은 실수를 저지르는 법이니까…… 테베에서처럼 멤피스 사람들도, 세티가 둘째아들을 왕위 계승자로 지목한 것은 실수였을지도 모른다고 수군댔다.

셰나르는 메바의 저택 응접실에서 초조한 표정으로 왔다갔다하고 있었다. 외무대신 메바는 넓적한 호인풍의 얼굴을 가진 점잖고 과묵한 60대 남자였다. 그는 셰나르를 지지했다. 그가 보기에 셰나르의 정치·경제적인 안목은 탁월했다. 몇 가지의 낡은 가치를 희생시키더라도, 상업적 동맹을 되도록 많이 맺어 지중해와 아시아를 통합하는 거대한 시장을 만드는 것, 그것이 바로 미래가 아니겠는가? 무기는 사용하는 것보다 판매하는 편이 더 낫지 않은가.

셰나르가 물었다.

─그가 올까요?

─그는 우리 편입니다. 걱정 마십시오.

─난 그자처럼 거친 사람들은 좋아하지 않아요. 그런 사람들은 바람이 부는 대로 생각이 바뀌거든.

그의 작은 갈색 눈은 끊임없이 불안하게 흔들렸다. 몸집이 무겁고 둔한 그는 햇빛과 운동을 싫어했다. 물 흐르는 듯한 나긋나긋한 목소리는 자기가 특별한 인물이며 침착한 사람이라는 걸 과시하고 있었다. 하지만 그는 자주 침착함을 잃곤 했다.

셰나르는 이익을 위해서 평화주의자가 된 사람이었다. 세계 정세로부터 자기 나라를 분리시키는 것은 그가 보기엔 말도 안 되는 일이었다. '배반'이라는 말은 돈 벌 능력이 없는 도덕주의자들이나 사용하는 말이었다. 구식교육을 받고 자라난 람세스는 왕이 될 자격도 능력도 없다. 그래서 셰나르는 권력을 탈취하기 위한 음모를 꾸미면서도 조금도 양심의 가책을 느끼지 않았다. 이집트는 언젠가 자기의 행동을 고마워하게 될 것이다.

동맹자들이 자기와 함께 세운 계획을 단념하지만 않으면 된다.

—마실 걸 좀 주시오.

셰나르가 부탁했다. 메바는 귀한 손님에게 시원한 맥주 한 잔을 대접했다.

—그자를 믿지 않는 건데…….

—올 겁니다. 틀림없습니다. 그자는 되도록 빨리 고향으로 돌아가고 싶어한다는 것을 잊지 마십시오.

드디어 외무대신의 위병이 고대하던 손님이 도착했음을 알렸다.

아트레우스의 아들 메넬라오스가 들어왔다. 전쟁의 신에게 사랑받고 있는, 트로이인들을 무참하게 죽인 학살자였다. 금발머리에 눈매가 날카로운 메넬라오스는 이중 갑옷을 입고, 황금 버클이 달린 넓은 혁대를 차고 있었다.

메넬라오스는 메바를 의심쩍은 시선으로 바라보더니 셰나르에게 말했다.

—이 사람더러 자리를 좀 비켜달라고 하시오. 그대말고는 누구와도 얘기를 나눌 의사가 없소이다.

—외무대신은 우리의 동지요.

—난 같은 말을 두 번 하지 않는 성미요.

셰나르는 메바에게 자리를 비켜달라는 손짓을 했다. 메넬라오스가 물었다.

—일이 어디까지 진전된 거요?

—개입해야 할 시간이 왔소.

—확실한 거요? 당신네 나라의 괴상한 풍습에 그 끝날 줄 모르는 미라 만들며, 머리가 돌아버릴 지경이오!

—선왕의 미라를 무덤에 넣기 전에 행동을 개시해야 합니다.

—내 부하들은 준비가 끝났소.

—난 쓸데없는 폭력을 신봉하는 사람이 아닙니다. 또…….

—셰나르 공, 이제 그만 좀 꾸무럭거리시오! 당신네 이집트인들은 싸움을 겁내고 있소. 우리 그리스인들은 몇 년씩이나 트로이놈들하고 맞서 싸워서 그놈들을 죽여버렸소. 람세스를 죽이고 싶거든 지금 분명하게 잘라 말하시오. 내 칼을 믿으란 말요!

—람세스는 내 동생이오. 그리고 때로는 술수가 폭력보다 더 효과적이지요.

—그 두 가지가 합쳐져야 승리를 쟁취하는 거요. 트로이의 전쟁 영웅인 나에게서 한 수 배울 생각은 없소?

—당신은 헬레네를 다시 정복해야잖소.

—헬레네, 헬레네, 또 그년 얘기요? 망할 년 같으니. 하지만 그년 없이는 스파르타에 돌아갈 수 없소.

—그렇다면, 내가 세운 계획을 택합시다.

—어떤 계획이오?

셰나르가 미소를 지었다. 이번엔 행운이 그를 도와줄 것 같았다. 이 그리스인의 도움을 받는다면, 목적을 이룰 수 있을 것이다.

—두 가지 큰 장애물을 치워버리면 됩니다. 사자와 세라마나요. 사자에게는 약을 먹이고, 세라마나는 없애버립시다. 그러고 난 뒤, 람세스를 납치하여 그리스로 데려가시오.

—왜 죽이지 않습니까?

—나의 통치를 피와 함께 시작하고 싶지 않기 때문이오. 공식적으로는, 람세스가 왕위계승을 포기하고 먼 여행을 떠난 것으로 꾸미면 됩니다. 여행중에 불행한 사고를 당하는 걸로 합시다.

—그럼 헬레네는?

—내가 왕위에 오르면, 어머니께선 내 말에 복종하실 수밖에 없고, 그러면 더이상 헬레네를 보호하실 수 없게 될 거요. 만일 왕비가 합리적으로 행동하지 않는다면, 신전에 처박아버리겠소.

—이집트인치고는 제법 쓸 만한 계획을 세웠구려. 필요한 독약은 가지고 있는 거요?

—물론이오.

—당신 동생의 친위대원으로 들어간 그리스인 장교는 경험이 많은 노련한 전사요. 세라마나가 자고 있을 때, 그가 목을 베어버릴 거요. 그런데 우리는 언제 행동을 개시하게 됩니까?

—조금만 더 기다려주시오. 나는 테베에 가봐야 합니다. 돌아오는 대로 람세스를 칩시다.

헬레네는 이제 영영 자기에게서 달아나버린 줄로만 알았던 행복을 매순간 맛보고 있었다. 그녀는 넥타르(그리스 신화에서, 신들이 마신다는 신비의 술. 그 술을 마시면 죽지 않는 힘이 생긴다 함—역주) 향기가 풍기는 가벼운 옷을 입고, 햇빛을 가리기 위해서 머리에는 베일을 쓰고 이집트 왕실에서 꿈같은 나날을 보냈다. 그리스인들에게서 '타락한 암캐' 취급을 받는 그녀는, 자기를 괴롭히는 데서 기쁨을 느끼는 사악하고 비겁한 폭군 메넬라오스의 손아귀를 빠져나올 수 있었다. 이집트의 왕비 투야와 람세스의 아내 네페르타리는 헬레네에게 우정을 베풀어주었고, 여자들이 집 안에 처박혀 지내지 않는 이 나라에서 맘껏 자유를 누리게 해주었다. 이집트에서는 왕녀라 할지라도 집 안에만 갇혀 있지 않았다.

헬레네는 정말 수천 명의 그리스인들과 트로이인들의 죽음에 자기가 책임이 있는 것일까, 생각해보았다. 오랜 세월 동안 많은 젊은 이들이 서로 죽고 죽게 한 그 살인적인 광기를 그녀는 한번도 원했던 적이 없다. 그런데도 그녀에게는 변호할 기회도 주지 않은 채, 그녀를 비난하는 소리만 드높았다. 그러나 이곳 멤피스에서는 아무도 그녀를 비난하지 않았다. 그녀는 길쌈을 하고, 음악을 듣거나 연주하고, 물놀이용 연못에서 미역을 감고, 궁전 정원의 아름다움을 즐겼다.

무기 부딪치는 소리들이 잊혀지고 새들의 노랫소리가 들려왔다.

하얀 팔을 가진 헬레네는 하루에도 몇 번씩, 지금 꾸고 있는 꿈이 사라지지 않게 해달라고 기도했다. 그녀는 과거와 그리스와 메넬라오스를 잊는 것말고는 아무것도 바라지 않았다.

나란히 심어놓은 페르세아 나무들 사이로 난 모랫길을 걷다가, 헬레네는 재가 뿌려진 두루미 시체를 발견했다. 가까이 다가가보니, 그 아름다운 배가 갈라져 있었다. 헬레네는 무릎을 꿇고 앉아서 두루미의 내장을 살펴보았다. 헬레네가 점을 친다는 것은 그리스인들이나 트로이인들 사이에는 잘 알려진 얘기였다.

메넬라오스의 아내는 절망에 찬 표정으로 그곳에 그렇게 오랫동안 앉아 있었다. 불쌍한 두루미의 내장에서 읽어낸 어떤 징조가 그녀를 고통스럽게 했기 때문이다.

4

이집트 남부지방의 대도시 테베는 아몬 신의 봉토였다. 아몬 신은 수세기 전, 야만적인 아시아 정복자들과 맞서 싸우는 이집트인들의 팔에 무기를 들려준 신이었다. 독립을 쟁취한 뒤 이집트의 파라오들은 대대로 아몬 신을 찬양하고 그의 신전을 아름답게 가꾸었다. 공사가 일시 중단된 카르낙은 테베의 경제적 부에 힘입어 이집트의 신전들 가운데에서 가장 넓고 돈 많은 공사현장이었다. 그곳은 마치 나라 안의 나라 같은 곳으로서, 그곳의 대사제는 기도하는 사람에 그치지 않는, 막강한 세력을 지닌 존재였다.

테베에 도착하자마자 셰나르는 아몬 신전 대사제에게 접견을 요청했다. 셰나르와 대사제 두 사람은 나무로 만든 정자에 앉아 이야기를 나누었다. 등나무와 담쟁이 넝쿨이 지붕을 덮고 있었다. 정자에서 가까운 신성한 연못 덕분에 조금은 시원한 기운이 느껴졌다.

대사제가 놀란 표정으로 물었다.

―경호원도 없이 오신 겁니까?

―제가 여기 왔다는 것을 아는 사람은 얼마 되지 않습니다.

―아…… 그렇다면, 공께서는 제가 입을 다물기를 바라시는 거군요.

―여전히 람세스를 반대하십니까?

―어느 때보다도 그렇습니다. 그는 젊고 다혈질에다, 성미가 급합니다. 그런 그가 왕위에 오르는 건 재앙입니다. 그를 계승자로 지목하신 건 세티의 잘못입니다.

―저를 신임해주시겠습니까?

―왕위에 오르시게 되면 아몬 신전에 어떤 자리를 마련해주시겠습니까?

―물론, 첫번째 자리지요.

―세티께서는 헬리오폴리스나 멤피스의 사제들을 더 우대하셨습니다. 제게 야망이 있다면, 그것은 카르낙이 서열 2위로 밀리지 않도록 하는 것뿐입니다.

―그건 람세스의 견해이지, 제 견해는 아닙니다.

―셰나르 공, 공께서는 제게 무얼 제안하시는 겁니까?

―행동해야지요. 빨리 행동해야 합니다.

―달리 말하면, 선왕의 미라를 무덤에 넣기 전에 말이지요?

―사실, 그때가 우리의 마지막 기회입니다.

셰나르는 아몬 신전의 대사제가 중병을 앓고 있다는 것을 모르고 있었다. 그의 주치의에 따르면, 그에게는 몇 달, 아니 어쩌면 몇 주밖에 남아 있지 않았다. 그런 만큼 이 고위 성직자에게는 셰나르가 제안하는 빠른 해결이라는 것이 신들의 은총처럼 여겨졌다. 죽기 전에 람세스가 왕권에서 멀어지고, 카르낙이 구원받는 것을 보게될 것 같았다. 대사제가 선언하듯이 말했다.

—그러나 저는 어떤 폭력도 용인할 수 없습니다. 아몬 신께서는 우리에게 평화를 주셨습니다. 평화를 깨뜨려서는 안 됩니다.

—안심하십시오. 비록 왕이 될 재목이 아니라 해도, 람세스는 제 동생이며, 저는 동생을 무척 사랑하고 있습니다. 그에게 손톱만큼의 상처도 입히지 않을 것입니다. 그를 해친다는 생각은 한번도 해본 적이 없습니다.

—그에게 어떤 운명을 마련해두셨습니까?

—람세스는 넓은 세계를 향한 모험에 마음을 둔 정력적인 젊은이지요. 그가 지나치게 버거웠던 짐을 벗어버리고 난 다음에는 긴 여행을 떠나 외국의 여러 나라를 방문하게 될 것입니다. 그가 여행을 하며 익힌 견문은 이 나라에도 귀중한 재산이 될 겁니다.

—그리고 투야 왕비가 공의 특별 고문이 되었으면 합니다.

—그야 말할 필요도 없지요.

—셰나르 공, 아몬 신을 지성으로 섬기십시오. 그러면 운명이 미소를 보낼 것입니다.

세티의 맏아들은 공손하게 절을 했다. 이 늙은 사제의 신임을 얻은 것은 대단한 행운이었다.

람세스의 손위 누이 돌렌테는 번질번질한 피부에 연고를 바르고 있었다. 언제나 축 늘어져 있는 그녀는 테베와 남쪽지방을 증오했다. 자기와 같은 계층의 여자는 멤피스에서 살아야 했다. 멤피스에서는 귀족 가문의 화려한 생활에 생기를 불어넣어주는 오만 가지 대소사에 참견하며 시간을 보낼 수 있는 것이다.

테베는 그녀에게 권태로웠다. 물론 최고위층 인사들이 그녀를 반갑게 맞아주었고, 그녀는 그녀대로 위대한 세티의 딸이라는 신분을 십분 누리며 이 연회장에서 저 연회장으로 돌아다녔다. 그러나 테베의 유행은 멤피스의 유행에 한참 뒤떨어져 있었고, 쾌활했던 배뚱뚱이 남편 사리는 점점 더 의기소침해졌다. 한때, 왕국을 이끌어갈 인재들을 키워내는 대학 캅의 책임자로 있던 그가 람세스 때문에 빈둥거리는 한량으로 전락해버린 것이다.

그래, 사리가 시원찮은 음모를 꾸며 람세스를 제거하려고 하긴 했지. 그래, 나도 람세스에게 반기를 들고 셰나르의 편을 들었어. 맞아, 우리가 잘못된 선택을 한 건 사실이야. 하지만, 세티도 돌아가신 마당에, 람세스는 우리를 용서해주어야 하지 않을까?

복수만이 그의 무정함에 대한 대답이었다. 람세스의 운은 결국 뒤바뀌고 말 것이고, 그렇게 되는 날 돌렌테와 사리는 기회를 붙잡을 것이다. 그때까지 돌렌테는 피부를 가꾸고, 사리는 책을 읽거나 잠을 자면 되는 것이다.

셰나르가 도착하는 바람에, 그들은 몽롱한 상태에서 빠져나왔다.

돌렌테가 소리를 지르며 셰나르를 맞았다.

―사랑하는 오빠! 좋은 소식을 가져왔수?

―그럴 수도 있지.

셰나르의 말에 사리가 눈을 빛내며 말했다.

―애태우지 말고, 말해주시죠.

―난 왕이 될 걸세.

―우리가 복수할 수 있는 시간이 가까워진 겁니까?

―나와 함께 멤피스로 돌아가세. 람세스가 사라질 때까지 두 사람을 숨겨주겠어.

돌렌테의 얼굴이 파랗게 질렸다.

―사라진다니……

─걱정하지 말아라, 사랑스런 누이야. 람세스는 외국으로 떠나게 될 거다.

─제게 중요한 자리를 주실 겁니까?

사리가 물었다.

─자네의 행동은 서툴렀어. 하지만 자네의 재능은 나에게 도움이 될 것 같아. 나에게 충성하게. 그러면 승승장구할 걸세.

─약속하지요, 세나르 왕자님.

이제트는 테베의 호사스러운 궁전에서 람세스의 소식을 간절히 기다리고 있었다. 그녀는 그곳에서 아들 카를 사랑을 다해 키우고 있었다. 초록색 눈, 자그마하고 반듯한 코, 얇은 입술을 가진 그녀는 우아하면서도 장난꾸러기처럼 명랑했다. 아름다운 여자 이제트는 섭정공의 두번째 아내였다.

두번째 아내라니…… 그 호칭을 받아들이고, 그 호칭이 함축하는 조건을 견뎌내기가 얼마나 힘겨웠는지 모른다. 그럼에도 불구하고, 이제트는 네페르타리를 미워할 수가 없었다. 네페르타리는 참으로 아름답고 부드럽고 깊은 여인이었다. 아무런 야심도 드러낸 바 없지만 그녀에게는 미래의 왕비다운 풍모가 있었다.

이제트는 질투로 가슴이 불타올랐다. 때로는 질투심 때문에 람세스와 네페르타리를 상대로 싸움이라도 벌이고 싶었다. 그러나 그녀는 여전히 그녀에게 그토록 큰 행복과 기쁨을 주었던 사람, 그녀가 낳은 아들의 아버지인 람세스를 사랑하고 있었다.

이제트는 권력과 명예에는 관심이 없었다. 그녀는 람세스, 그를 사랑했을 뿐이다. 그의 힘과, 그의 광채를. 그에게서 멀리 떨어져 살아가는 것은 때때로 견디기 어려운 시련이었다. 그 사람은 어째서 나의 슬픔을 알아주지 않는 것일까?

이제 곧 람세스는 왕이 될 것이고, 그러면 그녀를 찾아오는 발길은 점점 더 뜸해질 것이고 그나마 아주 잠깐 동안의 짧은 방문이될 것이다. 그래도 그녀는 저항하지 못하고 견뎌내야 할 것이다. 차라리 다른 남자에게 마음을 줄 수 있다면…… 그러나 은밀하면서도 끈질기게 구애해오는 남자들이 그녀의 눈엔 하나같이 싱겁고 시시하기만 했다.

집사가 세나르의 방문을 알렸을 때 이제트는 깜짝 놀랐다. 세티의 장례식이 끝나기도 전에, 세티의 맏아들이 테베에 무엇 하러 온 것일까?

그녀는 통풍이 잘되는 방에서 그를 맞이했다. 높은 곳에 달린 창문들은 햇빛이 조금만 들게끔 좁게 만들어져 있어 시원했다.

―너무나 아름답소, 이제트.

―무엇 하러 오신 거예요?

―당신이 날 좋아하지 않는다는 걸 알고 있소. 그러나 나는 당신이 영리한 사람이라는 걸 알고 있어요. 당신은 자기 이익에 신경을 쓰고 상황을 판단할 줄 아는 사람이지. 내가 보기에 당신은 왕비감이오.

―람세스는 다른 결정을 내렸어요.

―그런데 그가 더이상 아무것도 결정할 수 없다면 어쩌겠소?

―무슨 말씀을 하시는 거예요?

―내 동생은 양식이 없는 사람이 아니오. 그는 이집트를 통치하는 것이 자기 능력 바깥의 일이라는 걸 이해했소.

―그렇다면 그건……?

―그렇다면 그건 내가 이 나라의 행복을 위해서 그 어려운 임무를 받아들이겠다는 뜻이오. 그리고 당신이 두 개의 땅의 왕비가 된다는 뜻이기도 하오.

―람세스는 포기하지 않았어요, 거짓말 말아요!

―천만에, 난 거짓말을 하는 게 아니오, 사랑스럽고 아름다운 친구여. 그는 메넬라오스와 함께 긴 여행을 준비하고 있소. 그는 나에게 아버님을 기리기 위하여 그의 뒤를 이어달라고 부탁했다오. 여행에서 돌아오면, 내 동생은 그의 지위에 합당한 모든 특권을 누리게 될 거요. 내 말을 믿으시오.

―나에 대한 이야기를 하던가요?

―내 보기엔 그가 당신이나 아들은 잊어버린 것 같습니다. 다만 넓은 세상에 대한 열정으로 가득 차 있을 뿐이오.

―네페르타리도 데리고 가나요?

―아니오. 그는 다른 여자들을 만나고 싶어하죠. 쾌락에 관해서라면, 내 동생은 만족할 줄 모르는 사나이잖소?

이제트는 어쩔 줄 모르는 표정을 짓고 있었다. 세나르는 이제트의 손을 잡고 싶었지만, 아직은 때가 일렀다. 서둘다가는 실패하기 십상이다. 우선 이 젊은 여자를 안심시켜야 한다. 그러고 나서 부드럽게, 그리고 확신을 가지고 정복해야 한다.

그가 이제트에게 약속했다.

―어린 카는 최고의 교육을 받게 될 거요. 당신은 아무것도 걱정할 게 없어요. 아버님 장례식이 끝나면 함께 멤피스로 돌아갑시다.

―람세스는…… 그때는 람세스가 이미 떠난 뒤일까요?

―물론이오.

―장례식에 참석하지 않나요?

―유감스럽게도, 그렇다오. 메넬라오스가 더이상 출발을 지연시키려 하지 않기 때문이오. 람세스는 잊어요, 이제트. 그리고 왕비가 될 준비나 하시오.

5

이제트는 한숨도 못 자고 꼬박 밤을 새웠다.

셰나르가 거짓말을 한 것이다. 람세스는 외국여행에 정신이 팔려서 이집트를 떠날 사람이 아니다. 그가 세티의 장례식에 불참한다면, 그건 어쩔 수 없는 상황 때문일 것이다.

물론, 람세스는 그녀에게 무정하게 굴었다. 그렇지만 람세스를 배반하고 셰나르의 품에 안기진 않을 것이다. 왕비가 되고 싶은 생각도 없었다. 보름달 같은 얼굴에 말만 번지르르한, 자신의 승리를 너무나 확신하고 있는 그 야심가가 증오스러웠다!

이제 자신이 해야 할 일이 분명해졌다. 람세스를 제거하기 위해 꾸며지고 있는 음모와, 셰나르가 품고 있는 생각을 그에게 알려주어야 한다.

그녀는 셰나르가 한 얘기를 자세히 적은 장문의 편지를 쓴 다음, 멤피스로 가는 통신물들을 책임지는 왕실 전령 상급자를 불렀다.

─이 편지는 중요하고 또 긴급하다.

─제가 책임지겠습니다.

관리가 이제트에게 장담했다.

국상 기간 동안, 테베 포구의 활동은 멤피스에서처럼 많이 위축되었다. 북으로 가는 쾌속선 전용 부두에서 병사들이 졸고 있었다. 왕실 전령 상급자가 선원 하나를 소리쳐 불렀다.

─닻을 올려라, 떠난다.

─불가능합니다.

─무슨 이유로?

─카르낙 대사제가 징발하셨습니다.

─그런 얘기 들은 적 없는데.

─명령이 지금 막 떨어졌습니다.

─어쨌든 닻을 올려라. 멤피스 궁으로 가는 긴급한 서신이 있다.

배의 선교(船橋) 위에 한 사람이 나타났다. 그가 강경한 어조로 말했다.

─명령은 명령이야. 명령을 따라야지.

─그런 말투로 말씀하시는 댁은 누구시오?

─파라오의 맏아들, 셰나르다.

왕실 전령 상급자가 허리를 굽혀 절을 했다.

─무례함을 용서하십시오.

─그 편지를 나에게 넘겨준다면, 그대의 무례함을 잊도록 하지.

─하지만…….

─분명 멤피스 궁으로 가는 편지렷다?

―예, 람세스님께 가는 편지올습니다.

―내가 곧 그에게로 갈 것이다. 내가 적절한 전령이 아니라고 생각하는가?

관리는 편지를 셰나르에게 넘겨주었다.

배가 전속력으로 달려 테베에서 멀어지자, 셰나르는 이제트의 편지를 찢어버렸다. 편지조각들이 바람에 실려 흩어졌다.

여름밤은 덥고 향기로웠다. 세티가 그의 백성을 떠났다는 것을, 이집트의 영혼이 고대제국의 군주들에 버금가는 한 왕의 서거를 애도하여 울고 있다는 것을 어떻게 믿을 수 있겠는가?

여느 때 같으면, 여름밤은 즐겁고 활기에 넘쳤을 것이다. 마을의 광장과 도시의 골목 골목에서, 사람들은 춤을 추고 노래 부르고, 옛날이야기, 특히 동물들이 인간의 자리를 차지하고 인간보다 더 지혜롭게 행동하는 우화들을 질펀하게 풀어놓았다. 그러나 왕의 시신이 미라로 만들어지는 이 국상 기간에는 웃음소리도 들리지 않았고 유희도 벌어지지 않았다.

람세스의 노란 개는 정원을 지키는 책임을 맡은 거대한 사자의 허리에 기대어 잠을 자고 있었다. 마침 정원사가 나무들에 물을 주고 난 뒤라 풀밭이 시원했다.

정원사들 중의 한 사람은 메넬라오스의 병사였던 그리스인이었다. 그는 정원을 떠나기 전에 백합꽃 화단에다 독이 든 고깃덩어리들을 놓아두었다. 식욕이 좋은 두 마리 짐승은 그 고깃덩어리에 저항하지 못할 것이다. 사자가 시간을 두고 천천히 죽어간다고 해도 놈을 살려낼 수의사는 아무도 없을 것이다.

노란 개가 먼저 뭔가 특별한 냄새가 난다는 것을 알아차렸다.

그놈은 하품을 하며 기지개를 켜고는 밤공기를 들이마시며 종종

걸음으로 백합꽃을 향해 다가갔다. 화단을 들여다본 노란 개는 사자 쪽으로 몸을 돌렸다. 그놈은 이기적인 놈이 아니었다. 그런 대단한 횡재를 독차지하지 않았다.

세 명의 병사들이 정원의 담 위에 올라앉아 사자가 잠에서 깨어나 개를 따라가는 것을 만족스런 표정으로 바라보았다. 이제 조금만 더 기다리자. 그러면 길이 열릴 것이다. 아무 방해도 받지 않고 람세스의 방으로 가서, 잠자고 있는 그를 덮쳐 메넬라오스의 배에까지 끌고 갈 수 있는 것이다.

사자와 개는 대가리를 백합꽃 화단에 처박고 꼼짝도 하지 않았다. 꽃 위에 쓰러져버린 것이다.

10분쯤 기다렸다가 그리스인 한 사람이 땅 위로 뛰어내렸다. 독성이 강한 독을 많이 먹었기 때문인지 덩치 큰 짐승은 벌써 온몸이 마비된 모양이었다.

척후병이 동료들에게 신호를 보냈다. 그들은 척후병을 따라서, 람세스의 방 쪽으로 가는 오솔길로 접어들었다. 그들이 왕자의 궁전으로 막 들어가려는 순간, 으르렁 하는 소리가 들렸다. 그들은 뒤를 돌아보았다.

커다란 사자와 노란 개가 그들을 노려보며 서 있었다. 마구 짓밟혀진 백합꽃 사이에, 고깃덩어리가 뭉개져 있었다. 개는 냄새가 의심스러워 고깃덩어리를 먹지 않았다. 사자는 친구의 직관을 믿고 독이 들어 있는 먹이를 마구 뭉개놓은 것이다.

칼로 무장한 세 명의 그리스인들은 서로를 꽉 끌어안았다.

덩치 큰 사자가 발톱을 내밀고 아가리를 벌리며 침입자들에게 덤벼들었다.

람세스의 친위대에 들어가는 데 성공했던 그리스인 장교는 섭정공이 살고 있는 거처를 향하여 천천히 나아갔다. 그는 여러 복도를 살피고 뜻밖의 상황은 없는지 둘러보았다. 병사들은 그를 잘 알고 있었으므로 그가 지나가는 데는 아무런 문제가 없었다.

그리스인은 세라마나가 잠들어 있는 화강암 문지방을 향해 다가갔다. 세라마나는 람세스를 해치려면 자기 목부터 잘라야 할 거라고 말하곤 했었다. 그를 제거하고 나면, 섭정공은 가장 중요한 보호자를 빼앗기게 될 테고 섭정공의 친위대는 이집트의 새로운 주인이 될 셰나르의 휘하에 들어가게 될 것이다.

그리스인은 가만히 서서 귀를 기울였다.

잠들어 있는 세라마나의 규칙적인 숨소리말고는, 아무 소리도 들려오지 않았다.

튼튼한 육체를 가진 세라마나도 몇 시간은 눈을 붙여야 했다. 그렇지만 위험을 알아차린 순간 고양이처럼 재빨리 잠에서 깨어날 감각이 있었다. 반격할 기회를 아예 주지 않기 위해서 불시에 덮쳐야 한다.

신중을 기하기 위해서, 용병은 다시 한번 귀를 기울였다. 의심의 여지가 없었다. 모든 상황은 그의 손아귀에 있었다.

그리스인은 칼집에서 칼을 꺼내들고 숨을 죽였다. 그는 잠든 남자를 향해 몸을 던지며 있는 힘을 다해 목덜미에 칼을 꽂았다.

그때 자객의 등 뒤에서 무거운 목소리가 들려왔다.

—겁쟁이치고는 폼이 제법인데.

그리스인이 놀라서 뒤를 돌아보았다. 침실 구석에 놓인 간이침대에서 세라마나가 몸을 일으키고 있었다.

세라마나가 큰 소리로 말했다.

—네가 죽인 건 지푸라기와 헝겊으로 만들어진 인형이야. 이렇게 비겁한 류의 공격을 예상하고 대비해두었지.

메넬라오스의 부하는 칼자루를 꽉 쥐었다. 트로이 전장을 누비며 수많은 격전을 치른 그였다. 기습에는 실패했지만, 그대로 물러설 수는 없었다. 게다가 상대는 빈 손 아닌가.

—칼을 내려놔.

—어쨌든 네놈 모가지는 잘라주마.

—어디, 그래보시지.

사르디니아인은 그리스인보다 머리 세 개는 더 컸다.

칼이 허공을 갈랐다. 큰 키에 육중한 몸집의 사르디니아인은 놀라울 정도로 기민하게 움직였다. 세라마나가 말했다.

—너는 아직도 칼을 쓸 줄을 모르는구나.

화가 난 그리스인 병사는 옆으로 발길질을 하며 상대를 견제하다가 뾰족한 칼 끝으로 상대의 배를 겨누고 앞으로 덤벼들었다.

사르디니아인은 몸을 틀어 칼끝을 비키고 오른손으로 상대의 손목을 내리쳐 부숴뜨리고 왼쪽 주먹으로 관자놀이를 세게 쳤다. 그리스인은 혀를 길게 빼물고, 눈을 멍하니 뜬 채 뒤로 넘어졌다. 몸뚱이가 땅에 닿기도 전에, 그는 이미 죽어 있었다. 세라마나가 중얼거렸다.

—쯧쯧, 겁쟁이도 못 되는군.

잠에서 깨어난 람세스는 자신을 노린 두 건의 테러가 실패로 끝났다는 사실을 알게 되었다. 정원에는 사자의 공격을 받은 세 명의 그리스인이 죽어 있었고, 복도에는 섭정공의 친위대원이었던 또 한 사람의 그리스인이 넘어져 있었다. 세라마나가 말했다.

—저들은 나리를 죽이려 했던 겁니다.

—누가 시킨 짓인지 말을 하더냐?

—물어볼 시간이 없었습니다. 그 신통찮은 놈 때문에 마음쓰지

마십시오. 전사가 될 소질이라곤 전혀 없는 친굽니다.

 —그 그리스인들은 메넬라오스의 측근이 아니냐?

 —나는 그 그리스놈이 싫습니다. 그놈과 일대일로 대결할 수 있게 해주십시오. 그러면 그놈이 무서워하는, 트로이 전쟁의 귀신들과 절망한 영웅들이 우글거리는 지옥으로 보내줄 테니까요.

 —지금 당장은 호위병력을 두 배로 늘리는 걸로 만족해라.

 —왕자님, 수비는 좋은 전략이 아닙니다. 공격해야만 이길 수 있습니다.

 —적이 누군지 정체를 파악하는 문제가 남아 있잖아.

 —메넬라오스와 그 부하들 짓이지 뭡니까! 그놈들은 거짓말쟁이에다 음흉한 놈들이에요. 가능한 한 빨리 그놈들을 내쫓으십시오. 아니면 또 일을 벌일 겁니다.

 람세스는 세라마나의 오른쪽 어깨 위에 손을 올려놓았다.

 —네가 나에게 충성하고 있는데, 내가 무얼 두려워하겠느냐?

 람세스는 나머지 밤 시간을 사자와 개 곁에 앉아 정원에서 보냈다. 사자는 잠이 들었고, 노란 개는 자다말다 했다. 세티의 둘째아들은 평화로운 세계를 꿈꾸었다. 그러나 인간의 광기는 고인이 된 파라오를 미라로 만드는 기간마저도 존중하지 않는다.

 모세의 말이 맞았다. 적들에게 관대함을 보여주는 것으로는 폭력을 잠재울 수 없다. 사람들은 오히려 공격하기 쉬운 약자를 괴롭히게 마련이다.

 새벽이 밝았다. 람세스는 번민에 싸여 밤을 꼬박 새웠다. 세티는 그 누구와도 견줄 수 없는 사람이었다. 하지만 이제 람세스는 그 나름대로 자신에게 주어진 일을 시작해야 했다.

6

세티 시대의 이집트에서는, 신전들은 신전에 맡겨진 식품이나 물건들을 다시 분배해야 하는 책임을 맡고 있었다. 파라오 문명의 태동기 때부터, 정의와 진실의 여신 마아트의 규범은 신들의 축복을 받은 땅의 아이들이 누구라도 부족한 것이 없기를 원했다. 한 사람의 백성이라도 굶주림으로 고통을 당한다면, 어떻게 축제를 치를 수 있겠는가?

국가의 정점에 있는 파라오는 올바른 방향으로 이끄는 키의 역할뿐 아니라, 배에 승선한 선원들의 단결을 확고하게 하는 선장의 역할도 했다. 한 사회를 이끌어가는 데 필요한 연대의식을 심어주는 것은 선장의 책임이었다. 연대의식 없이는, 사회는 분열하고 내부 갈등으로 멸망하고 만다.

물품의 유통에 대한 책임은 관리들에게 있었다. 관리들의 역량은 이집트가 번영할 수 있었던 중요한 이유들 중의 하나였다. 물론 신전들과의 협약 아래 나라 전체를 두루 다니며 장사를 하는 독립적인 상인들도 있었다.

10여 년 전부터 이집트에 정착해서 살고 있는 시리아인 라이아도 그런 상인들 중의 하나였다. 수송선 한 척과 많은 나귀들을 소유한 그는 북쪽에서 남쪽으로, 남쪽에서 북쪽으로 끊임없이 오가면서 포도주와 소금에 절인 고기, 아시아에서 수입해온 항아리들을 팔았다. 중키에 짧은 턱수염을 뾰족하게 기르고, 긴 윗옷을 알록달록한 색깔의 허리띠로 잡아맨 그는 점잖고 과묵하고 성실한 사람으로서 고객들로부터 좋은 평판을 듣고 있었다. 품질 좋은 물건을 까다롭게 골라 들여오는 데다가 물건값도 저렴하다는 평이었다. 그는 해마다 상업 허가증을 갱신했다. 다른 많은 외국인들처럼 이집트 국민들에게 동화된 그는 전혀 딴 나라 사람 같지 않았다.

그런 그가 히타이트 족에 고용된 첩자라는 것을 아는 사람은 없었다.

히타이트 족이 라이아에게 맡긴 일은 가능한 한 많은 정보를 수집해서 가장 빠른 시일 내에 자기들에게 전하라는 것이었다.

아나톨리아 반도의 전사들은 그 정보를 통해 파라오의 신하들을 파악하고 최적의 순간을 선택하여 이집트를 전면 공격할 계획이었다. 라이아는 군인들이나 세관원, 그리고 경찰들과 잘 사귀어둔 덕에 비밀스런 이야기들을 적잖이 얻어들을 수 있었다. 그는 그 중에서 알맹이만 추려내어 암호문을 작성하고 그것을 히타이트로 보내기 위해, 이집트와 공식적인 동맹관계를 맺고 있는 남부 시리아의 족장에게 가는 항아리들 속에 넣었다. 세관에서 라이아의 짐을 뒤지고 그가 쓴 글들을 읽어본다고 해도 수상한 점이라곤 전혀 없는 상업통신문이나 지불해야 할 청구서들뿐이었다. 첩자 조직에 속한 이 시리아인 수입상의 메시지가 담긴 항아리는 히타이트의 보호 아래 있는 북시리아에서 그곳의 조직원에게 전달되고 그 사람이 그 메시지를 히타이트 제국의 수도인 하투사까지 가져가는 것이다.

이런 방법을 통해서, 근동 아시아에서 가장 강력한 군사대국인 히타이트 왕국은 일급 정보를 비롯해서 이집트의 정치 변화를 매달 상세하게 파악하고 있었다.

세티의 죽음과 국상기간은 이집트를 공격할 수 있는 아주 좋은 기회로 보였다. 그러나 라이아는 히타이트 장수들에게 쓸데없는 모험을 하지 말도록 강력하게 만류했다. 그들의 생각과는 달리, 이집트 군대는 해이해져 있지 않았다. 오히려 정반대였다. 새로운 왕의 등극이 선포되기 전에 이집트를 공격해올지도 모르는 외세에 대비해서, 이집트 군대는 국경지방의 경계를 한층 강화했던 것이다.

한편 라이아는 람세스의 누이 돌렌테 밑에서 일하는 사람을 통해서, 미래의 왕의 형인 셰나르가 묵묵히 뒷전으로 밀려나지는 않을 사람이라는 것을 알게 되었다. 셰나르는 대관식 이전에 권력을 낚아채기 위해 음모를 꾸미고 있는 것이다.

첩자는 오랫동안 셰나르의 됨됨이를 살펴보았다. 적극적이고 능수능란하고 야심만만한 셰나르는 특히 자신의 개인적인 이익이 걸려 있을 때에는 무자비하고 교활한 사람이었다. 그는 세티나 람세스와는 아주 달랐다. 그가 왕이 된다면, 히타이트로서는 좋은 일이었다. 히타이트는 과거의 적대관계는 잊어버리고, 이집트와 외교적이고 상업적인 관계를 맺자는 의지를 표명한 바 있다. 물론 그것은 히타이트가 쳐놓은 함정일 뿐이지만. 셰나르는 이미 그 덫에 걸려든 듯했다. 아나톨리아 반도의 군주는 모든 팽창주의적 목표를 포기한 것처럼 행동했다. 미래의 파라오가 자기의 부드러운 말에 넘어가 군사적 긴장을 풀기를 바라는 마음에서였다.

라이아는 조사를 계속해서 셰나르의 공범들이 누군지, 또 그가 어떤 계획을 가지고 있는지도 밝혀냈다. 그는 상당히 정확한 본능을 발휘하여, 멤피스에 자리잡은 그리스인 집단을 눈여겨보았다. 메넬라오스가 잔인한 용병 노릇을 하기에 적합한 인물로 보였기 때문이다. 그의 가장 아름다운 추억이라는 것이 결국은 트로이에서 저지른 학살이 아니던가? 그의 측근들이 전하는 말에 따르면, 그리스인 왕은 이집트에서의 생활을 못 견뎌하고 있다. 승리를 자축하기 위해 헬레네를 데리고 하루라도 빨리 스파르타로 돌아가고 싶어한다. 셰나르는 틀림없이, 람세스를 제거하고 왕이 되기 위해 몇몇 그리스인들에게 두둑한 대가를 약속했을 것이다.

라이아는 람세스가 파라오가 된다면 히타이트 족에게 불리할 거라고 확신했다. 그는 아버지처럼 단호한 성격을 가진 데다가 호전적이라 젊은 혈기가 시키는 대로 할 위험이 있는 인물이었다. 좀더 온건하고 호락호락한 셰나르의 계획을 지지하는 것이 그들로서는 현실적 정책이었다.

그러나 들려오는 소식은 좋지 않았다. 그가 포섭한 궁전의 하인이 전해준 말로는, 몇 명의 그리스인 용병들이 람세스를 없애려다가 오히려 죽음을 당했던 모양이었다. 음모는 실패로 돌아간 것 같았다.

두고 보면 알게 되겠지만, 그 음모의 주모자로 밝혀진다면 셰나르는 중도하차하는 수밖에 없을 것이다. 그가 요행히 혐의를 벗어난다면 아직은 희망이 있을 테고.

메넬라오스는 전쟁터에서 그토록 많은 공격을 막아낸 방패를 마구 짓밟고 수많은 트로이인들의 가슴을 찔렀던 창 하나를 분질러버렸다. 그것도 모자라 항아리 하나를 저택의 대기실 벽에다 집어던졌다.

그는 가까스로 화를 누르며 세나르를 향해 돌아섰다.

—실패했다니…… 뭐라구? 실패했다고요? 이보시오, 내 부하들은 절대로 실패하지 않소! 우리는 트로이 전쟁에서 이겼소. 우린 정복자들이란 말요!

—당신 말을 부정할 수밖에 없어 미안하군요. 람세스의 사자가 당신의 전사 셋을 죽였고, 세라마나가 나머지 한 명을 죽였소.

—정보가 새어나간 거요!

—아니, 그들은 그저 자기 임무를 수행할 능력이 없었을 뿐이오. 이제, 람세스는 당신을 의심하게 되었소. 아마도 당신에게 추방령을 내릴지도 모르겠소.

—나더러 헬레네 없이 떠나라구…….

—당신은 실패했소, 메넬라오스.

—당신의 계획이 멍청했던 거요!

—하지만 할 수 있다고 했잖소.

—여기서 나가시오!

—떠날 준비나 하시오.

—내가 뭘 해야 할지는 내가 결정하겠소.

람세스의 신발 운반 담당관이자 개인비서인 아메니는 세라마나처럼 거친 사람을 별로 좋아하지 않았지만, 그가 람세스를 그리스인 자객으로부터 보호하는 데 큰 공을 세웠음을 인정했다. 그는 람세스가 보인 반응을 보고 놀랐다. 미래의 파라오는 아주 차분한 태도로 아메니에게 국가의 주요 기구들이 어떻게 돌아가고 있는지, 그 기구들 사이에 어떤 상호관계가 있는지 작성해달라고 요구했다.

세라마나가 아메니에게 셰나르의 방문을 알리자, 섭정공의 개인 비서는 짜증스러워졌다. 섭정공이 공동저수지 사용에 관한 법안 개정을 연구하고 있는 중인데, 셰나르의 방문으로 방해를 받게 생긴 것이다.

아메니가 람세스에게 권했다.

—그를 들이지 말게.

—셰나르는 내 형님일세.

—그는 개인적인 이익만 챙기는 모사꾼이야.

—그가 뭐라고 하는지 꼭 들어봐야 할 것 같은데.

람세스는 정원에서 그의 형을 맞았다. 사자는 단풍나무 그늘에서 잠자는 중이었고 노란 개는 뼈다귀 하나를 물어뜯으며 놀고 있었다.

셰나르가 놀라며 말했다.

—너는 아버님보다도 더 굉장한 경호를 받고 있구나! 너에게 접근하는 건 거의 불가능한 일이겠는걸.

—그리스인들이 사악한 의도를 품고 궁전에 침입하려 했던 것을 모르십니까?

—알고 있다. 그 음모를 꾸민 장본인을 너에게 알려주러 이렇게 온 것이다.

—어떻게 그걸 알게 되셨나요, 친애하는 형님?

—메넬라오스가 날 매수하려고 했었거든.

—그가 형님께 무얼 제안하던가요?

—왕위를 차지하라고 하더구나.

—그런데 거절하셨단 말이군요…….

—람세스, 나는 권력을 좋아한다. 그렇지만 나는 내 한계를 알고 있고, 그 한계를 극복할 생각도 없다. 미래의 파라오는 그 누구도

아닌 바로 너다. 우리는 아버님의 뜻을 받들어야 한다.

　—왜 메넬라오스가 그런 위험을 무릅썼을까요?

　—그에게 이집트는 감옥이니까. 헬레네를 데리고 스파르타로 돌아가고 싶어서 이성을 잃었던 거지. 그자는 네가 자기 부인을 가두어놓고 있다고 생각한 거야. 너를 오아시스로 내쫓은 뒤 헬레네와 함께 떠나게 해달라고 하더라.

　—헬레네는 완전히 자유의사로 행동한 건데요.

　—그리스인의 눈에는 여자가 자유롭게 행동한다는 건 상상도 할 수 없는 일이다. 여자는 남자가 시키는 대로 해야 하거든.

　—그자가 그렇게까지 어리석은 자입니까?

　—메넬라오스는 고집불통에다 위험한 인물이다. 그리스의 영웅처럼 행동하지.

　—형님은 제게 어떤 충고를 해주시겠습니까?

　—용서할 수 없는 죄를 저질렀으니, 당장 그를 추방해야 한다.

7

　시인 호메로스는 섭정공의 궁에서 멀지 않은 넓은 저택에서 기거
하고 있었다. 호메로스는 자기의 정원을 거의 떠나지 않았다. 정원
에 있는 나무들 중에서 그가 가장 아끼는 것은 영감을 얻는 데 반
드시 필요한 레몬나무였다.

　호메로스는 몸에 올리브 기름을 바르고 커다란 달팽이 껍질로 만
든 파이프에 마른 샐비어 잎사귀를 넣어 즐겨 피웠다. 무릎 위에는
그가 헥토르라고 이름 붙인 까만색과 흰색 털이 섞인 고양이 한 마
리가 앉아 있었다. 그는 자기가 쓴 『일리아드』의 시구들을 때로는
아메니에게, 또 때로는 아메니가 보낸 서기관에게 들려주었다.

　섭정공의 방문은 시인을 기쁘게 했다. 호메로스의 요리사가 병목
이 아주 가느다란 크레타의 술병을 가져왔다. 그 술병을 기울이자

향기 짙은 신선한 포도주가 가늘게 졸졸 흘러나왔다. 아카시아 나무 기둥 네 개가 야자수잎 지붕을 떠받친 정자 아래 앉으니, 더위도 견딜 만했다. 호메로스가 람세스를 바라보며 말했다.

—이 멋진 여름이 나의 고통을 낮게 해줍니다.

호메로스는 햇볕에 그을은 주름투성이 얼굴에 하얀 수염을 길게 기르고 있었다. 그가 물었다.

—이곳에서도 그리스에서처럼 폭풍우가 칩니까?

람세스가 대답했다.

—때로 세트 신께서 무시무시한 폭풍우를 내리시지요. 하늘은 어두운 구름으로 덮이고 번개가 하늘에 얼룩무늬를 새기고 천둥은 으르렁대고, 홍수가 와디를 가득 채우고, 도랑은 흘러넘치면서 돌멩이들을 실어나릅니다. 그러면 사람들의 가슴엔 두려움이 가득 차지요. 어떤 사람들은 나라가 다 부서져버린다고 생각하기도 합니다.

—공의 선왕 세티의 이름은 세트 신에서 따온 것이지요?

—제게는 그것이 오랫동안 수수께끼였습니다. 어떻게 한 사람의 파라오가 감히 오시리스를 살해한 신을 자기의 수호신으로 삼을 생각을 했을까 하고 말입니다. 이제는 깨닫게 되었습니다. 아버님께서는 짐작할 수도 없는 엄청난 하늘의 힘을 통제하셨고, 그 힘을 무질서가 아니라 조화를 이루기 위하여 사용하셨다는 걸 말이지요.

—이집트라는 나라는 참 이상한 나랍니다! 공께서는 며칠 전 일종의 폭풍우를 치르지 않으셨습니까?

—그 사건의 메아리가 이 정원까지 들려오던가요?

—눈은 잘 안 보여도, 귀는 잘 들린답니다.

—그렇다면, 선생님의 동향인들이 저를 없애려고 했다는 것도 알고 계시겠군요.

—그저께, 나는 이런 시를 썼습니다. "나는 당신들이 그 무엇도

빠져나갈 수 없는 그물에 걸려든 것이나 아닌지, 모두들 적군의 희생물과 전리품이 된 것은 아닌지 너무나 무섭습니다. 그들은 당신들의 도시들을 약탈할 것입니다. 밤이고 낮이고 이것을 생각하시오. 비난을 면하려거든, 쉬지 말고 싸우시오."

—마치 점쟁이 같군요.

—나는 공께서 정정당당한 분이라는 걸 알고 있지요. 그러나 미래의 파라오는 그리스인 늙은이의 의견을 가끔 들으러 오셔야 할 거요. 해롭진 않을 테니.

람세스가 미소를 지었다. 호메로스는 거칠고 직선적인 사람이었지만, 람세스는 그의 그러한 태도가 좋았다.

—선생님 생각엔, 자객들이 자기들 혼자서 행동한 것 같습니까? 아니면 메넬라오스의 명령을 받아서 움직인 것 같습니까?

—공께서는 그리스인들을 잘 몰라요. 음모를 꾸미는 것은 그들이 좋아하는 놀이입니다. 메넬라오스는 헬레네를 원하죠. 그런데 당신이 그 여자를 숨겨주고 있으니, 해결책은 단 하나, 폭력을 사용하는 거지요.

—하지만 실패했습니다.

—메넬라오스는 미련하고 아둔한 사람이오. 그는 그쯤에서 포기하지 않을 겁니다. 결과야 어떻게 되든 공의 나라 한복판에서 공을 상대로 전쟁을 벌일 것이오.

—제가 어떻게 하면 좋겠습니까?

—그를 헬레네와 함께 그리스로 돌려보내시오.

—하지만 그녀가 거절하잖소!

—그녀 자신이 바라는 것은 아니라 해도, 그 여자는 불행과 죽음을 가져올 뿐입니다. 운명의 흐름을 바꾼다는 건 꿈같은 얘기요.

—그녀는 자신이 살고 싶은 나라를 자유롭게 선택할 수 있습니

다.

　─참, 공에게 미리 말해둔다는 걸 잊었소. 새 파피루스들과 최상
품 올리브 기름을 나에게 보내주시는 걸 잊지 마십시오.

　보기에 따라서는 무례하게 여겨질 수도 있는 행동이었지만 람세
스는 호메로스의 솔직한 말투가 좋았다. 그의 그러한 말이 조신들
의 겉만 번지르르한 말보다는 훨씬 더 유익할 것이다.

　람세스가 들어서기가 무섭게, 아메니가 그에게 달려왔다. 이런
법석은 그답지 않은, 좀체로 없던 일이었다.

　─무슨 일이야?

　─메넬라오스…… 메넬라오스가!

　─그자가 뭘 어쨌는데?

　─그자가 항구에서 일하는 사람들을, 여자들이고 애들이고 할 것
없이 볼모로 잡아두고, 헬레네를 오늘 당장 내놓지 않으면 모두 죽
여버리겠다고 협박하고 있어.

　─어디 있는데?

　─인질들과 함께 자기 배에 타고 있어. 그의 함대가 모두 닻을
올려놓고 있네. 도시에 그자의 병사는 한 놈도 남아 있지 않아.

　─항구 보안 책임자가 있기는 한 건가?

　─너무 엄격하게 굴지 말게. 메넬라오스와 그의 부하들은 부두
감시를 책임지고 있는 우리 병사들을 불시에 습격한 걸세.

　─어머니는 이 사실을 알고 계시나?

　─네페르타리와 헬레네와 함께 자네를 기다리고 계시네.

　세티의 미망인과 람세스의 아내, 그리고 메넬라오스의 아내는 걱
정스러운 표정을 짓고 있었다. 투야는 황금칠을 한 낮은 의자에, 네

페르타리는 삼각의자 위에 앉아 있었고, 헬레네는 연꽃처럼 생긴 밝은 초록색 기둥에 기대어 서 있었다.

왕비의 접견실은 시원하고 안락했다. 미묘한 향기가 후각을 간질였다. 파라오의 옥좌 위에 놓인 꽃다발은 군왕의 자리가 비어 있음을 알려주고 있었다.

람세스는 어머니 앞에서 허리를 굽혀 절하고, 아내를 부드럽게 껴안으며 헬레네에게 목례를 했다. 투야가 말을 꺼냈다.

ㅡ알고 있느냐?

ㅡ아메니가 얼마나 심각한 상황인지 숨김 없이 이야기해주었습니다. 인질이 몇 명이나 됩니까?

ㅡ쉰 명쯤 된다.

람세스가 헬레네를 바라보며 물었다.

ㅡ우리가 공격을 시도한다면, 메넬라오스가 인질들을 처형할까요?

ㅡ자기 손으로 직접 목졸라 죽일 거예요.

ㅡ설마 그렇게 야만적인 범죄를 저지르려구요?

ㅡ그 사람이 원하는 건 저예요. 실패한다면, 자기가 죽기 전에 남들을 먼저 죽일 사람이지요.

ㅡ그런데 그의 부하들은…… 만일 인질들이 처형될 경우, 자기들 역시 아무도 살아남을 수 없다는 걸 압니까?

ㅡ그들은 영웅으로 죽을 거예요. 그들의 명예는 지켜지는 거지요.

ㅡ방어할 능력도 없는 사람들을 죽이는 자들이 영웅이라구요?

ㅡ죽이거나 죽거나 둘 중의 하나지요. 메넬라오스는 다른 법은 몰라요.

ㅡ그리스 영웅들의 지옥은 어둡고 슬픈 장소가 아닙니까?

—죽음에 대한 그리스인들의 생각은 어둡지요. 사실 그렇습니다. 그러나 그들의 싸움에 대한 욕망이, 살아남겠다는 단순한 욕망보다도 더 강하지요.

네페르타리가 람세스에게 가까이 다가갔다.

—어떻게 하실 거예요?

—무기 없이 메넬라오스의 배 위에 혼자서 올라가겠소. 그리고 그를 설득해보겠소.

—그건 너무 순진한 생각이에요.

헬레네가 지적했다.

—하지만 어쨌든 노력해봐야지요.

네페르타리가 끼어들었다.

—그는 당신까지 인질로 잡을 거예요!

투야가 결정을 내렸다.

—너에겐 자신을 노출시킬 권리가 없다. 상대방이 파놓은 함정에 뛰어들어, 그가 하자는 대로 휘둘릴 셈이냐?

네페르타리가 예견했다.

—그는 당신을 그리스로 데려갈 거예요. 그리고 다른 사람이 이집트의 왕이 되겠죠. 그 다른 사람은 메넬라오스와 자기의 이익이 일치하는 부분을 발견하고 상업 협정을 맺는다는 조건으로 헬레네를 그에게 되돌려 보낼 거예요.

헬레네가 섭정공을 향해 앞으로 나서며 말했다.

—메넬라오스와 협상을 하는 것이 불가능하다면, 그가 하자는 대로 하는 수밖에 없어요.

—아니오, 안 됩니다. 우리는 당신이 희생되는 걸 원치 않습니다. 손님을 보호하는 것은 저의 신성한 의무입니다.

투야 왕비 역시 람세스와 생각이 같았다.

―람세스의 말이 맞습니다. 메넬라오스의 인질극에 양보하면, 이 집트는 비겁한 나라가 되어버리고, 마아트의 원칙을 잃게 됩니다.

―저는 이러한 상황에 책임이 있습니다. 그래서 저는…….

―고집하지 마십시오, 헬레네. 우리나라에 사시겠다고 선택하셨으니까, 우리가 당신의 자유를 지켜드리겠습니다.

세티의 아들이 판단을 내렸다.

―제가 전략을 짜보겠습니다.

외무대신 메바는 멤피스 항의 부두에서 식은 땀을 흘리며 메넬라오스와 이야기를 나누었다. 그는 두려움에 떨고 있었다. 그리스인 궁수가 쏘는 화살에 맞기라도 할까봐 겁이 났던 것이다. 그러나 어쨌든 그는, 헬레네가 영원히 이집트를 떠나기 전에, 헬레네를 위해서 큰 잔치를 벌이고 싶다는 람세스의 입장을 받아들이도록 스파르타 왕을 설득하는 데 성공했다.

그리스의 왕은 어려운 협상 끝에 람세스의 제안을 받아들였지만, 헬레네가 자기 배에 타기 전에는 인질들에게 먹을 것을 전혀 주지 않겠다고 분명히 말했다. 그는 자기들의 배가 난바다에 이를 때까지 이집트 전투선단이 따라오지 않는다는 조건으로 바다 한복판에서 인질들을 풀어주겠다고 했다.

메바는 종종걸음으로 부두를 떠났다. 허둥지둥 달아나는 그에게 그리스 병사들이 야유를 퍼부었지만, 그의 노고를 치하하는 람세스의 칭찬이 위안이 되었다.

섭정공은, 그 협상으로 확보한 하룻밤 사이에 인질들을 구할 수 있는 방법을 찾아내야 했다.

8

보통 키에, 헤라클레스 같은 힘, 검은 머리털, 꺼칠한 피부의 땅
꾼 세타우는 감미로운 누비아인 아내 로투스와 사랑을 나누고 있었
다. 로투스의 가냘픈 육체는 끊임없는 쾌락의 샘이었다.

세타우 부부는 멤피스의 중심지에서 멀리 떨어진 사막 끝에 커다
란 집을 짓고 살고 있었다. 그 큰 집은 실험실로 쓰였다. 여러 개의
방에는 크기가 가지가지인 약병과, 독을 처리하고 의사들이 약제를
만드는 데 필요한 이상한 모양의 물건들이 가득 쌓여 있었다.

젊은 누비아 여자 로투스의 유연성은 놀라웠다. 그녀는 마르지
않는 상상력의 소유자인 세타우의 엉뚱한 생각을 잘도 따라주었다.
세타우와 결혼해서 이집트로 온 뒤로 그녀는 끊임없이 세타우를 놀
라게 만들었다. 뱀에 대한 그녀의 지식은 깊고 오묘했다. 그들이 공

유하고 있는 정열이 그들의 발전을 도왔다. 덕분에 오랜 기간의 실험을 필요로 하는 새로운 약들도 많이 발견해낼 수 있었다.

세타우가 마치 꽃봉오리를 쓰다듬듯이 로투스의 젖가슴을 애무하고 있을 때, 그들이 기르는 코브라가 현관 문턱에서 몸을 위로 일으켰다. 세타우가 고개를 들고 말했다.

―누가 오는 모양이야.

로투스는 그 영리한 뱀을 바라보았다. 놈이 몸뚱어리를 흔드는 모양만 보아도 찾아온 사람이 친구인지 적인지 알 수 있었다.

세타우는 폭신폭신한 침대를 떠나서 몽둥이를 집어들었다. 코브라의 거동이 조용해서 안심이 되기는 했지만, 이 밤중에 느닷없이 찾아올 만한 손님이 누굴지 전혀 떠오르지 않았다.

빠른 속도로 달려오던 말이 집 몇 미터 앞에서 멈추어 섰다. 말을 타고 있던 사람이 땅으로 뛰어내렸다.

―람세스 아닌가! 이 밤중에 우리 집엘 다 오고, 무슨 일인가?

―방해가 된 건 아닌지 모르겠군.

―솔직하게 말하면, 좀 그렇네. 로투스하고 나는…….

―귀찮게 해서 미안하네. 하지만 두 사람의 도움이 필요해서.

세타우와 람세스는 함께 공부했다. 그러나 세타우는 높은 벼슬자리를 경멸했다. 그는 생과 사의 비밀을 알고 있는 존재들, 즉 뱀들을 연구하는 데 투신했다. 세타우는 희귀한 뱀을 열렬히 좋아하는 사람들의 모임에 속해 있었는데, 람세스는 그 모임을 전적으로 신임하고 있었다.

―무슨 일인가? 왕국이 위험에 빠진 건가?

―메넬라오스가 헬레네를 돌려주지 않으면 인질들을 죽여버리겠다고 협박하고 있어.

―잘하는 짓이다! 도대체 한 도시 전체를 파멸로 몰아넣은 그 그

리스 여자를 내쫓지 않는 이유가 뭔가?

　—손님을 귀하게 여기는 법을 어기면, 이집트는 다시 야만인들로 전락해버리게 되네.

　—그러면 야만인들끼리 서로 잘해보라고 내버려두든가.

　—헬레네는 왕비야. 그녀는 우리나라에서 살고 싶어해. 그 여자를 메넬라오스의 발톱으로부터 구해내는 것은 나의 의무일세.

　—파라오다운 말씀이시구먼! 하긴 미치광이들이나 지각 없는 사람들이나 바라는 그 비인간적인 책임을 지는 것이 자네의 운명이긴 하지.

　—인질들을 다치지 않게 하면서 메넬라오스의 배를 공격해야만 하네.

　—자넨 언제나 이길 수 없는 내기를 좋아했지.

　—멤피스에 주둔하고 있는 연대의 고급 장교들이 내놓은 아이디어 중에는 쓸 만한 것이 하나도 없네. 그들의 계획은 결국 다 죽이자는 얘기야.

　—새삼스러운 얘기도 아닌데 뭘 그래?

　—자네가 해결책을 가지고 있네.

　—나더러 군인이 되어 그리스 선박을 공격하는 데 참가하라구?

　—자네가 아니라, 자네의 뱀들이야.

　—무슨 생각을 하고 있는 거야?

　—새벽이 되기 전에, 뱀이 든 자루를 들고 배 있는 데까지 몰래 헤엄쳐가는 거야. 사다리를 타고 배에 기어올라가서, 인질들을 감시하는 그리스인들에게 뱀을 던지는 거지. 그러면 뱀들이 병사들 몇 명을 물 테고, 그들이 놀란 틈을 이용해서 우리 편 사람들이 인질들을 구해내는 걸세.

　—그럴 듯하지만 상당히 위험한 계획이야. 코브라들이 사람들을

골라서 물 거라고 생각하나?

　—우리가 큰 위험을 무릅써야 한다는 걸 나도 알고 있네.

　—우리라니?

　—자네와 내가 당연히 작전에 참가해야지.

　—나더러 한번 만나본 적도 없는 그리스 여자를 위해 목숨을 걸
란 얘긴가?

　—이집트인 인질들을 위해서지.

　—내가 그 멍청한 모험을 하다가 죽어버리면, 내 마누라랑 뱀들
은 어떡하라고?

　—평생 연금을 받게 될 걸세.

　—안 돼. 너무 위험해…… 그리고 그 망할 놈의 그리스인들을 공
격하기 위해 희생시켜야 하는 뱀들이 얼마나 많겠나?

　—값을 세 배씩 쳐줄게. 자네 실험실도 공식적인 연구소로 만들
어주지.

　세타우는 로투스를 바라보았다. 무더운 여름밤에 바라보는 그녀
는 너무나 매혹적이었다. 세타우는 입맛을 다시며 로투스에게 말했
다.

　—그만 미련 끊고, 자루에다 뱀들을 담아야 할 거야.

　메넬라오스는 자기 배의 제1선교 위에서 서성이고 있었다. 부두
에 매복한 병사들은 아무런 움직임도 포착하지 못하고 있었다. 스
파르타 왕이 예상했던 것처럼, 인간적인 체하는 겁쟁이 이집트인들
은 감히 아무런 시도도 못 해보는 모양이었다. 인질극은 자랑스러
운 일은 아니지만 효과가 있었다. 헬레네를 싸고도는 투야와 네페
르타리에게서 헬레네를 빼앗아오기 위해서는 다른 방법이 없었다.

　인질들은 이제 울거나 한숨을 쉬지도 않았다. 그들은 고물 쪽에

서 손을 등뒤로 묶인 채 무릎을 꿇고 앉아 있었다. 십여 명의 병사들이 두 시간씩 번갈아가며 그들을 감시하고 있었다.

부관이 메넬라오스가 있는 곳으로 올라왔다.

—놈들이 공격해올까요?

—그건 어리석고 쓸데없는 짓이지. 놈들이 공격해오면 인질들을 죽일 수밖에 없을 테니까.

—하지만 그렇게 되면, 우리도 더이상 보호받을 수 없습니다.

—우리는 바다로 나가기 전에 많은 이집트 놈들을 죽일 거야. 그러나 놈들은 자기네 나라 사람들의 안전을 위험에 빠뜨리는 짓은 하지 못할걸. 새벽에 헬레네를 찾아서 우리 나라로 떠나자.

—전 이 나라를 그리워할 것 같습니다.

—자네 미쳤나?

—멤피스에서 행복하고 평화롭게 살지 않았습니까?

—우리는 싸우기 위해서 태어났지, 빈둥거리기 위해서 태어난 게 아냐.

—그런데 만일 그들이 폐하를 암살한다면요? 폐하가 안 계시면, 야망이 더욱 커질 텐데요.

—내 칼은 아직 단단하다. 헬레네를 고분고분하게 만들어놔야지. 그럼 내 힘이 여전하다는 걸 알게 될 거야.

람세스는 서른 명의 정예 병사들을 뽑았다. 모두들 헤엄을 아주 잘 치는 병사들이었다. 세타우는 어떻게 뱀에게 물리지 않고 자루 주둥이를 열어서 뱀을 내보낼 수 있는지 그들에게 보여주었다. 지원자들의 얼굴이 굳어졌다.

섭정공은 마음을 울리는 연설로 그들에게 의지를 북돋우고 싸움에 대한 열망을 불어넣었다. 세타우의 차분한 힘과 섭정공의 확신에 찬 태도를 보고 특공대는 이길 수 있다는 확신을 가졌다.

람세스는 안타깝지만 어머니와 아내에게 자신이 직접 작전에 참가한다는 것을 숨길 수밖에 없었다. 만약 이야기했다면 어머니도 아내도 그가 그런 미친 짓에 뛰어들도록 가만히 내버려두었을 리가 없다. 람세스 혼자서 이번 공격의 책임을 져야 했다. 만일 운명이 세티의 둘째아들을 왕위에 올리기로 결정했다면, 그는 이 시련을 성공적으로 이겨낼 수 있을 것이다.

세타우는 자루 속에 갇힌 뱀들에게 말을 걸고, 그들을 진정시키기 위해 주문을 외었다. 그는 로투스에게서, 사람의 귀에는 아무 의미도 없지만, 뱀들의 신비한 청각을 통해서는 특별한 의미를 전달하는 다양한 소리들을 배워두었다.

세타우는 이 이상한 특공대가 모든 준비를 마쳤다고 판단했다. 그들, 소수 정예부대는 나일 강을 향해 움직였다. 병사들은 매복중인 그리스 병사들의 눈길이 미치지 않는 제1부두 끝에서 강물 속으로 들어갈 것이다.

세타우가 람세스의 손목을 잡았다.

—잠깐…… 저걸 좀 보게. 메넬라오스의 배가 닻줄을 걷어올리는 것 같은데.

세타우의 말은 틀리지 않았다.

—여기들 있어.

람세스는 뱀 자루를 동댕이치고 그리스 선박이 있는 곳으로 달려갔다. 뱃머리를 비추는 은색 달빛에 그곳에 서 있는 메넬라오스와 헬레네의 모습이 드러났다. 스파르타 왕은 헬레네를 꽉 부둥켜안고 있었다.

—메넬라오스!

람세스가 큰 소리로 외쳤다.

이중갑옷을 입고 황금 버클이 달린 허리띠를 찬 메넬라오스는 곧 섭정공을 알아보았다.

－람세스! 나에게 여행 잘하라고 인사하러 왔구려…… 잘 들으시오. 헬레네는 남편을 사랑하고 있소. 앞으로는 남편에게 충성하겠답니다. 나를 만나러 와주었으니 얼마나 착한 여자요! 스파르타에 돌아가면, 가장 행복한 여자가 될 거요.

말을 끝낸 메넬라오스는 껄껄 웃음을 터뜨렸다.

－인질들을 풀어주시오.

－걱정하지 마시오. 산 채로 돌려보낼 테니까.

람세스는 두 개의 돛이 달린 작은 배를 타고, 멀찌감치 떨어져 있는 그리스 함대를 쫓아갔다. 날이 밝자, 메넬라오스의 병사들은 창과 칼로 방패를 두들기며 소란을 피웠다.

섭정공과 왕비의 명령에 따라서, 이집트 해군은 그리스 함대가 지중해를 자유롭게 빠져나가도록 내버려두었다. 메넬라오스는 자유롭게 북쪽으로 항해했다.

한순간, 람세스는 자기가 속았다고, 스파르타 왕이 인질들의 목을 졸라 죽일지도 모른다고 생각했다. 그러나 배 한 척이 바다에 내려지고, 인질들이 줄사다리를 이용해서 내려왔다. 아직 움직일 힘이 남아 있었던 남자들이 노를 잡고 가능한 한 빨리, 바다에 떠 있는 그들의 감옥으로부터 멀어져갔다.

자줏빛 망토를 걸치고 머리에는 하얀 너울을 쓰고, 목에는 황금 목걸이를 한, 하얀 팔의 헬레네는 배의 고물에 서서 이집트 해안을 바라보고 있었다. 메넬라오스가 자신에게 강요한 운명을 벗어날 수 있을 거라는 희망을 품고 몇 달 간 행복을 누렸던 나라를 망연히 바라보았다.

인질들이 그리스인 병사들의 화살이 닿지 않는 곳까지 멀어지자,

헬레네는 오른손에 끼고 있던 자수정 반지의 뚜껑을 열었다. 그 안에는 독이 들어 있었다. 멤피스의 실험실에서 훔쳐두었던 것이었다. 그녀는 다시는 노예가 되지 않겠다고, 얻어맞고 모욕당하며 메넬라오스의 규방에서 인생을 끝내지 않겠다고 결심했던 것이다. 트로이 전쟁의 음산한 승리자, 음흉한 메넬라오스는 달랑 시체 하나만을 스파르타로 가져가게 되었다. 이제 그는 영원히 웃음거리가 되어 경멸당할 것이다.

이집트의 여름 태양은 얼마나 아름다운지! 헬레네는 자신의 하얀 피부 대신에 아름다운 이집트 여자들의 구릿빛 피부를 얼마나 가지고 싶어했는지 모른다.

자유롭게 사랑하는 여자들, 육체와 영혼 속에서 활짝 피어난 그 여자들처럼.

헬레네는 어깨 위로 고개를 꺾으며 천천히 쓰러졌다. 커다랗게 벌어진 그녀의 두 눈이 푸른 하늘을 멍하니 바라보고 있었다.

9

아샤가 외무성의 명령으로 남시리아에서 얼마 동안의 정보 수집을 끝내고 멤피스로 돌아왔을 때, 국상은 이미 40일 동안 진행되고 있었다. 다음날이면, 투야와 람세스, 네페르타리를 비롯한 국가의 주요 인물들이 테베로 내려갈 것이다. 테베에서는 세티의 미라가 무덤에 넣어지고, 새로운 왕과 왕비의 대관식이 거행될 것이다.

귀국 보고를 위해 외무대신 메바에게 들른 아샤는, 그가 몸을 사리고 있다는 것을 눈치챘다. 메바는 형식적인 인사말만 늘어놓고는 지체하지 말고 당장 람세스를 보러 가라고 아샤에게 충고했다. 람세스가 고위직 관리들을 하나씩 만나보고 있다는 것이다.

아샤를 맞은 것은 섭정공의 개인비서인 아메니였다. 두 사람은 서로 인사를 나누었다. 아샤가 말했다.

─자네는 살이 일 그램도 늘지 않았군.

─자네는 여전히 최신 유행의 화려한 저고리를 입고 있고!

─나의 수많은 악덕 중의 하나지! 함께 공부하던 시절이 벌써 먼 옛날 일처럼 느껴지는군…… 하지만 자네가 이 자리에 있는 걸 보니까 기분이 좋네.

─람세스에게 충성하기로 맹세한 내 서약을 지키고 있는 거지.

─잘 선택한 거야, 아메니. 신들께서 원하신다면, 람세스는 곧 왕위에 오르게 될 거야.

─신들께서 원하시지. 람세스가 그리스 왕 메넬라오스의 깡패들이 저지른 테러를 겨우 면했다는 걸 알고 있나?

─메넬라오스가? 음흉하고 전망 없는 녀석이지.

─음흉하지, 그렇고말고! 인질들을 잡고는, 헬레네를 돌려주지 않으면 인질들을 처형하겠다고 람세스를 협박했다네.

─람세스는 어떻게 대처했나?

─손님을 귀하게 대접해야 하는 원칙을 저버리지 않았지. 그리고 공격을 준비했어.

─위험한 짓이야.

─자네라면 어떻게 했겠나?

─협상하고 또 협상하는 거지…… 그러나 메넬라오스 같은 불한당과 협상하는 것은 거의 사람의 능력을 벗어나는 일이라는 걸 인정하겠네. 람세스는 성공했나?

─헬레네가 많은 사람들의 목숨을 구하기 위해서 궁전을 떠나 남편 곁으로 돌아갔어. 그리고는 메넬라오스의 배가 난바다로 나아가려 할 때쯤 스스로 목숨을 끊었네.

─숭고하지만, 돌이킬 수 없는 행동이군.

─빈정거리는 태도는 여전하군.

―자기 자신이나 타인을 비웃는 건 정신위생상 괜찮은 일 아닌가?

―자네는 헬레네가 죽은 게 마음 아프지 않은 모양이지.

―메넬라오스 패거리를 쫓아낸 것은, 이집트로서는 잘된 일이야. 우리에겐 그리스인들보다 훨씬 나은 동지들이 필요해.

―호메로스는 남았어.

―그 매력적인 늙은 시인 말이군…… 아직도 트로이 전쟁의 기억을 쓰고 있나?

―때로 내가 그의 글을 받아쓰는 영광을 누리고 있지. 그의 시구는 때로 비극적이지만, 고결하지.

―자네는 글을 좋아하고 작가들을 사랑하다가 망할 걸세! 람세스가 새 정부에서 자네에게 맡길 일은 뭔가?

―모르네…… 나에겐 지금 하고 있는 일이 딱 맞아.

―자넨 마땅히 더 나은 일을 해야 하네.

―그럼 자넨? 자넨 어떤 자리를 원하나?

―우선은 빨리 람세스를 만나봐야지.

―걱정스러운 정보라도 있나?

―섭정공이 아니면 말할 수 없네.

아메니의 얼굴이 빨개졌다.

―미안하네. 마구간에 있다네. 자네라면, 만나줄 거야.

람세스의 달라진 모습을 보고 아샤는 깜짝 놀랐다. 오만해 보이고, 자신감에 찬 미래의 왕은 놀라운 솜씨로 전차를 몰고 있었다. 그는 여간 숙련된 사람이 아니면 도저히 쓰기 어려운 방법으로 말들을 다루었다. 노련한 마술(馬術) 교관들도 입을 벌리고 섭정공을 바라보고 있었다.

인상적인 외모의 소년은 부드럽고 유연한 근육을 가진 건장한 청년으로 바뀌어 있었다. 그에게선 이미 군왕다운 풍모가 풍겼다. 누구도 그의 권위를 부정할 수 없을 것 같았다. 그러나 아샤는 람세스의 행동거지에 담겨 있는 지나친 격정과 흥분을 놓치지 않았다. 저 성품 때문에 판단을 그르칠 수도 있다. 하지만 끊임없이 에너지가 솟아오르는 사람을 경계해봐야 무슨 소용이 있겠는가?

친구를 알아보자마자 람세스는 곧 친구가 있는 쪽으로 전차를 돌렸다. 말들은 워워 하는 소리를 듣고 젊은 외교관 오 미터 앞에서 멈추어 섰다. 외교관의 새 윗도리가 먼지를 뒤집어썼다.

―이런, 미안하네, 아샤. 길이 좀 덜 든 전투용 말들이라 그래.

람세스는 땅으로 내려뛰었다. 그는 두 명의 마부를 불러 말들을 돌보게 했다. 람세스가 아샤의 어깨를 잡았다.

―그 망할 놈의 아시아는 아직도 건재하고 있나?

―그런 모양입니다. 폐하.

―폐하라니? 난 아직 파라오가 아냐!

―훌륭한 외교관은 모름지기 선견지명이 있어야 하는 법. 선견지명을 갖추고 보면, 미래는 쉽게 판별되지.

―그런 식으로 자기 의사를 표현할 수 있는 사람은 자네뿐이야.

―비난인가?

―나에게 아시아 이야기를 해주게, 아샤.

―겉으로 보기엔, 모든 게 평온하지. 소공국들은 자네의 즉위를 기다리고 있고, 히타이트 족은 자기들의 영역과 영향권 밖으로 나오지 않고 있네.

―분명히 '겉으로 보기엔'이라고 말했나?

―공식적인 문건 어디에서나 볼 수 있는 표현이지.

―그런데 자네 의견은 다르다는 거군…….

—폭풍 전야는 언제나 조용하지. 그러나 그 고요가 과연 얼마나 가겠나?

—자, 한잔하세.

람세스는 마부들이 자기 말들을 제대로 돌보고 있는지 확인하고 나서, 사막 쪽으로 면해 있는 급경사의 지붕 그늘 아래 아샤와 함께 앉았다. 하인 하나가 곧 시원한 맥주와 향수를 뿌린 속옷을 가지고 왔다.

—히타이트 족에게 평화를 유지할 의지가 있다고 보나?

아샤는 맛있는 음료를 마시면서 곰곰 생각해보았다.

—히타이트 족은 타고난 정복자들이며 전사들일세. 그들의 언어로 '평화'라는 단어는 현실적인 기반이 없는, 일종의 시적 이미지에 불과하지.

—그렇다면, 그들이 거짓말을 하고 있다는 거군.

—그들은 이집트를 포함한 주변국에 소위 평화주의적인 이상을 가진 젊은 군주가 나타나 국토 방어에 주의를 소홀히 하고 그렇게 해서 국력을 약화시키길 기다리고 있지.

—아케나톤처럼 말이지.

—좋은 예를 들었네.

—그들은 무기도 많이 만들고 있나?

—사실, 무기 생산이 가속화되고 있네.

—전쟁을 피할 수 없다고 보나?

—전쟁 가능성을 없애는 것이 바로 외교관들이 해야 할 일이지.

—자넨 어떻게 할 생각인가?

—내겐 그 질문에 대답할 능력이 없네. 내 능력으로는 전체적인 조망을 하고 현재의 상황에 만족스러운 해결책을 제안할 수 없네.

—다른 직책을 수행하고 싶은가?

—내가 결정할 일이 아니지.

람세스는 사막을 바라보았다.

—아샤, 난 어린 시절에 아버지처럼 파라오가 되는 걸 꿈꾸었다네. 난 권력이라는 것이 제일 재미있는 놀이라고 생각했거든. 야생 황소와 대면하는 시련을 내리심으로써, 선왕께서 내 눈을 뜨게 해주셨지. 그 뒤부터 나는 다른 꿈속으로 몸을 피했다네. 아버님 곁에 언제나 머물면서, 나를 보호해주시는 그분의 품안에 남아 있고 싶은 꿈이었지. 그러나 죽음이 찾아왔고, 죽음과 더불어 꿈도 끝났지. 난 이제 더이상 왕이 될 마음이 없으니 왕의 운명을 면하게 해주십사고 신께 기도했네. 하지만 신은 구체적인 대답을 주는 분이 아니시지. 메넬라오스가 날 죽이려 했네. 내가 잠들어서 아버지의 영혼과 한 몸이 되었을 때, 내 사자와 개와 친위대장이 내 목숨을 구해주었지. 그 순간부터, 나는 내 운명을 더이상 물리치지 않기로 결정했네. 선왕께서 내리신 결정은 실현될 걸세.

—우리가 세타우, 모세, 아메니와 함께 진정한 힘에 대해서 이야기한 기억이 나나?

—아메니는 서기관의 서판에서 그 힘을 찾고, 모세는 건축 기술에서, 세타우는 뱀들을 연구하는 데서, 자네는 외교에서 찾았지.

—진정한 힘은…… 그걸 가지게 될 사람은 오직 자네일세.

—아냐, 아샤. 그건 나를 거쳐 지나가고, 내 가슴과 팔로 모습을 드러낼 뿐이야. 내가 만일 그 힘을 견뎌내지 못한다면 그 힘은 날 버릴 걸세.

—자네의 삶을 왕이 되는 데 다 바친다…… 대가가 너무 비싼 게 아닐까?

—내겐 내 마음대로 행동할 자유가 없네.

—자네의 말은 무섭다는 느낌마저 주는군.

—내가 두려움을 모른다고 생각하나? 내가 넘어야 할 장애물이 어떠한 것이라 하더라도, 나는 후손에게 현명하고, 강하고 아름다운 이집트를 물려주기 위해서, 왕이 되어 다스리고, 아버님의 유업을 이어갈 걸세. 날 도와주겠나?

　—예, 폐하.

10

셰나르는 기분이 울적했다.

그리스인들은 처참하게 실패했다. 헬레네를 먹이처럼 차지하고 싶다는 욕망에 눈이 멀어서, 메넬라오스는 람세스를 제거해야 한다는 중요한 부분을 잊어버렸다. 그나마 다행스러운 것은, 동생에게 자신의 결백을 믿게 했다는 사실이다. 그것은 상당히 중요한 일이었다. 메넬라오스와 그의 병사들이 자기 나라로 떠났으니, 이제는 아무도 셰나르가 음모의 주동자라는 사실을 모를 것이다.

그러나 람세스는 왕위에 올라 이집트를 다스리게 될 것이다⋯⋯ 그리고 세티의 맏아들은 그에게 복종하면서 그저 하인처럼 행동해야 할 것이다! 아니, 그는 그런 영락을 받아들일 수 없었다.

그는 자기에게 남은 마지막 동지와 만날 약속을 해두었다. 그는 람세스의 측근으로서, 자기가 람세스를 상대로 싸움을 벌일 때 틀림없이 자기를 도와줄 사람이었다.

밤이 되자, 도자기 상인들의 거리는 활기를 띠기 시작했다. 어중이떠중이 할 것 없이 수많은 사람들이 이 가게 저 가게로 돌아다니면서, 장색들이 내다팔고 있는 각양각색의 항아리들을 살펴보고 있었다. 골목 귀퉁이에서는 물장수 한 사람이 시원하고 맛있는 물을 팔고 있었다.

남들이 알아보지 못하도록 평범한 통자루옷에 특징 없는 가발을 쓰고 아샤는 그곳에서 셰나르를 기다리고 있었다. 셰나르 역시 변장을 하고 나타났다. 두 사람은 소박한 농부들처럼 포도 몇 송이를 주고 물 한 부대를 샀다. 그리곤 벽에 나란히 기대어 앉았다.

—람세스를 만나보았나?

—전 이제부터 외무대신 휘하에 있지 않게 됩니다. 미래의 파라오의 명령을 직접 받게 되지요.

—그게 무슨 말인가?

—승진했습니다.

—어떤 직위인가?

—아직 모릅니다. 람세스는 새로운 조정을 구성할 생각입니다. 그는 우정을 소중하게 생각하는 사람이죠. 모세와 아메니와 저는 가장 중요한 직책을 맡게 될 것 같습니다.

—또 누가 있지?

—그와 친하게 지내는 사람들 중에는 세타우도 있습니다만, 그 친구는 뱀을 연구하는 데 너무 열심이어서 일체의 공식적인 직위를 거절하고 있습니다.

—람세스는 왕이 되기로 결심한 것 같던가?

—책임이 막중하고, 자신의 경험이 모자라다는 것을 인식하고 있

기는 하지만, 물러서지 않을 것입니다. 왕위를 빼앗겠다는 생각은 더이상 하지 마십시오.

―아몬 대사제 얘길 하던가?

―아니오.

―좋아. 람세스는 아몬 대사제의 영향력을 과소평가하고 있군. 충분히 위협을 줄 수 있는 인물인데 말야.

―왕실의 권위를 두려워하는 소심한 사람이 아닌가요?

―그는 세티를 두려워했지…… 그러나 람세스는 권력투쟁에 관한 한 거의 경험이 없는 젊은이에 불과하니까. 아메니에겐 기대할 게 아무것도 없네. 그 빌어먹을 꼬맹이 서기관은 주인을 졸졸 따라다니는 강아지처럼 허구한 날 람세스 옆에 붙어 있으니까. 하지만 모세는 내 그물에 걸려들 수도 있어.

―시도해보셨습니까?

―일단은 실패했지만, 첫번째 시도에 불과하니까. 그 히브리인에겐 진실을 찾아헤매는 불안정한 구석이 있어. 그가 찾고 있는 진실이 반드시 람세스의 진실과 같으란 법은 없어. 만일 우리가 그에게 원하는 걸 제공할 수만 있다면, 그는 진영을 바꿀 걸세.

―틀린 생각은 아니군요.

―자네는 모세에게 영향력을 행사할 수 있나?

―그런 것 같진 않습니다. 그러나 압력을 행사할 만한 방법을 찾게 될지도 모르지요.

―그러면 아메니는 어떤가?

―그는 도저히 매수할 수 없는 것처럼 보입니다만, 누가 알겠습니까? 나이가 들면, 생각지도 않았던 욕망의 노예가 될 수도 있죠. 그러면 그의 약점을 이용할 수 있겠죠.

―나는 람세스에게 탄탄한 조직망을 구축할 시간적 여유를 주고

싶지 않네.

―저 역시 그렇습니다, 셰나르 공. 그러나 좀더 기다려야 합니다. 메넬라오스와 그 부하들의 실패만 봐도 대충 해서는 아무 일도 안 된다는 걸 알 수 있죠.

―얼마나 기다려야 할까?

―람세스가 권력의 맛에 실컷 취하도록 내버려둡시다. 궁전에서 영화를 누리며 살다보면 그의 힘의 원천인 내면의 불은 더욱더 뜨겁게 타오를 것이고, 결국은 그에게서 현실감각을 앗아가버릴 것입니다. 더구나 저는 아시아의 상황변화를 그에게 알려주는 사람들 중의 하나입니다. 람세스는 다른 어떤 사람의 말보다도 제 말에 더 귀기울일 겁니다.

―아샤, 자네는 어떤 계획을 가지고 있나?

―왕이 되고 싶으신 거지요, 그렇지 않습니까?

―나는 파라오가 될 자격이 있고, 또 능력도 있네.

―그렇다면 람세스를 거꾸러뜨리든지, 없애야겠지요.

―필요에 따라서는 법을 모른 척할 수도 있지.

―두 가지 방법이 있습니다. 안에서 음모를 꾸미든지, 아니면 밖에서 치고 들어오는 거죠. 첫번째 방법을 쓸 경우, 이 나라의 영향력 있는 인사들 가운데에서 상당한 숫자의 동지들을 확보해야 합니다. 바로 그 부분에서 공의 역할이 중요합니다. 두번째 방법은 히타이트 족의 진짜 의도와 관계가 있습니다. 히타이트와 람세스 사이에 분쟁을 일으켜서 람세스를 쓰러뜨려야죠. 단 이집트가 망하는 지경까지 끌고 가서는 안 됩니다. 그러는 날엔, 히타이트가 이집트의 두 땅을 차지해버릴 겁니다.

셰나르는 긴장된 표정을 감추지 않았다.

―너무 위험한 일이 아닐까?

─람세스는 만만한 상대가 아닙니다. 공께서 권력을 빼앗는 일은
쉽지 않을 겁니다.
　─히타이트 족이 싸움에 이기면, 그들이 이집트로 곧장 쳐들어오
지 않을까?
　─꼭 그렇지는 않습니다.
　─기적을 바라는 건가?
　─기적이 아니라, 우리나라가 직접적으로 연루되지 않으면서 람
세스를 함정에 빠뜨리는 계획입니다. 람세스는 죽든지, 아니면 사
태에 대한 책임을 져야 할 겁니다. 이 경우에도 저 경우에도 어쨌
든 계속 왕위에 남아 있을 수는 없을 겁니다. 그때 공께서 구원자
처럼 등장하시는 거지요.
　─꿈같은 얘기군.
　─저는 환상을 품는 사람이 아닙니다. 람세스가 제게 어떤 자리
를 맡길지 정확히 알게 되는 대로 움직이겠습니다. 공께서 포기하
시지 않았다는 조건을 전제로 드리는 말씀입니다만.
　─천만에! 살아서든 죽어서든, 람세스는 내 앞에서 사라져야 해.
　─성공하게 되면, 그때 딴소리하지 마시기 바랍니다.
　─그 점에선 안심하게. 내 오른팔 노릇을 해준 건 백 배로 쳐서
갚을 테니까.
　─무례한 말씀입니다만, 믿기지 않습니다.
　세나르가 펄쩍 뛰었다.
　─나를 믿지 않나?
　─손톱만큼도 믿지 않습니다.
　─이런, 나 원 참…….
　─놀라는 체하지 마십시오. 제가 만일 순진한 놈이었다면 공께서
진작에 절 제거하셨을 겁니다. 권력자의 약속을 어떻게 믿겠습니

까? 권력자는 자신의 이익말고는 그 무엇에 의해서도 행동하지 않습니다.

─환멸을 느낀 건가, 아샤?

─현실적인 거죠. 파라오가 되고 나면 그때의 필요한 기준으로 대신들을 선택하시게 될 겁니다. 그때가 되면, 저처럼 공이 왕위에 오르시도록 도와드렸던 사람들을 물리치게 될지도 모르죠.

셰나르가 미소를 지었다.

─자넨 정말 똑똑한 사람이야, 아샤.

─여행하면서 다양한 종류의 사람들과 사회를 관찰해볼 수 있었습니다. 모두들 가장 강한 자의 법에 복종하더군요.

─세티의 이집트에선 그렇지 않았네.

─세티는 죽었고, 람세스는 아직 그 힘을 펼쳐보지도 못한 전사입니다. 이러한 상황이 우리에겐 기회가 될 수 있습니다.

─나에게 협력하되, 이익은 즉각 챙기겠다 그 말이군.

─공께서도 확실히 머리가 좋으십니다.

─좀더 자세히 말해보게.

─제 가족은 물론 부유합니다. 그러나 누가 충분히 부자라고 느끼겠습니까? 저처럼 여행을 많이 하는 사람에게는 집이 많은 것이 상당한 기쁨이 됩니다. 저는 기분 내키는 대로, 어떤 때는 북쪽 지방에서, 또 어떤 때는 남쪽 지방에서 쉬고 싶습니다. 델타에 두 채, 멤피스에 두 채, 중부 이집트에 두 채, 테베 지방에 두 채, 아스완에 한 채 정도는 있어야 이집트에 머물 때 제대로 즐길 수 있을 것 같습니다.

─자넨 얼마 안 되는 재산을 바라는군.

─제가 이제부터 공을 위해서 해드릴 일에 비하면 정말 얼마 안 되는 거지요.

―금이나 보석도 원하나?

―당연하지요.

―난 자네가 그렇게 돈을 밝히는 사람일 줄은 몰랐네.

―전 사치를 좋아합니다. 극도의 사치를 즐기죠. 공처럼 진귀한 꽃병들을 좋아하시는 분이 이런 성향을 이해하지 못하십니까?

―이해하지, 하지만 그렇게 많은 집들을……

―멋진 가구들로 잘 꾸며놓은 보석상자 같은 집들이지요! 그 집들은 제가 유일한 주인으로 공경받는 지상의 낙원이며 쾌락의 장소가 될 것입니다. 그 동안 공께서는 이집트의 왕좌에 이르는 사다리를 한단 한단 걸어올라가시게 될 것입니다.

―언제부터 자네의 몫을 지불하면 되겠나?

―즉시 지불해주십시오.

―아직 임명이 된 것도 아니잖은가?

―어떤 일이 생기든, 제 지위는 무시할 만한 지위는 아닐 것입니다. 공께 충실히 봉사할 수 있도록 격려해주십시오.

―무슨 일부터 시작할까?

―국경에서 가까운 델타 지방의 북동쪽에 저택을 하나 지어주십시오. 대지가 넓은 곳을 물색해주셔야 합니다. 수영을 할 수 있는 연못과 포도밭, 그리고 열성적인 하인들도 딸려주시기 바랍니다. 그곳에서 일 년에 단 며칠밖에 머물지 않더라도, 왕자처럼 대접받고 싶습니다.

―자네의 욕심은 그게 전분가?

―여자들을 잊어버렸군요. 임무를 수행하려면, 여자들도 종종 필요하지요. 제 집에는 여자들이 많았으면 좋겠습니다. 예쁘고 나긋나긋해야 합니다. 어느 나라 여자인지는 중요하지 않습니다.

―자네 요구를 들어주지.

—실망시켜드리지 않을 겁니다, 셰나르 공. 그러나 한 가지 중요한 조건이 있습니다. 우리가 만났다는 것을 반드시 비밀에 부쳐주십시오. 아무에게도 말씀하셔선 안 됩니다. 우리가 만났다는 것을 람세스가 아는 날에는, 제 출세길은 끝장나는 겁니다.

—자네의 이익은 내 이익이기도 하니까.

—최고의 우정 표현이군요. 그럼 곧 다시 뵙겠습니다.

젊은 외교관이 멀어져가는 걸 바라보면서, 셰나르는 행운이 아직 자기를 떠나지 않았다고 생각했다. 아샤는 통이 큰 인물이었다. 어쩔 수 없이 그를 치워버려야 할 때가 오면 꽤나 아쉬울 것 같았다.

11

투야 왕비의 배는 멤피스를 떠나 테베와, 세티의 미라를 모시게 될 왕들의 계곡으로 가는 배들의 선두에 있었다. 네페르타리는 놀랍도록 평온하게 고통을 제어하고 있는 투야 왕비의 곁을 떠나지 않았다. 위대한 왕의 미망인 곁에 있는 것만으로도, 네페르타리는 견디기 힘든 시련이 왔을 때 왕비가 어떻게 행동해야 하는가를 배울 수 있었다. 투야에게는 말 없는 젊은 여성이 함께 있어준다는 것이 말할 수 없는 위안이 되었다. 두 사람은 속내이야기를 일일이 늘어놓을 필요가 없었다. 말없이도 두 여자의 마음은 강렬하고 깊게 결합되어 있었다.

여행이 계속되는 동안, 람세스는 내내 쉬지 않고 일했다.

아메니는 푹푹 찌는 더운 날씨로 고생을 하면서도, 국외의 정치

상황이라든가 영토의 보안, 공중위생, 대규모의 공사, 물품관리, 둑과 운하의 유지 등에 관한 서류들을 수도 없이 준비해왔다.

새삼, 람세스는 자기가 해야 할 일이 얼마나 엄청난 것인가를 깨달았다. 물론 많은 관리들과 함께 해나가는 일들이지만, 그는 행정체계를 속속들이 알고 있어야 하며, 그 체계에 대한 통제력을 잃어버려선 안 되는 것이다. 그랬다간 이집트는 키를 잃어버린 배처럼 흔들리다가 가라앉아버릴 것이다. 시간은 미래의 왕에게 유리하지 않았다. 왕위에 오르자마자 곧, 사람들은 그에게 결정을 내리고 두 땅의 주인답게 처신할 것을 요구할 것이다. 만일 커다란 실수를 저지른다면, 결과는 어떻게 될까?

어머니 생각을 하자, 걱정이 사라졌다. 그의 소중한 조력자로서, 어머니는 그가 실수를 저지르지 않도록 도와주고, 유력인사들이 자기들의 특권을 보존하기 위해 어떤 술수를 쓰는지 가르쳐주실 것이다.

꼼꼼하고 정확하기 이를 데 없는 아메니와 함께 한참을 일하던 람세스는 뱃머리에 서서, 번영의 비밀을 숨기고 있는 나일 강을 바라보며 신의 숨결이 담긴 신선한 바람을 맛보았다. 이 특별한 순간에 람세스는 델타 끝에서부터 외로운 누비아 지방에 이르기까지 이집트 전체가 자신 안에 들어와 있다고 느꼈다. 자기가 과연 이집트가 원하는 만큼 이집트를 사랑할 수 있을까?

람세스는 섭정공의 배에 귀빈으로 초대받은 모세와 세타우, 아샤, 그리고 아메니를 식사에 초대했다. 지식을 배우고 진정한 힘을 추구하는 멤피스의 고등교육기관 캅의 동창생들이 다시 한자리에 모인 것이다. 다시 만나 함께 식사를 한다는 기쁨도 그들의 고통스런 마음을 달래주지는 못했다. 모두들 세티의 죽음은 재난이며, 이집트는 어떤 식으로든 타격을 받게 될 것이라고 느끼고 있었다.

모세가 람세스에게 말했다.

―이번에야말로, 자네의 꿈이 실현되겠군.

―꿈이 아니라, 엄청난 부담일세. 난 두렵네.

아샤가 람세스의 말을 반박했다.

―자넨 두려움을 모르는 사람이야.

세타우가 중얼거렸다.

―내가 자네라면 포기할 거야. 파라오의 생활은 부러워할 게 아무것도 없어.

―많이 망설였네. 그런데 아버지의 말을 거역하는 자들은 어떤 사람이라고 생각하나?

―그의 이성이 광기를 눌러 이긴 자라고 생각하지. 자칫하면 테베는 선왕의 무덤뿐만 아니라, 자네 무덤이 될지도 모른다구.

아메니가 불안한 표정으로 물었다.

―새로운 음모에 대한 소문을 들었나?

―음모라구…… 음모야 열 번이고, 스무 번이고, 백 번이고 꾸며지겠지. 그 때문에 내가 기어다니는 내 동지들을 데리고 여기에 온 게 아닌가.

아샤가 빈정대며 말했다.

―경호원 세타우라…… 누가 그 말을 믿겠나?

―난 말야, 그럴듯한 말들만 번지르르하게 늘어놓는 대신 행동을 하지.

―외교를 비판하는 건가?

―외교는 모든 걸 복잡하게 만들어. 삶은 너무나 간단한 건데 말야. 선(善) 옆에는 악(惡)이 있지. 이 둘 사이에는 어떤 화해의 가능성도 없네.

아샤가 반박했다.

─그거야 자네의 단순한 관점이지.

아메니가 끼어들었다.

─그 관점은 나에겐 적합해. 한쪽엔 람세스의 친구들이 있고, 다른 쪽에는 람세스의 적들이 있어.

모세가 물었다.

─적들이 점점 더 많아진다면 어쩔 텐가?

─그래도 내 입장은 달라질 게 없네.

─이제 곧 람세스는 우리의 친구가 아니라, 이집트의 파라오가 되는 거야. 이제 람세스는 우리를 전과 같은 눈으로 보지 않게 될 걸세.

모세의 말 때문에 모두들 약간은 착잡한 심정이 되었다. 그들은 람세스의 대답을 기다렸다.

─모세의 말이 맞아. 운명이 나를 선택했으니, 난 도망치지 않을 거야. 자네들은 내 친구들이니까 난 자네들에게 도움을 청할 걸세.

히브리인이 물었다.

─우리에게 어떤 운명을 마련해두었나?

─자네들은 벌써 각자의 길을 택했지. 난 우리들이 가는 길이 서로 만나게 되었으면 좋겠어. 이집트의 위대한 행복을 위해 우리 모두 함께 갈 수 있으면 좋겠네.

세타우가 단호한 어조로 말했다.

─자넨 내 입장을 알고 있겠지. 자네가 즉위식을 마치는 대로, 나는 내 뱀들 곁으로 돌아갈 거야.

─그래도 난 자네가 나와 가까운 사람이라는 걸 설득하려고 애써 볼 거야.

─소용 없어. 난 경호 임무만 완수하면, 그걸로 끝이야. 모세는 달인이 될 거고, 아메니는 대신이 되고, 아샤는 외교분야의 우두머

리가 될 테니, 모두들 복 많이 받으시게나!

람세스가 놀라며 말했다.

—자네가 아예 내 조정을 다 짜는군그래.

세타우가 어깨를 으쓱했다. 그러자 아샤가 제안했다.

—섭정공이 내놓은 귀한 포도주를 맛보는 게 어떻겠나?

—신들께서 람세스를 보호해주시며, 그에게 생명과 성숙과 건강을 주시기를.

아메니가 큰 소리로 외쳤다.

세나르는 섭정공의 배를 타지 않고, 40명의 하인들이 시중을 드는 호화로운 배를 타고 있었다. 그는 의전실장으로서 많은 유력인사들을 초청했다. 대부분은 람세스에게 호감을 가지고 있지 않은 사람들이었다. 세티의 맏아들은 그들의 비판적인 얘기에 끼어들지 않으려고 노력했다. 그는 어떤 사람들이 나중에 자기의 동지가 될 수 있는지 파악해두기만 했다. 그들은 람세스가 젊고 경험이 없다는 사실을, 뛰어넘을 수 없는 결점으로 여기고 있었다.

세나르는 자기의 평판이 여전히 좋고, 또 동생은 당분간 세티와 비교되는 고통을 당하게 되리라는 것을 알고 대단히 흡족했다. 일단 균열이 생겼으니, 그것이 더욱 크게 벌어지도록 만들고, 기회 있을 때마다 젊은 파라오를 약해지게 해야 한다.

세나르는 손님들에게 대추와 시원한 맥주를 대접했다. 세나르의 상냥한 태도와 온화한 말투는 많은 조신들의 마음에 들었다. 그들은 람세스가 어쩔 수 없이 중요한 역할을 맡길 수밖에 없을 이 중요한 인물과 의례적인 얘기라도 주고받을 수 있게 된 것을 몹시 기뻐했다.

턱에 짧고 뾰족한 수염이 달린, 겉옷에 알록달록한 허리띠를 맨

보통 키의 남자 하나가 셰나르와의 회견을 요청하며 한 시간도 넘게 기다리고 있었다. 겸손하고, 굴종적으로 보이기까지 하는 그 남자에겐 조금도 초조한 기색이 없었다.

잠깐 숨돌릴 틈이 생겼을때, 셰나르는 그에게 가까이 다가오라고 손짓했다.

남자는 공손하게 허리를 굽혀 절했다.

─그대는 누군가?

─제 이름은 라이아라고 합니다. 시리아 출신입니다만, 오래 전부터 독립상인으로서 이집트에서 일하고 있습니다.

─무얼 파는가?

─절인 고기와 아시아에서 수입한 단지들을 팝니다.

셰나르가 눈썹을 찡그렸다.

─단지들이라구?

─예, 왕자님. 저에게만 있는 기가 막힌 물건들입니다.

─내가 희귀한 단지들을 수집한다는 것을 알고 있느냐?

─얼마 전에 알게 되었습니다. 그래서 그것들을 보여드리고 싶었습니다. 마음에 드셨으면 좋겠습니다.

─값이 비싼가?

─물건 나름이지요.

셰나르는 호기심이 생겼다.

─품질이 어떤데?

라이아는 두꺼운 헝겊으로 만든 자루에서 야자수 장식이 된, 주둥이가 가느다란 조그만 순은 항아리를 하나 꺼냈다.

─이 물건을 어떻게 생각하십니까, 왕자님?

셰나르는 매혹되었다. 관자놀이에 땀방울이 송송 맺히고, 손은 축축하게 젖었다.

―걸작이로고…… 믿어지지 않을 정도구나…… 얼마냐?

―장차 이집트의 왕이 되실 분께 선물로 드리면 어떻습니까?

세티의 맏아들은 자기가 뭘 잘못 들었나 하고 생각했다.

―장차 파라오가 될 사람은 내가 아니라, 내 동생 람세스다. 잘못 찾아왔네, 상인 양반. 자, 값이 얼마냐?

―전 절대로 틀리는 법이 없습니다, 왕자님. 제 직업에서는, 실수란 용납되지 않습니다.

셰나르는 아름다운 항아리에서 눈을 뗐다.

―무슨 얘길 하는 거냐?

―람세스가 왕이 되는 걸 원치 않는 사람들이 많다는 얘기죠.

―며칠 뒤면, 람세스는 왕이 된다.

―그렇겠지요. 하지만 그런다고 해서 문제들이 사라지겠습니까?

―라이아, 그대는 대체 누구인가?

―공의 미래를 믿고, 공께서 이집트의 왕위에 오르는 것을 보고 싶어하는 사람이지요.

―내 생각을 얼마만큼이나 알고 있는가?

―이집트의 오만한 태도를 버리고 외국과의 교역을 늘리며 아시아에서 가장 강력한 민족과 좀더 바람직한 경제관계를 맺고 싶다는 견해를 표명해오지 않으셨습니까?

―그대는…… 히타이트 족을 말하는 건가?

―공과는 서로 얘기가 통하는군요.

―그렇다면, 그대는 그들에게 고용된 첩자로구나…… 히타이트 인들이 나에게 우호적인 모양이지.

라이아는 고개를 끄덕였다. 아름다운 항아리를 보았을 때만큼이나 감동한 표정으로 셰나르가 물었다.

―나에게 원하는 게 뭔가?

─람세스는 격정적이고 호전적입니다. 그는 선왕처럼 이집트의 위대함과 우월성을 확보하려 들 것입니다. 공께서는 합리적이고 온건하신 분이시니, 공과 협정을 맺는 것은 가능한 일이지요.

─만일 이집트를 배반하면, 나는 목숨을 잃게 될지도 모른다.

세나르는 적과 내통한 죄로 사형을 선고받았던 투탕카멘 왕의 왕비*의 유명한 일화를 떠올렸다. 비록 나라의 의식을 일깨운 여인이었지만, 그녀는 면죄부를 받지 못했다.

─최고의 자리를 원한다면, 어느 정도의 위험은 무릅쓸 수밖에 없는 것 아닐까요?

세나르는 눈을 감았다.

히타이트 족이라…… 그는 람세스에게 반기를 들기 위해서 그들을 이용해볼까 하는 생각을 여러 차례 해보기는 했었다. 그러나 그저 생각일 뿐, 현실성이 없는 머릿속의 계획이었을 뿐이다. 그런데 그것이 갑자기, 전혀 해로울 것 없어 보이는 평범한 상인의 모습으로 눈앞에 나타난 것이다.

─난 내 나라를 사랑하네.

─누가 그걸 의심하겠습니까, 왕자님? 그러나 왕자님께선 조국보다도 권력을 더 사랑하시지요. 히타이트 족과 동맹을 맺어야만, 확실하게 권력을 장악하실 수 있을 겁니다.

─생각해봐야겠다.

─그건 제가 공께 제공해드릴 수 없는 사치올습니다.

─당장 대답을 하라는 건가?

─제가 안전하게 돌아가려면 그 수밖엔 없습니다. 제 정체를 밝힘으로써, 저는 공에 대한 신임을 보여드린 거니까요.

---

* 크리스티앙 자크의 장편소설 『태양의 여왕』을 참조할 것.

−만일 내가 거절한다면?

라이아는 대답하지 않았다. 그러나 진지한 눈길로 셰나르를 바라보았다.

셰나르의 내적인 갈등은 오래 가지 않았다. 위험을 가늠해보고, 이집트를 위험에 빠뜨리지 않은 채 그 전략으로부터 이득을 취하기만 하면 된다. 물론, 셰나르는 이집트 최대의 적과 접촉했다는 사실을 숨기고 계속해서 아샤를 조종할 것이다.

−그대의 제안을 받아들이겠네, 라이아.

상인은 싱긋이 미소를 지었다.

−왕자님의 평판은 과장된 것이 아니군요. 곧 다시 뵙게 될 것입니다. 이제 왕자님께 귀한 항아리를 대드리는 상인 중의 한 사람이 되었으니, 제가 방문한다고 해서 이상하게 생각할 사람은 아무도 없을 것입니다. 원컨대 이 항아리를 받아주십시오. 그것이 우리가 협정을 맺었다는 증거니까요.

셰나르는 그 멋진 물건을 쓰다듬었다. 미래가 밝아지고 있었다.

12

 람세스는 왕들의 계곡에 있는 바위조각 하나하나를 모두 기억하고 있었다. 아버지 세티가 왕조의 창시자였던 람세스1세의 무덤으로 그를 데리고 왔을 때, 람세스는 그 절대적인 불모의 땅, '위대한 초원'을 알게 되었다. 람세스1세는 현자들로 이루어진 정치고문위원회로부터 부름을 받고 파라오가 되어 새로운 왕조를 창시했다. 그는 2년 동안 통치하고 세티에게 왕위를 물려주었고; 세티는 그 물려받은 왕권을 빛냈다. 이제 람세스2세가 그 왕권을 물려받는 것이다.

 견딜 수 없는 열기에, 상여를 지고 가던 사람들 몇 명이 졸도하고 말았다. 그러나 세티의 둘째아들은 염천에도 아랑곳하지 않고, 터질 듯한 가슴을 안고 행렬의 맨 앞에 서서, 돌아가신 왕의 미라를 그의 마지막 처소로 모셔갔다.

한순간, 람세스는 그에게서 아버지를 훔쳐가고, 그를 고독 속에 던져놓은 이 저주받은 계곡이 증오스러웠다. 그러나 그 계곡의 마술은 다시금 그의 영혼을 사로잡았다. 그것은 죽음이 아니라, 생명을 전하는 마술이었다.

람세스는 왕들의 계곡에서 가장 길고 가장 깊은 세티의 거대한 무덤 속으로 앞장서서 들어갔다. 미래의 파라오는 칙령을 내려, 앞으로는 이보다 더 큰 무덤은 만들지 못하게 할 생각이었다. 그렇게 하면, 후손들의 눈에 세티는 타의 추종을 불허하는 존재로 남을 것이다.

열두 명의 사제들이 미라를 운반했다. 람세스는 제관이며, 동시에 죽은 자가 저승으로 건너가 신들의 세계에서 다시 태어나도록 주문을 외어야 할 왕위 계승자로서, 표범 가죽으로 만든 옷을 입고 있었다. 영원의 처소 내벽에는, 그 자체로서 생명력을 가진 제의적인 문장이 새겨져 있었다. 그 문장은 시간을 초월하여 힘을 발휘할 것이다.

미라를 만드는 기술자들은 일을 완벽하게 해냈다. 세티의 얼굴은 완전한 존재의, 완벽한 고요의 얼굴이었다. 금방이라도 그의 눈이 열리고, 입은 말을 할 것만 같았…… 사제들이 '황금의 집' 한가운데에 놓여 있는 석관의 뚜껑을 닫았다. 이제 그 황금의 집에서 이시스 여신이 필멸의 존재를 불멸의 존재로 바꾸는 연금술을 완성하게 될 것이다.

람세스가 작은 소리로 중얼거렸다.

─세티는 의로운 왕이셨다. 그는 마아트의 법을 완성하셨으며, 빛의 사랑을 받으셨으며, 이제 산 채로 서방정토에 들어가신다.

이집트 전역에서 이발사들은 쉴 새 없이 일을 했다. 국상기간이 끝났으므로 남자들의 수염을 밀어주어야 했던 것이다. 여자들은 다시 머리를 묶었다. 멋쟁이들은 자격증을 가진 미용사들에게 머리 손질을 맡기기도 했다.

대관식 전날 밤, 네페르타리와 람세스는 구르나 신전에서 잠시 명상에 잠겼다. 앞으로 구르나 신전에서는 신으로 변모한 파라오가 살아 있는 사람들 사이에 머물도록 하기 위해서 매일 세티의 카에 제사 드리게 된다.

섭정공 부부는 구르나 신전을 나와 곧 카르낙 신전으로 가서 대사제의 영접을 받았다. 사제는 전혀 반가워하는 기색 없이 매우 의례적으로 그들을 맞아들였다. 검소한 저녁식사를 마치고 섭정공과 그의 아내는 아몬 신의 지상의 처소 안에 마련된 궁전으로 들어갔다. 그들은 따로따로 옥좌의 좌대 앞에 앉아 명상에 들어갔다. 좌대는 시간의 기원에 우주의 대양으로부터 솟아나온 원초의 언덕의 상징이었다. 신성문자로 좌대는 '올바르시며, 좋은 방향을 지시하시는' 초시간적인 규범인 마아트 여신의 이름을 가리켰다. 왕과 왕비는 그 규범을 가슴에 품고 그 규범으로 이집트 백성을 다스려나갈 것이다.

람세스는 아버지의 정신이 자기와 가까운 곳에 머물고 계시다고, 그리고, 그의 삶이 결정적으로 뒤바뀌기 전에 겪어내야 하는 이 고통스러운 순간에, 아버지의 정신이 그를 도와주고 계시다고 느꼈다. 새로운 왕은 이제 자기 마음대로 행동할 수 없으며, 백성의 행복과 나라의 번영말고는 다른 걱정을 하지 않아야 했다.

그 무거운 임무는 다시금 그에게 괴롭게 느껴졌다.

그는 이 궁전을 뛰쳐나가, 사라져버린 젊은 시절로, 아름다운 이제트에게로, 쾌락과 안일의 세계로 달려가고 싶었다. 그러나 그는 세티가 지목한 왕위 계승자이며 네페르타리의 지아비였다. 그는 왕이 된다는 두려움을 이겨내고 대관식 전의 마지막 밤을 통과해야 했다.

어둠이 찢겨나가고, 깊은 어둠의 괴물을 무너뜨린 승리자 태양의 부활을 예고하는 새벽이 태어났다. 매와 따오기의 가면을 쓴 두 명의 사제가 람세스의 이쪽과 저쪽에 자리를 잡고 앉았다. 왕권의 수호자 호루스 신과, 신성문자와 신성한 학문의 주인인 토트 신을 상징하는 그들은 두 개의 기다란 병에 든 용액을 섭정공의 알몸에 부었다. 섭정공을 그의 인간적인 조건으로부터 정화시키기 위한 의식이었다. 그들은 섭정공에게 신들의 이미지를 불어넣기 위해 머리부터 발 끝까지 아홉 가지 연고를 발랐다. 그 연고들은 에너지의 혈을 뚫어주어, 섭정공이 보통 사람들과는 다른 현실 인식을 하도록 해줄 것이다.

그가 입는 옷 역시, 어떤 존재와도 다른 특별한 존재의 구축에 상응하는 것이었다. 두 명의 사제는 람세스에게 흰색과 금색이 섞인 로인클로스를 입혔다. 그 옷의 모양은 옛날부터 변함이 없었다. 허리띠에는 왕의 힘을 상징하는 황소 꼬리를 매달았다. 젊은이는 선왕이 자기의 용기를 시험하기 위해서 야생 황소와 맞붙게 했던 그 시절을 떠올렸다. 이제는 자기가 그 힘의 화신이 된 것이다. 이제, 그 힘을 분별 있게 행사해야 하리라.

제관들이 그의 목에 가지각색의 구슬로 만들어진 널찍한 일곱 줄짜리 목걸이를 걸어주었고, 팔 위쪽과 팔목에 구리팔찌를 채운 뒤 하얀 샌들을 신겼다. 그의 손에는 하얀색 곤봉이 쥐어졌다. 그것으로 그는 적들을 쳐부수고 어둠을 밝히게 될 것이다. 그의 이마에는 '직관적 투시력'을 의미하는 시아(sia)라는 이름의 황금색 머리띠가 둘러졌다.

호루스가 물었다.

―힘의 시련을 받아들이겠는가?

―받아들이겠습니다.

호루스와 토트는 람세스의 손을 잡고 다른 방으로 데려갔다. 옥좌 위에 두 개의 왕관이 놓여 있었다. 세트 신의 가면을 쓴 사제가 그 왕관들을 지키고 있었다.

토트가 비켜서자, 호루스와 세트가 다정하게 껴안았다. 영원한 적대관계임에도 불구하고, 그들은 하나의 같은 존재, 즉 파라오의 존재 안에서 결합해야 할 의무를 가지고 있었던 것이다.

호루스가 하 이집트의 붉은 왕관을 집어들었다. 그것은 아랫부분이 나선형으로 만들어진, 모자처럼 생긴 관이었다. 호루스가 그것을 람세스의 머리 위에 얹었다. 그러자, 세트가 끝이 알뿌리처럼 생긴 달걀 모양의 상 이집트의 흰색 왕관을 그 안에 끼워넣었다. 그러자 토트가 선언했다.

―'두 개의 전능한 힘'이 그대를 위하여 결합하였도다. 그대는 검은 땅과 붉은 땅을 다스리고 결합시키라. 그대는 남쪽의 골풀이며 북쪽의 벌꿀이니, 두 땅을 푸르게 만들지어다.

세트가 말했다.

―그대만이 이 두 개의 왕관에 가까이 갈 수 있도다. 왕관을 빼앗으려는 자는, 왕관에 숨어 있는 번개에 맞아 죽으리라.

호루스는 파라오에게 두 개의 홀을 주었다. 그 중 하나는 '힘의 지배'라고 불리는 것으로서 봉헌물을 축성하는 데 쓰이고, '마술'이라고 불리는 두번째의 홀은 목자의 지팡이로서 파라오의 백성을 한데 모으는 데 쓰일 것이다.

토트가 선언했다.

―영광 속에서 솟아날 시간이 되었도다.

세 명의 신들을 앞세우고, 파라오는 비밀의 방을 나와, 지붕이 덮여 있지 않은 넓은 마당을 향했다. 카르낙 신전 안에 들어오도록 허락받은 유력인사들이 그곳에 모여 있었다.

닫집과 단상 사이에는 황금칠을 한 소박한 모양의 나무의자가 놓여 있었다. 그것은 세티가 공식적인 행사 때 사용하던 옥좌였다. 아들이 망설이고 있는 것을 알아차린 투야가 아들을 향하여 세 걸음 다가가 절을 했다.

―폐하께서는 새로운 태양처럼 떠오르시어, 살아 있는 자들의 옥좌 위에 좌정하소서.

람세스는 돌아가신 파라오의 미망인이요 그가 죽을 때까지 존경할 어머니가 그렇게 경의를 표하자 너무나 놀랐다. 투야는 침착하게 말을 이었다.

―여기 세티께서 그대에게 전해주시는 신들의 언약이 있습니다. 이 언약이 세티의 치세를 정당하게 만들어주었듯이 그대의 치세를 정당하게 이끌어줄 것이며, 그대의 계승자의 치세 또한 정당하게 해줄 것입니다.

투야는 람세스에게 가죽상자 하나를 내밀었다. 그 안에는 문명의 여명기에 토트가 썼다는, 파라오를 이집트의 상속자로 만들기 위한 파피루스가 들어 있었다.

투야는 맑고 차분한 목소리로 선언했다.

―여기 그대의 다섯 개의 이름이 있습니다. 규범의 사랑을 받는 힘센 황소, 이방의 나라들을 묶어놓는 이집트의 수호자, 크게 승리하는 군대의 주인, 그 규범이 강하니 빛이 선택하신 자, 그리고 빛의 아들 람세스.

청중들은 완전한 침묵 속에서 그 말을 들었다. 세나르마저도, 자신의 야심과 원한을 잊어버리고 그 순간의 마술에 압도당했다.

투야가 계속해서 말했다.

—두 개의 땅을 다스리는 이는 왕과 왕비입니다. 앞으로 나오시오, 네페르타리. 그대는 이집트의 왕비가 되었으니 여기 왕의 곁에 와 서십시오.

엄숙한 예식이 진행되고 있는 중인데도 람세스는 아름다운 네페르타리를 보자 마음이 울렁거리며 그녀를 안고 싶어졌다. 긴 아마 드레스를 입고, 황금 목걸이와 자수정 귀걸이, 벽옥 팔찌로 장식한 그녀는 대대로 내려오는 주문을 외었다.

—나는 호루스와 세트가 한 사람 안에 결합되셨음을 압니다. 파라오시여, 나는 그대의 이름을 찬양하노니, 그대는 어제이며, 오늘이며, 내일이십니다. 그대의 말씀이 나를 살게 하시니, 나는 악과 위험이 그대 가까이 가지 못하도록 물리치겠습니다.

—나는 그대를 두 개의 지방과 모든 땅들의 여왕으로 인정합니다. 그대의 부드러움은 가이없고, 그대는 신들의 마음에 드시는 여자이니, 그대는 신의 어머니이시며 아내이며, 내가 사랑하는 자입니다.

람세스는 두 개의 커다란 깃털이 달린 관을 네페르타리에게 씌워 주었다. 그 관을 씀으로써, 네페르타리는 왕비로서 파라오의 힘과 결합되었다.

마치 태양으로부터 솟아나온 듯한 매 한 마리가 먹이감을 발견한 것처럼 날개를 넓게 펴고 왕과 왕비의 머리 위를 빙빙 돌았다. 갑자기 매가 빠른 속도로 왕에게 달려들었다. 너무나 순식간에 일어난 일이라, 어떤 궁수도 미처 활을 당길 수가 없었다.

맹금이 람세스의 어깨 위에 발톱을 올려놓은 채 그의 목덜미에 앉았을 때, 군중들 사이에서는 경악과 공포의 외침이 솟아나왔다.

세티의 아들은 꼼짝도 하지 않고 그대로 서 있었다. 네페르타리는 가만히 그를 바라보았다.

조신들은 왕국과 왕국을 다스리도록 선택받은 자의 수호신인 매 호루스와 왕이 하나가 되는 기적과 같은 장면을 한참 동안 놀란 눈으로 지켜보았다.

이윽고, 새는 힘차고 고요하게 날갯짓하며 태양을 향해 다시 날아갔다.

사람들의 가슴에서 감탄의 소리가 새어나왔다. 여름 제3월의 27일, 이집트의 모든 백성들은 람세스의 즉위를 축하했다.*

---

* 가장 많이 채택되는 가설에 따르면 람세스가 즉위한 것은 기원전 1279년 6월 초이다.

13

축제가 끝나자 람세스는 소용돌이 속으로 정신 없이 휘말려들어 갔다.

파라오 대전의 집사장은 집무실과 왕의 사저로 이루어진 테베의 왕궁으로 람세스를 안내했다. 람세스는 국가의 대표로서 테베의 궁전 이곳저곳을 둘러보았다. 바닥에는 타일이 깔려 있고 벽에는 연꽃과 갈대 그리고 파피루스 그림이 그려져 있는 기둥이 많은 연회실과, 서기관들이 일하는 사무실, 개인적인 접견을 위한 작은 방들, 왕이 백성들 앞에 모습을 드러낼 때 이용하는, 날개 달린 태양 원반 위에 창문이 달린 발코니, 언제나 과일 바구니와 꽃다발이 놓인 탁자가 한가운데 있는 식당, 가지각색의 쿠션이 놓여 있는 침실, 타일이 깔린 목욕탕 등 모두가 훌륭한 것들이었다.

집사장은 젊은 파라오가 두 개의 땅의 옥좌에 앉기가 무섭게 대전의 구성원들을 소개하기 시작했다. 비밀 제의의 우두머리들, 생명의 집의 서기관들, 의사들, 사저의 시종장, 왕실 통신을 책임지고 있는 지급문서국 책임자, 국고 책임자, 곡창 책임자, 가축 책임자, 그리고 또 수많은 사람들이 새로 등극한 파라오에게 인사를 드리고 변함 없는 충성을 다짐하기 위하여 몰려들었다.

—이제는, 그만…….

람세스가 일어났다.

—이제 인사는 그만 받겠다.

집사장이 반대의견을 말했다.

—폐하, 그건 불가능합니다! 수많은 중요 인사들이…….

—나보다 더 중요한가?

—황공하옵니다, 그런 뜻이 아니오라…….

—날 부엌으로 안내해라.

—그곳은 폐하가 납실 곳이 못 됩니다.

—내가 어디에 가야 하는지 네가 나보다 더 잘 안단 말이냐?

—황공하옵니다, 소인은…….

—핑계를 대느라 시간을 잡아먹을 생각이냐? 그보다는 어째서 총리대신과 아몬의 대사제가 와서 경의를 표하지 않는지 말해봐라.

—모르옵니다, 폐하. 어찌 소인이 그런 일을 알 수 있겠습니까?

—부엌으로 가자.

백정들, 저장식품을 만드는 사람들, 야채 다듬는 사람들, 빵 만드는 사람들, 과자 만드는 사람들, 맥주 만드는 사람들…… 로메는 근무시간이라든가 휴일 따위를 놓고 자신들의 권리를 지키려고 까다롭게 구는 이 한 무리의 전문가들 위에 군림하고 있었다. 쾌활한 성격의 배불뚝이 로메는 느릿느릿 움직였다. 그는 세 겹으로 늘어진 턱이라든가 무거운 몸무게 따위에는 신경쓰지 않았다. 은퇴하고 난 다음에나 몸무게와 한판 붙어볼 생각이었다. 지금으로서는, 이 무리를 단호하게 지휘하고, 나무랄 데 없는 음식을 만들어내고, 전문가들 사이에 일어나게 마련인 말다툼을 예방하는 일이 중요했다. 그는 부엌의 위생상태와 식품의 신선도에 늘 신경을 곤두세우고 직접 음식을 먹어보곤 했다. 파라오와 그의 궁전 인사들이 테베에 있건 없건 간에, 요리사 로메는 완벽을 요구했다.

대전 집사장이 인상적인 체격에다, 단순한 모양의 눈부신 하얀 로인클로스를 입은 젊은이를 대동하고 모습을 나타나자 로메는 투덜댈 준비부터 했다. 특권의식이 잔뜩 몸에 밴 저 망할놈의 관리는 또 어디서 쓸모없는 놈을 하나 데리고 와서 조수로 쓰라고 억지를 부릴 참이군. 그러면서 저 젊은 놈의 가족이 포도주 항아리를 하나 줄 거라고 유혹하겠지.

—로메, 잘 있었나? 나와 함께 오신 분은…….

—난 자네가 누굴 데려왔는지 알지.

—그렇다면 마땅히 절을 해야지.

엉덩이에 손을 올려놓고, 주방장은 웃음을 터뜨렸다.

—이놈에게 절을 하라구? 어디 설거지나 할 줄 아나 보자!

당황해서 얼굴이 시뻘게진 집사장은 왕을 향해 몸을 돌렸다.

—황송하옵니다, 저 사람은…….

람세스가 큰 소리로 말했다.

—설거지는 할 줄 알지. 그러는 너는 요리할 줄 아느냐?

—나의 능력을 의심하는 네놈은 누구냐?

—이집트의 파라오 람세스다.

아연실색한 로메는, 이제 자기 인생은 끝났다고 생각했다. 그는 무뚝뚝한 태도로 가죽 앞치마를 벗어서 나지막한 테이블 위에 올려놓았다. 왕을 모욕하는 행위는, 총리대신의 법정에서 유죄로 판정되면 무거운 벌을 받게 된다.

람세스가 물었다.

─아침식사로 무엇을 준비했는가?

─저어…… 구운 메추라기 고기와, 향초를 넣어 요리한 농어 요리와 무화과 퓌레, 그리고 꿀과자입죠.

─맛있겠구나. 하지만 자네가 큰소리치는 것만큼 정말로 맛있을까?

로메가 불같이 화를 냈다.

─제 솜씨를 의심하십니까요, 폐하? 제 명성은…….

─난 명성을 우습게 아는 사람이지. 자, 자네 음식을 한번 가져와보겠나?

─궁전 식당에 식사 준비를 시켜놓았습니다.

집사장이 번지르르한 목소리로 말했다.

─됐다. 여기서 식사하겠다.

왕은 집사장이 불안하게 지켜보는 가운데 맛있게 먹었다. 왕이 결론을 내렸다.

─아주 맛있군. 요리사, 자네 이름이 뭐라구?

─로메입니다, 폐하.

─로메, '사람'이란 뜻이군…… 자네에게 어울리는 이름이야. 나는 자네를 궁전 집사장이며, 왕국 전체의 요리를 총괄하는 주방장으로 임명한다.

순식간에 밀려난 집사장이 얼굴이 벌겋게 달아올라 더듬거렸다.

─그럼 소인은요, 폐하?

─난 능력도 없고 쩨쩨하게 구는 건 용서하지 못한다. 설거지하

는 사람은 언제나 모자란 모양이니 그 일을 하면 되겠군.

왕과 로메는 지붕이 있는 주랑(朱廊)으로 천천히 발걸음을 옮겼다.

—자넨 내 개인비서 아메니의 명령을 받아 일하게 될 것이다. 그는 허약해 보이긴 하지만 맛있는 음식을 싫어하진 않지. 지칠 줄 모르고 일하는 사람이야. 특히, 우정으로 나를 명예롭게 만들어주지.

로메가 놀란 표정을 거두지 못하고 말했다.

—단순한 요리사에게 너무 많은 책임을 맡기셨습니다.

—선왕께서는 사람들을 본능에 따라 판단하는 법을 가르쳐주셨다. 틀렸다면, 할 수 없지…… 나라를 통치하기 위해선 충실한 봉사자들이 필요하다. 자네는 조정에 대해 많은 걸 알고 있지?

—솔직하게 말씀드리면…….

—솔직하게 말하라, 로메. 망설이지 말아.

—폐하의 조정에는 왕국의 위선자들과 야심가들이 가득 차 있습죠. 기왕 따놓은 땅위에서 서로서로 해먹는 형국이죠. 선왕께서 살아 계실 때에는, 선왕의 분노가 무서워 땅바닥에 납작 엎드려 있었죠. 그분이 돌아가시자, 폭풍우가 지나간 뒤 사막에 꽃이 피듯이 저마다 자기 소굴에서 기어나왔습니다.

—사람들이 날 싫어하고 있지, 그렇잖은가?

—그 말로는 충분치 않습니다.

—그들이 원하는 게 뭔가?

—폐하의 무능이 곧 드러나는 걸 바라죠.

—만일 자네가 내 편이라면, 조금도 숨김 없이 다 말해야 한다.

—제 얘기를 다 믿으십니까?

—훌륭한 요리사는 하찮은 존재가 아니다. 그가 재주가 있는 사

람이면, 저마다 그의 요리법을 훔치려고 나설 것이고, 그의 요리는 수많은 소문들을 만들어내겠지. 그의 정신은 그가 식품을 고르듯이 그 소문들을 분별할 수 있을 것이다. 세력가들 중에 나에게 반감을 품고 있는 사람들이 누군가?

—조정 전체가 거의 다 폐하께 적대적입니다. 그들은 세티 같은 훌륭한 파라오의 뒤를 잇는다는 것은 불가능한 도전이라고 생각하고 있죠. 따라서 폐하의 통치는 능력 있는 자가 나타나 왕위를 요구할 때까지의 과도기라고 생각하고 있습니다.

—그런데도 그런 파라오의 궁전 전체를 총괄하기 위해 테베의 부엌을 떠나는 위험을 감수하겠느냐?

로메가 활짝 웃었다.

—안전하다는 건 좋은 점과 나쁜 점을 동시에 가지고 있는 법이죠…… 맛있는 요리를 계속 만들 수만 있다면, 한번 모험을 해보지요. 단, 조건이 있습니다…….

—말하라.

—폐하껜, 자신감을 빼고 나면 성공하실 수 있는 가능성이 전혀 없습니다.

—어째서 그렇게 비관적으로 생각하는가?

—왜냐하면 폐하께선 젊고 경험이 없으시기 때문입니다. 그리고 폐하께선 아몬 대사제나, 정치의 여러 미묘한 문제들에 통달한 대신들 십여 명의 조종을 받아가며 실익을 챙기겠다는 생각도 없으시니까요. 힘이 너무 한쪽으로 기울어져 있습니다.

—파라오의 힘을 너무 보잘것없게 생각하는 건 아닌가?

—아니오, 그렇지 않습니다. 바로 그 때문에 충돌이 불가피한 거지요. 혼자서 무리를 상대하는 사람에게 무슨 가능성이 있겠습니까?

―파라오는 황소의 힘을 소유하고 있지 않은가?

―야생 황소도 산을 들어 옮길 순 없습니다.

―자네 말을 내가 잘 이해한 거라면, 자넨 이제 막 왕이 된 나에게 왕이 되는 걸 포기하라고 충고하는 건가?

―세력가들한테 권력을 양보해봤자 고마워하면서 그러지 마시라고 말려줄 사람이 하나라도 있을 것 같습니까?

―자네라도 있겠지.

―저는 왕국에서 으뜸가는 요리사일 뿐이지요. 제 생각 따위는 하나도 중요하지 않습니다.

―자넨 이제 궁전의 집사장이야.

―소인이 충고를 한 말씀 올리면, 들어주시겠습니까?

―말해보라.

―질이 나쁜 맥주나 고기는 절대로 받아들이지 마십시오. 그것은 타락의 조짐입니다. 제가 일을 열심히 할 수 있도록 해주실 수 있습니까? 그러면, 고쳐야 할 것이 많은 대전의 살림살이부터 개혁해나가겠습니다.

람세스는 틀리지 않았다. 로메는 상황에 딱 맞는 인물이었던 것이다. 마음이 놓인 람세스는 궁전 정원을 향해 발걸음을 옮겼다.

14

네페르타리는 애써 눈물을 참았다.

그녀가 두려워했던 일이 닥치고 말았던 것이다. 명상과 은둔 생활을 꿈꾸었던 그녀가 정신을 차릴 수 없을 정도로 끔찍한 부산스러움에 휘말리게 되었다. 대관식이 끝나자마자 그녀는 곧 람세스와 헤어져 왕비로서의 책임을 수행해야 했다. 그녀는 왕비가 관장해야 하는 신전과 학교, 그리고 길쌈 공방 등을 방문했다.

투야는 왕비 소유의 토지들을 관리하는 관리인들, 젊은 여성들을 교육하는 책임을 맡은 하렘의 상급자들, 왕비의 자산을 관리하는 서기관들, 대지의 창조력을 유지시키기 위해 여왕의 이름으로 '신(神)의 아내'의 제사를 올리는 남녀 사제들을 네페르타리에게 소개했다.

네페르타리는 며칠 동안 숨돌릴 틈도 없이 이곳에서 저곳으로 끌려다녔다. 그녀는 수백 명의 사람들을 만나야 했고, 만나는 사람마다 적당한 말을 찾아 대화를 나누어야 했으며, 계속 미소를 짓고 있어야 했다. 조금이라도 피곤하다는 내색은 할 수가 없었다.

매일 아침마다 미용사, 화장사, 손발톱 미용사들이 왕비를 둘러싸고 아름답게 치장해주었다. 이집트의 행복은 람세스의 힘뿐만 아니라 그녀의 매력에도 달려 있었기 때문이다. 우아한 아마 드레스를 붉은 허리띠로 매어 몸에 꼭 맞게 입은 그녀의 모습은 역대 어느 왕비보다도 매력적이었다.

네페르타리는 지쳐서 낮은 침대에 누웠다. 그녀는 또다시 축하 연회장에 나갈 엄두가 나지 않았다. 연회가 진행되는 동안, 그녀는 향수 연고를 넣은 단지들을 선물로 받게 될 것이다.

방 안으로 스며들어온 어둠 속에서 투야의 가냘픈 실루엣이 다가왔다.

―어디 아프냐, 네페르타리?

―기운이 하나도 없어요.

세티의 미망인은 침대 가장자리에 걸터앉아서 네페르타리의 오른손을 두 손으로 감싸쥐었다.

―나 역시 너처럼 이 시련을 겪었느니라. 두 가지 방법을 써보면 낫게 될 거야. 원기를 회복시켜주는 물약을 마시고, 람세스가 선왕에게서 배운 자기(磁氣)치료를 받아보자.

―저는 왕비감이 아닙니다.

―람세스를 사랑하느냐?

―저 자신보다도 더 사랑합니다.

―그렇다면, 그를 저버리지 말아라. 그는 왕비와 결혼한 것이니까. 왕비가 그의 곁에서 견뎌주어야지.

─만일 그이가 잘못 생각한 거라면요?

─그는 잘못 생각하지 않았다. 나라고 너처럼 몸과 마음이 지치고 소모적인 순간들을 겪지 않았을 거라고 생각하느냐? 왕비에게 요구되는 것은 한 여성의 책무를 벗어나는 것이다. 이집트가 생겨난 이래로 늘 그랬다. 그리고 그러지 않아서도 안 되는 것이다.

─포기하고 싶다는 마음은 들지 않으셨나요?

─처음엔, 하루에도 열 번씩 백 번씩 그랬다. 나는 선왕께 다른 여자를 고르시라고, 나는 그저 후궁으로 곁에 머물게 해달라고 빌었다. 그의 대답은 언제나 똑같았다. 나를 품안에 안고 격려해주실 뿐, 책임은 전혀 덜어주지 않으셨다.

─저는 그이의 신임을 받을 만한 존재가 못 되는 것이 아닐까요?

─그런 의문을 갖는 것은 좋은 일이다. 그러나 그 대답은 내가 해야겠구나.

네페르타리의 눈에 불안이 어른거렸다. 투야의 눈길은 흔들리지 않았다.

─너는 왕비가 될 수밖에 없는 운명을 가지고 태어났다. 네 운명과 싸우지 말아라. 헤엄치는 사람이 강물 속으로 들어가듯 운명 속으로 미끄러져 들어가도록, 너 자신을 맡겨두어라.

사흘도 채 못 되는 기간에, 아메니와 로메는 람세스의 지시를 받아 테베의 행정을 엄청나게 바꾸어놓았다. 람세스는 테베 시장으로부터 나루터 하급 공무원에 이르기까지, 지위 고하를 막론하고 많은 공무원들을 만나 대화를 나누었다. 멤피스에서 멀리 떨어져 있는 데다가 세티는 북쪽지방에 주로 머물렀기 때문에, 남쪽지방의 대도시 테베는 점점 더 독자적인 방식으로 시를 운영해가게 되었다. 아몬 신전의 엄청난 부 때문에 강력한 힘을 행사하게 된 아몬 대사제는 점점 자신이 군주와 같은 사람이라고 생각하기 시작했다. 테베에서는 그의 명령이 왕의 명령보다도 더 큰 중요성을 가지게 되었다. 여러 사람의 얘기를 들어보고 나서 람세스는 그러한 상황이 안고 있는 위험을 깨닫게 되었다. 그가 무기력한 태도를 보인다면, 상 이집트와 하 이집트는 서로 다를 뿐만 아니라 적대적이기까지 한 두 개의 나라가 되어버릴지도 모른다. 그렇게 분리되면 큰일이다.

홀쭉이 아메니와 뚱뚱이 로메가 서로 협조하는 데는 아무 어려움이 없었다. 그들은 서로 달랐으며, 또 그래서 서로를 보완할 수 있었다. 그들은 왕실인사들의 청원에 귀 기울이지 않았다. 람세스의 성품에 매료된 그들은 그가 올바른 길로 나아가고 있다고 굳게 믿었다. 그들은 무기력한 관직체계를 뒤집어엎고, 왕의 재가를 받아 의외의 인사를 단행했다.

람세스가 즉위한 지 보름 만에 테베는 들끓고 있었다. 무능력자가 권력을 장악했다고 말하는 사람도 있었고, 람세스를 두고 잘못된 사명감과 육체적인 모험에 정신이 팔린 젊은이라고 평하는 사람도 있었다. 람세스는 여러 업무들을 살펴보고 결정을 내리느라 궁전 밖으로 나오는 일이 없었다. 세티에 버금가는 정력적인 모습이었다.

람세스는 반응을 기다렸다.

그러나 아무런 반응도 없었다. 테베는 어리둥절한지 무기력해져 있었다. 왕의 부름을 받은 총리대신은 그저 왕의 명령을 즉각 시행하기 위해서 다소곳이 왕의 지시를 받아 적을 뿐이었다.

람세스는 아메니의 어린 아이처럼 들뜬 기분이나 로메의 만족스러운 즐거움을 함께 나눌 수가 없었다. 그의 적들은 람세스가 발빠르게 행동하는 것을 보고 놀라기는 했지만 전멸을 당한 것도, 정복

된 것도 아니었다. 그들은 람세스의 적수가 나타나 자기들이 힘을 되찾게 되기를 기다리고 있었을 뿐이다. 왕은 어둠 속에서 진행되는 은밀한 힘겨루기보다는 화끈하게 한판 붙는 걸 더 좋아했지만, 그건 물정 모르는 어린 아이 같은 희망이었다.

매일 저녁 한때, 노을이 하늘을 붉게 물들일 무렵 그는 스무 명 정도의 정원사들이 일하는 정원의 오솔길 이곳저곳을 산책했다. 해가 지면, 정원사들은 꽃과 나무에 물을 주었다.

왕의 왼쪽으로는 수레국화 목걸이를 건 노란 개가 따르고, 오른쪽으로는 거대한 사자가 유연하게 몸을 움직이고 있었다. 그리고, 정원 입구에는 국왕 친위대장인 사르디니아인 세라마나가, 조금이라도 위험한 조짐이 보이면 당장 달려올 태세를 갖추고 포도 덩굴 아래 앉아 있었다.

람세스는 단풍나무, 석류나무, 무화과나무, 페르세아 나무를 비롯한 모든 나무를 사랑했다. 그 나무들 덕분에 정원은 영혼이 휴식할 수 있는 천국이 되었다. 이집트 전체가 다양한 나무들이 조화를 이루며 살아가는 평화로운 정원과 비슷하지 않은가?

그날 저녁, 람세스는 조그만 단풍나무 한 그루를 심었다. 그는 주위의 흙을 돋워주고 조심조심 물을 주었다.

─폐하께서는 15분 동안 기다리셨다가 물 한 동이를 더 부어주셔야 합니다. 한 방울 한 방울씩 천천히 주어야 합니다.

람세스에게 그렇게 말한 사람은 도무지 나이를 짐작할 수 없는 정원사였다. 목덜미에는 커다란 종기 자국이 있었는데, 아마도 양쪽 끝에 무거운 진흙 물동이를 단 물지게를 오래 짊어지고 다닌 후유증인 듯했다.

람세스가 그의 말을 인정했다.

─옳은 충고로다. 이름이 무엇인가?

—네드젬이라 합니다.

—'온화한 사람'이란 뜻이군…… 결혼했는가?

—소인은 이 정원과 나무들, 이 풀들, 꽃들과 한 몸이 되었습니다. 이들이 나의 가족이요 조상이요 후손들입니다. 폐하께서 심으신 단풍나무는 폐하보다 더 오래 살아남을 것입니다. 비록 폐하께서 현자들처럼 오래 사신다 해도 말이지요.

람세스가 미소를 지으며 물었다.

—내가 현자가 되지 못할 거라는 이야기인가?

—왕이면서 동시에 현자로 남아 있기는 힘들지요. 인간은 타락하고 교활한 존재니까요.

—그대 또한 그대가 별로 좋아하지 않는 그 종족의 일원이지. 그대는 인간의 그러한 결점을 가지고 있지 않은가?

—어찌 감히 그렇지 않다는 주장을 하겠습니까, 폐하.

—그대는 제자들을 가르치고 있는가?

—그건 소인의 일이 아닙니다. 상급 정원사께서 하실 일이지요.

—그가 그대보다 더 유능한가?

—소인이 그걸 어찌 알겠습니까? 이곳엔 한번도 오시지 않는걸요.

—그대는 이집트에 나무 백성들이 충분히 많다고 생각하나?

—아무리 많아도 절대로 충분치 않을 백성은 나무들뿐이지요.

—나도 그 의견에 동감일세.

정원사가 확신에 찬 어조로 말했다.

—나무는 완벽한 선물입니다. 살아 있을 때에는 그늘과 꽃과 열매를 주고, 죽어서는 목재를 주지요. 나무들 덕택에 우리는 먹고, 집을 짓고, 부드러운 북풍이 우리를 감싸줄 때면 그 그늘에 앉아 행복을 맛보기도 합니다. 소인은 새들과 부활한 자들의 영혼만이

살아가는 나무들의 나라를 꿈꾼답니다.

람세스가 속마음을 털어놓았다.

─나는 모든 지방에 많은 나무들을 심으려고 한다. 모든 마을의 광장에 나무 그늘이 드리워지게 하겠다. 늙은이들과 젊은이들이 그곳에서 서로 만나, 젊은이들이 늙은이들의 말에 귀 기울이게 하겠다.

─신들께서 폐하께 은혜를 베풀어주시기를…… 그보다 더 훌륭한 통치는 없을 것입니다.

─그 계획을 실천하도록 도와주겠나?

─소인이? 하오나…….

─농무성에는 부지런하고 유능한 서기관들이 많이 있지만, 내게는 자연을 좋아하고, 자연의 비밀을 알아내 서기관들에게 훌륭한 지시를 내릴 수 있는 사람이 하나 필요하다.

─폐하, 소인은 일개 정원사에 불과합니다. 소인은…….

─그대는 빼어난 농무대신이 될 자질이 있네. 내일 아침에 궁전에 가서 아메니를 만나겠다고 청하게, 내 일러둘 터이니. 그는 그대가 새로운 일을 시작할 수 있도록 도와줄 것일세.

람세스는 놀라서 어쩔 줄 모르고 서 있는 네드젬을 내버려두고 돌아섰다. 왕은 넓은 정원 한구석, 두 그루의 무화과나무 사이에서 얼핏 가냘프고 하얀 실루엣이 어른거리는 것을 보았다. 이 마술적인 곳에 여신이 현현하신 걸까?

그는 급한 걸음으로 다가갔다.

실루엣은 꼼짝하지 않고 가만히 서 있었다.

어렴풋한 노을빛을 받아 검은 머리카락과 하얀색의 긴 드레스가 반짝였다. 어떻게 한 사람의 여자가 저토록 아름다울 수 있을까? 그녀는 매혹적이면서도 동시에 다가갈 수 없는 여인처럼 느껴졌다.

―네페르타리……?

그녀는 람세스에게 뛰어들어 그의 품안에 몸을 웅크렸다. 그녀가 고백했다.

―빠져나오는 데 성공했어요. 오늘 저녁 공개 류트 연주회 때, 대비께서 당신에게 가봐도 좋다고 하셨어요. 당신, 나 잊어버린 거예요?

―그대의 입술은 연꽃송이 같고, 그대의 입술에서 흘러나오는 말은 마법의 주술 같소만, 난 그대에게 입맞추고 싶어 미치겠소.

그들의 입맞춤은 청춘의 샘 같았다. 그들은 마치 한 몸처럼 꼭 붙은 채 서로에게 서로의 몸을 맡김으로써 새로운 존재로 다시 태어났다.

람세스가 말했다.

―나는 그대 머리카락의 그물에 걸려든 한 마리 들새라오. 그대는 나에게 천 송이 꽃이 핀 정원을 발견하게 해주었소. 그 향기에 내가 취하는구려.

네페르타리가 머리를 풀었다. 람세스는 네페르타리의 드레스에 달린 어깨끈을 아래로 내렸다. 향기롭고 평화로운 여름 밤의 따스함 속에서, 그들의 몸은 하나가 되었다.

15

첫 햇살이 람세스를 깨웠다. 그는 아직도 잠들어 있는 네페르타리의 아름다운 등을 쓰다듬었다. 그리고 그녀의 목에 입을 맞추었다. 그녀는 눈을 감은 채 그의 단단한 몸에 자신의 몸을 밀착시키며 꼭 끌어안았다.

－행복해요.

－그대는 나의 행복이요, 네페르타리.

－이제 우리 이렇게 오랫동안 헤어져 있지 말아요.

－그대에게도 나에게도 선택할 권리가 없소.

－권력의 의무가 우리의 삶을 끌어가게 될까요?

람세스가 말없이 그녀를 세게 껴안았다.

－당신, 대답하지 않으시는군요.

―그대가 대답을 알고 있으니까…… 그대는 왕비이고, 나는 파라오요. 우리는 가장 은밀한 꿈속에서도 이 현실을 빠져나갈 수 없소.

자리에서 일어난 람세스는 창문으로 다가가, 여름 햇살을 받아 푸르게 빛나는 테베의 벌판을 바라보았다.

―네페르타리, 난 그대를 사랑하오. 그러나 나는 이집트의 남편이기도 하오. 나는 이 땅을 풍요와 번영의 땅으로 만들어야 하오. 이집트가 나를 부를 때, 못 들은 체할 권리가 내게는 없소.

―해야 할 일이 그렇게 많을까요?

―난 평화로운 나라를 다스리게 될 거라고 믿었소. 이 나라에 사람들이 살고 있다는 걸 잊었던 거지. 그들이 마아트의 법을 배반하고, 아버님과 조상님들이 이루어놓으신 위업을 파괴하는 데는 몇 주면 충분하오. 조화란 가장 부서지기 쉬운 보물이라오. 내가 경계심을 늦추면, 악과 어둠이 나라를 지배할 거요.

네페르타리가 자리에서 일어나 알몸으로 람세스에게 안겼다. 향기로운 그녀의 몸을 만져보기만 해도, 람세스는 간밤의 결합이 완벽했다는 것을 알 수 있었다.

누군가 침실 문을 신경질적으로 두들겼다. 문이 벌컥 열리자 머리가 헝클어진 아메니가 들어왔다. 그는 왕비를 알아보고 황급히 몸을 돌렸다.

―람세스, 중요한 일이야. 굉장히 중요한 일이라구!

―이렇게 이른 새벽에 날 귀찮게 할 만큼 중요한가?

―가자구. 한시도 지체할 틈이 없어.

―씻고 밥먹을 시간도 안 주나?

―오늘 아침엔 안 돼.

람세스는 아메니의 말에 따랐다. 평소 자기 통제를 잘하는 그가 냉정을 잃고 있는 만큼, 더욱더 그러했다.

왕은 두 마리 말이 끄는 전차를 몸소 몰았다. 세라마나와 궁수 한 명이 탄 수레가 왕의 뒤를 따르고 있었다. 아메니는 빠른 속도 때문에 어지러워하면서도 람세스가 서둘러주어 기분이 좋았다.

그들은 카르낙 신전 경내로 들어가는 여러 개의 대문 중 하나 앞에 멈추어 섰다. 그들은 땅에 내려서서, 글을 읽을 줄 아는 사람이면 누구나 읽을 수 있도록 신성문자를 가득 새겨놓은 비문을 읽어보았다. 아메니가 말했다.

─여길 봐. 세번째 줄을 보라구!

세 장의 짐승 가죽으로 이루어진 기호, '탄생'의 개념을 써서 람세스가 '빛의 아들'임을 분명히 해주는 내용의 신성문자가 새겨져 있었지만 희미해서 무슨 글자지도 잘 알아볼 수 없었다. 이러한 실수는 왕을 보호해주는 마술의 힘을 잃게 하고, 그의 내밀한 존재에 해를 끼치는 것이다.

기가 막혀 어쩔 줄 몰라하던 아메니가 단호하게 말했다.

─나는 조상을 세워놓은 좌대나 공공장소에 있는 비문들마다 하나같이 이런 문제가 있다는 걸 확인했네. 람세스, 이건 누군가 악의를 가지고 저지른 짓이야!

─누가 꾸민 짓일까?

─아몬 대사제와 그의 휘하에 있는 조각가들이지. 왕의 즉위를 선포하는 내용을 책임지고 새기는 사람들이니까! 왕이 직접 보지 않으면 믿지 않을 것 같아서 이렇게 법석을 떨었네.

선포문의 내용 자체를 변질시킨 것은 아니라 해도, 그것은 중요한 사건이었다. 람세스가 명령했다.

─조각가들을 부르게. 그리고 글씨를 다시 잘 새기도록 하게.

─죄인들을 법정으로 보내지 않을 건가?

─그들은 시킨 대로 했을 뿐이야.

─아몬 대사제는 지금 병중이라고 하더군. 그건 파라오를 찾아와 경의를 표하지 않으려는 핑계에 불과해.

─그 거물급 인사가 이 일을 저질렀다는 확실한 증거가 있나?

─그가 유죄라는 건 분명해!

─아메니, 명백하다 싶은 일일수록 조심해야 해.

─그를 처벌하지 않을 건가? 아무리 재산이 많다고 해도, 그는 파라오의 신하야.

─그의 재산에 대한 보고서를 자세하게 작성해주게.

로메는 자기의 새로운 업무에 대해서 불평하지 않았다. 궁정의 청결을 유지하기 위해서 양심적이고 올바른 사람들에게 위생업무를 맡기고 난 뒤, 고양이 세 마리, 영양 두 마리, 하이에나 한 마리, 그리고 재두루미 두 마리를 키우는 왕궁의 우리를 돌보았다.

그런데 도무지 어떻게 해볼 수 없는 놈이 하나 있었다. 파라오의 황금빛 나는 노란색 개인데 궁전 연못에서 매일 물고기를 한 마리씩 잡는 아주 골치 아픈 습관을 가지고 있었다. 그럴 때는 람세스의 사자가 옆에 떡 버티고 있어서 제지할 재간도 없었다.

아침 일찍, 아메니는 로메의 도움을 받아 무거운 파피루스 상자를 들고 왔다. 그렇게 조금 먹고, 하루에 서너 시간밖에 자지 않는 그 허약한 서기관의 어디에서 그렇게 엄청난 에너지가 생겨나는 것일까? 그는 온갖 서류가 정신 없이 쌓인 사무실에 하루 종일 붙어 앉아 있었다. 지치지도 않는 모양이었다.

아메니와 람세스는 집무실에 처박혔다. 그 동안 로메는 부엌의 일일 점검을 실시했다. 파라오의 건강, 즉 나라의 건강은 그가 먹는 음식의 질에 달려 있지 않은가.

아메니는 야트막한 책상 위에 파피루스 몇 장을 펼쳐놓았다. 그가 자랑스럽다는 듯이 큰 소리로 말했다.

─이게 내가 조사한 결과일세.

─조사하기가 어려웠나?

─그렇기도 하고 그렇지 않기도 했어. 카르낙 신전의 관리들은 내가 찾아가서 이것저것 묻는 걸 달가워하지 않더군. 그렇지만, 자기들의 진술을 확인하겠다니까 감히 말리지는 못하더군.

─카르낙 신전이 그렇게 재산이 많던가.

─그렇더군. 고용인이 8만 명, 현재 공사가 진행중인 대형 공사장이 마흔여섯 군데, 정원·과수원·포도밭이 450개, 가축 42만 마리, 배 90척, 신전 직속인 촌락만 해도 65개야. 카르낙 대사제는 실로 엄청난 숫자의 서기관들과 농부들 위에 군림하고 있는 거야. 여기에다 덧붙일 게 하나 있네. 아몬 신의 재산, 그러니까 그를 섬기는 성직자들의 재산을 조사해보니 소가 6백만 마리, 염소가 6백만 마리, 나귀가 1천2백만 마리, 노새가 8백만 마리, 그 밖의 가금류가 수백만 마릴 넘더군.

─아몬은 승리의 신이며 왕국을 보호해주시는 신이 아닌가?

─누가 그 말에 이의를 달겠나. 그러나 그분을 섬기는 사제들은 사람에 불과하네. 그렇게 엄청난 재산을 관리하다보면, 고백할 수 없는 유혹의 희생자가 될 수밖에 없지 않을까? 더이상 조사해볼 수는 없었지만, 어쩐지 불안한 마음이 들어.

─무슨 특별한 이유라도 있나?

─테베의 고관대작들은 왕과 왕비가 빨리 북쪽지방으로 떠나주길 고대하고 있네. 달리 말하면 폐하께서 그들의 평온한 생활을 뒤흔들어놓고, 그들이 늘상 하던 짓거리를 못하게 하고 있다는 거지. 그들이 자네에게 바라는 건 카르낙 신전이 재력을 쌓아서 국가 안

의 국가가 되도록 내버려두는 거야. 아몬 대사제가 스스로 남쪽지방의 왕으로 올라서서 왕위 계승권마저 가지게 될 때까지 말야.

―그러면 이집트는 끝장이지.

―백성들은 도탄에 빠지게 되겠지.

―재산을 횡령했다는 확실한 증거가 필요해. 아몬 대사제를 상대하려면, 절대로 실수를 저질러서는 안 되네.

―조사해보겠네.

세라마나는 안심할 수가 없었다. 멤피스에서 그리스인 메넬라오스가 람세스를 암살하려 했던 이후로, 그는 람세스의 생명이 위협받고 있다는 것을 알게 되었다. 물론 그리스인들은 이집트를 떠났다. 그러나 그렇다고 해서 위험이 사라진 것은 아니었다.

그는 끊임없이 테베 안에서도 취약하다고 생각되는 지점과 군대 본부와 경찰본부, 그리고 정예부대의 병영 등을 조사했다. 반란이 일어난다면 바로 그러한 곳에서 발생할 것이기 때문이다. 한때 해적 노릇을 해본 경험이 있는 세라마나는 자신의 본능말고는 아무것도 믿지 않았다. 고급 장교든, 사병이든 그는 모두 경계했다. 그가 미리 눈치를 채고 선제공격을 한 덕에 지금까지 살아 있긴 하지만 친구인 체하는 적으로부터 공격받은 경험이 한두 번이 아니었다.

세라마나는 그 큰 몸집을 마치 고양이처럼 가볍게 움직였다. 그는 몸을 숨기고 누군가를 관찰한다든가 대화를 엿듣는 것을 좋아했다. 날씨가 아무리 더워도, 이 사르디니아인은 금속제 갑옷을 입고 다녔다. 허리띠에는 단도와 끝이 날카로운 짧은 검을 차고 있었다. 곱슬거리는 구레나룻과 콧수염 때문에 커다란 얼굴이 꽤나 험상궂어 보였는데, 그는 자신의 그러한 인상을 십분 활용할 줄 아는 사람이었다.

대부분 부유한 집안 출신인 장교들은 세라마나를 싫어했다. 람세스가 왜 그런 상스러운 녀석에게 친위대 지휘를 맡겼는지 모르겠다고 의아하게 생각했다. 그러거나 말거나 세라마나는 개의치 않았다. 그의 생각에 남들에게 사랑받는다는 것은 아무짝에도 쓸모없는 일이었다. 그것이 훌륭한 주인을 제대로 섬기는 훌륭한 전사를 만들어주는 것도 아니니까.

람세스는 훌륭한 주인이며, 이집트라는 거대한 선박의 선장이었다. 그 배가 지금 순조롭게 항해하지 못하고 위기에 처한 것이다. 요컨대, 생각지도 않게 중요한 자리에까지 오른 이 사르디니아 해적의 소망은 오로지 그 선박을 잘 지키는 것이었다. 그는 화려한 저택, 사랑의 사과처럼 동그란 가슴, 그리고 진수성찬만으로는 만족할 수 없었다. 한 사람의 사나이가 자신의 가치를 증명해 보일 수 있는 것은 혈투뿐이라는 것이 그의 생각이었다.

궁전의 위병은 매달 1일과 11일 그리고 21일 세 차례에 걸쳐 교대하게 되어 있었다. 병사들의 보수는 포도주와 고기, 과자, 그리고 곡식으로 지급되었다. 병력을 교체할 때마다, 세라마나는 병사들의 눈을 똑바로 들여다보면서 그들의 됨됨이를 살피고 근무 위치를 정해주었다. 훈련을 빼먹는다든가 군기가 빠진 듯한 모습이 눈에 띄면 가차없이 몽둥이 찜질 아니면 당장 해고감이었다.

사르디니아인은 일렬횡대로 정렬한 병사들 앞을 천천히 지나갔다. 그는 불안해 보이는 젊은 금발머리 병사 앞에 멈추어 섰다.

—고향이 어디냐?

—델타 지방입니다.

—잘 쓰는 무기는?

—칼입니다.

—이걸 마셔라. 목이 말라 보이는데.

세라마나는 아니스 향을 넣은 포도주병을 금발머리 병사에게 내밀었다. 병사는 세라마나가 준 술을 두어 모금 마셨다.

—폐하의 집무실로 가는 복도 입구를 지키도록 해라. 밤 열시 이후에는 아무도 접근하지 못하게 해야 한다.

—명령대로 하겠습니다, 대장님.

세라마나는 깨끗한 무기들의 날을 점검하고, 병사들의 자세를 고쳐주고 복장을 바로잡은 뒤 다른 병사들과도 몇 마디 말을 주고받은 후 해산시켰다.

궁전을 설계한 건축가는 더운 여름 밤에도 복도가 시원하도록 창문을 공기가 잘 통하는 높은 곳에 달아놓았다.

사위가 고요했다. 바깥에서는 사랑에 빠진 두꺼비들이 왁왁대며 노래를 부르고 있었다.

세라마나는 람세스의 집무실 쪽으로 난 복도를 향해 소리 없이 걸어갔다. 짐작했던 대로, 금발머리는 지정해준 위치에 있지 않았다.

그는 보초를 서는 대신 집무실로 들어가지 못하게 막아둔 문의 빗장을 벗기려고 애쓰고 있었다. 사르디니아인은 넓적한 손으로, 병사의 목덜미를 잡아 위로 들어올렸다.

—너 그리스놈이지, 엉? 아니스를 넣은 포도주를 아무렇지도 않게 마실 놈은 그리스놈들밖에 없단 말야. 이봐, 넌 어떤 패거리에 속한 놈이냐? 메넬라오스의 찌꺼기야, 아니면 무슨 음모를 또 꾸미고 있는 거야? 말해봐!

금발머리는 몇 분 동안 버둥거리기만 할 뿐 한마디도 하지 못했다.

세라마나는 그가 죽었다는 것을 알고 시체를 땅바닥에 내려놓았다. 시체는 마치 헝겊인형처럼 축 늘어져 있었다. 사르디니아인은 본의 아니게 병사의 목뼈를 부러뜨리고 만 것이다.

16

세라마나는 보고서를 쓰는 데는 재주가 없었다. 그는 아메니에게 사실을 보고했을 뿐이다. 아메니는 파피루스에 세라마나가 보고한 내용을 써서 당장 람세스에게 알렸다. 신체조건이 좋아 채용된 사람이라는 것말고는 그 그리스 병사에 관해 알려진 것은 아무것도 없었다. 게다가 그가 갑작스럽게 죽어버리는 바람에 더이상 아무 정보도 얻어낼 수가 없게 된 것이다. 그러나 왕은 세라마나를 나무라지 않았다. 그의 경계심은 반드시 필요한 것이었기 때문이다.

이번에 범인이 노린 것은 파라오의 목숨이 아니라 파라오의 집무실이었다. 범인은 국가기밀을 노린 것이다. 비밀문서들과 파라오의 통치방법에 대한 정보가 아니라면, 달리 무엇을 노렸겠는가?

미수로 끝난 메넬라오스의 암살 기도는 사실 복수만을 목적으로 한 아주 단순한 것이었다. 그러나 이번 일은 훨씬 더 불길한 조짐을 담고 있었다. 어둠 속에 몸을 숨기고 왕의 앞길을 방해할 의도로 그 그리스인을 보낸 자는 도대체 누구인가? 당연하게도 왕이 되려다 실패한 셰나르의 얼굴이 가장 먼저 떠올랐다. 그는 람세스의 대관식 이후 조용히 아무 행동도 하지 않고 숨어 있다. 그 가면은, 과거보다 훨씬 더 능란한 방법으로 그가 물밑에서 벌이고 있는 음모를 숨기는 것이 아닐까?

로메가 왕 앞에 와서 절했다.

─폐하, 손님께서 오셨습니다.

─성전의 정자 아래로 모셔라.

람세스의 옷차림이라고는 단순한 흰색 로인클로스에 오른손 손목에 찬 금팔찌 하나가 전부였다. 람세스는 잠깐 동안 정신을 집중했다. 이 회견이 이집트의 운명을 좌우하리라는 것을 알고 있었기 때문이다.

왕은 이 정원에 우아한 나무 정자를 한 채 짓게 했었다. 나지막한 탁자 위에는 진홍빛 포도송이와 신선한 무화과들이 놓여 있고, 컵 속에는 날씨가 아주 더울 때 안성맞춤인, 소화를 돕는 약한 맥주가 들어 있었다.

카르낙 신전의 아몬 대사제는 쿠션이 푹신한 안락의자에 앉아 있었다. 그의 앞에는 발을 올려놓는 받침대가 놓여 있었다. 가발을 쓰고 아마 드레스를 입고, 구슬과 청금석으로 만든, 가슴까지 내려오는 커다란 목걸이를 걸고, 은팔찌를 주렁주렁 차고 있는 모습이 당당해 보였다.

대사제는 왕이 다가오는 것을 보고 일어나서 고개를 숙였다.

─이 장소가 마음에 드십니까?

─이곳으로 초대해주신 폐하께 감사를 드립니다. 정원이 온화해

서 제 건강에 좋겠군요.

—건강은 좀 어떠십니까?

—전 이제 젊은이가 아닙니다. 그것이 가장 받아들이기 힘든 점이지요.

—뵙지 못할 줄 알았습니다.

—그래서야 되겠습니까, 폐하. 얼마 동안 제 방을 떠날 수가 없는 형편이기도 했지만 제 딴에는 또 남쪽지방의 총리대신과 북쪽지방의 총리대신, 그리고 누비아 총독과 함께 찾아뵈려고 벼르다보니……

—굉장한 대표단이로군요! 다른 분들이 제안을 거절했습니까?

—처음엔 그러마 하더니, 나중엔 오지 않겠다 하더군요.

—왜 생각을 바꿨을까요?

—고위관리들이니까요…… 폐하의 심기를 불편하게 해드리고 싶지 않았던 거지요. 그러나 그분들이 이 자리에 없어서 유감입니다. 그래서 자칫 제 말에 무게가 실리지 않을까 걱정되기도 하구요.

—옳은 말씀을 하신다면, 두려워하실 건 아무것도 없습니다.

—제 말씀을 있는 그대로 받아들여주시겠습니까?

—마아트 여신을 섬기는 자로서, 말씀을 들어보고 난 뒤에 제 생각을 분명히 말씀드리지요.

—저는 불안합니다, 폐하.

—그 불안의 구름이 사라지도록 제가 도와드릴 수 있을까요?

—폐하께선 카르낙의 재산 상황을 조사하라고 지시하셨습니다.

—이미 보고를 받았습니다.

—어떤 결론을 내리셨습니까?

—예하(猊下)께선 놀라운 경영자시더군요.

—비난이십니까?

―물론 아닙니다. 우리의 조상들께서는 행복한 영성은 백성들의 안락한 생활 속에 존재한다고 가르치지 않으셨던가요? 파라오는 카르낙을 부유하게 하고 사제는 그 부를 더욱 번성하게 하는 것이지요.

―그러나 폐하의 목소리엔 비난하는 어조가 들어 있습니다.

―놀라워서 그랬겠죠. 그 이상은 아닙니다. 예하께선 무엇이 불안하십니까?

―카르낙의 영광과 재산이 폐하께 누가 된다고, 그래서 폐하께선 다른 신전들에 당신의 은혜를 나누어주고 싶어하시는 것 같다고 수군거리는 소리가 들립니다.

―누가 그런 얘길 하던가요?

―소문이…….

―소문을 중요하게 생각하십니까?

―소문이 계속 들려오는데, 그걸 무시할 수 있겠습니까?

―예하 자신은 어떻게 생각하십니까?

―폐하께서 현명한 판단을 내리셔서 현재의 상황을 전혀 바꾸지 않으셨으면 합니다. 선왕의 정치를 그대로 따르는 것이 현명한 선택 아니겠습니까?

―필요한 개혁을 모두 단행하시기에는 선왕의 통치기간이 불행히도 너무 짧았습니다.

―카르낙은 어떤 개혁도 필요하지 않습니다.

―제 생각은 다릅니다.

―그렇다면 제 불안이 증명된 셈이군요.

―제 불안도 증명된 것 같습니다만.

―저는…… 무슨 말씀이신지?

―아몬 대사제께서는 아직도 파라오의 충성스러운 신하신가요?

대사제는 람세스의 시선을 피했다. 그는 태연한 체하려고 무화과 한 개를 먹고 맥주를 조금 마셨다. 왕의 소박한 옷차림은, 그처럼 직접적인 공격에 익숙하지 않은 상대방의 세련되고 우아한 옷차림과 상당한 대조를 이루고 있었다. 왕은 공격을 잠시 멈추고 사제가 숨을 돌리고 정신을 좀 차릴 때까지 기다려주었다.

—어떻게 그걸 의심하실 수 있습니까, 폐하?

—아메니의 조사 결과 때문에 그렇습니다.

대사제의 얼굴이 시뻘게졌다.

—그 팔삭둥이 같은 서기관이, 그 쑤시고 돌아다니기 좋아하는 쥐새끼 같은 놈이······.

—아메니는 제 친굽니다. 그리고 그의 유일한 야심은 이집트에 봉사하는 것입니다. 난 그의 평판을 더럽히는 어떤 모욕도 용납할 수 없습니다. 그 모욕의 말이 누구의 입에서 발설되었다 해도 말입니다.

대사제가 더듬거리며 말했다.

—용서하십시오, 폐하. 하지만 그가 조사하는 방법이······.

—그가 무례하게 굴던가요?

—아닙니다. 하지만 먹이를 집어삼키는 자칼보다도 더 악착같습니다!

—그는 자기 일을 성실하게 수행하고, 아무리 사소한 일이라도 소홀하게 여기지 않습니다.

—무얼 갖고 절 비난하시려는 겁니까?

람세스는 대사제의 눈을 똑바로 쳐다보았다.

—모르십니까?

대사제는 이번에도 람세스를 똑바로 쳐다보지 못했다. 람세스가 물었다.

―이집트의 땅 전체가 파라오에게 속해 있는 것 아닙니까?

―그것은 신들의 약속이 원하는 바이지요.

―그러나 왕은, 마땅히 땅을 가질 자격이 있는 의롭고 현명하고 용감한 사람들에게 땅을 나누어줄 수 있습니다.

―그것은 관습이 원하는 바입니다.

―아몬 대사제에게 파라오처럼 행동할 권리가 있습니까?

―그는 카르낙에 있는 파라오의 대리인이니까요.

―그 대리권을 너무 많이 확대하신 것 아닙니까?

―그렇게 생각하지 않습니다.

―예하께선 개인들에게 토지를 양도해주셨습니다. 그렇게 해서 그 개인들은 예하의 은혜를 입은 것이지요. 그런데 주로 군인들에게 토지를 양도해주셨더군요. 그들이 장차 나에게 충성할지 의심스럽습니다. 예하의 개인 영지를 지키기 위해 군대가 필요하셨던 모양이지요?

―폐하, 그것은 단순히 우연의 일치일 뿐입니다. 무슨 생각을 하시는 겁니까?

―세 도시가 이 나라의 중요한 신전 세 개를 품고 있습니다. 헬리오폴리스는 창조주이신 태양신 라의 신성한 도시이며, 멤피스에는 말씀으로 세계를 창조하시고 장인들에게 영감을 불어넣어주시는 프타 신의 신전이 있습니다. 테베에는, 아무도 그 진짜 모습을 본 적 없는 숨겨진 원칙이신 아몬 신의 신전이 있습니다. 선왕께서는 이 세 가지의 힘, 신을 보완하는 세 가지 표현들이 균형을 유지하도록 애쓰셨습니다. 예하께서는 이 조화를 깨뜨리셨습니다. 테베는 지나치게 확장되어 허영 덩어리가 되었습니다.

―폐하! 그 말씀은 아몬 신을 욕되게 하시는 것 아닙니까?

―나는 아몬 신의 대사제에게 말하고 있는 것입니다. 그리고 그

에게 일체의 세속적인 활동을 중단하고 명상과 제의와 경전에만 전념할 것을 명령하는 바입니다.

대사제가 힘들게 자리에서 일어났다.

─폐하께서는 그것이 불가능하다는 것을 알고 계십니다.

─어떤 이유에서 그렇습니까?

─제 직분이 폐하의 직분처럼 영적인 동시에 행정적인 것이기 때문입니다.

─카르낙은 파라오에 속해 있습니다.

─아무도 그것을 부정하지는 않습니다. 그러나 누가 카르낙의 영지를 관리하게 됩니까?

─내가 전문가를 임명하겠습니다.

─그것은 우리의 위계질서를 파괴하는 것입니다! 그런 실수를 저지르지 마십시오, 폐하. 아몬 성직자들에게서 등을 돌리시면 폐하께 돌이킬 수 없는 해가 돌아갈지도 모릅니다.

─그건 위협입니까?

─경험 있는 사람으로서 젊은 왕께 드리는 충고입니다.

─제가 그 충고를 따를 거라고 생각하십니까?

─통치한다는 것은 어느 정도의 타협을 요구하는 어려운 기술입니다. 그 중에는 아몬 성직자들과의 타협도 포함되어 있습니다. 물론, 어떤 것이든, 저는 폐하의 지시를 따르겠습니다. 저는 여전히 폐하의 충성스러운 신하니까요.

비겁한 태도를 보이던 대사제는 자신감을 되찾은 듯했다.

─쓸데없는 분쟁을 일으키지 마십시오, 폐하. 틀림없이 많은 것을 잃으시게 될 것입니다. 권력을 얻은 흥분이 가라앉거든, 이성을 되찾으시고 아무것도 뒤흔들어놓지 마십시오. 신들은 지나침을 싫어하십니다. 테베를 상대로 어리석게 행동했던 아케나톤의 경우를

기억하시기 바랍니다.

—예하의 그물은 촘촘하게 잘 짜인 것처럼 보입니다만, 매의 부리가 그것을 찢어놓을 수 있을 것입니다.

—왜 쓸데없이 많은 에너지를 낭비하시려 하십니까? 폐하의 자리는 멤피스에 있지, 여기 있지 않습니다. 이집트는 호시탐탐 우리를 노리는 야만인들로부터 나라를 보호하기 위해서 폐하의 힘을 필요로 합니다. 이 지역을 다스리는 일은 저에게 맡겨주십시오. 그러면 폐하가 하시는 일을 지지해드리겠습니다.

—생각해보지요.

대사제가 미소를 지었다.

—혈기와 더불어 지성도 갖추고 계시군요. 람세스 폐하, 폐하께선 위대한 파라오가 되실 것입니다.

17

테베 유력인사들의 머릿속엔 든 것은 단 하나, 기득권을 유지하기 위해 왕을 만나 자기 입장을 변호해야 한다는 생각뿐이었다. 어떤 당파에도 속해 있지 않은 이 예측불허의 왕 앞에서는, 가장 영향력이 큰 조신들조차도 예상 밖의 곤란한 사태를 겪게 되기 십상이었기 때문이다. 그러나 왕을 만나려면 아메니가 만들어놓은 장애물들을 통과해야만 했다. 아메니는 가물에 콩 나듯이 왕과의 알현을 주선해주고, 귀찮게 구는 사람들은 가차없이 따돌렸다. 게다가 사르디니아의 거인 세라마나가 벌이는 몸수색에 대해서는 무슨 말을 더 하랴? 그는 무기나 수상한 물건을 아무것도 가지고 있지 않다는 사실을 직접 확인하지 않고는, 절대로 왕 가까이 가지 못하게 했다.

그날 아침, 람세스는 모든 청원자들을 물리쳤다. 그 중에는 아메니가 만나보라고 추천했던 강둑 책임자들도 포함되어 있었다. 아메니 혼자서도 충분히 그들을 돌봐줄 수 있을 것이다. 왕에겐 왕비의 충고가 필요했다.

수영을 마치고 연못가에 나와 앉은 왕과 왕비는 단풍나무 잎 사이로 스며들어오는 햇빛에 젖은 알몸을 말리면서, 궁전 정원의 아름다움을 맛보았다.

람세스가 네페르타리에게 솔직하게 털어놓았다.

—얼마 전에 아몬 대사제와 대화를 나누어보았소.

—어떻게 해볼 수 없을 만큼 적대적이던가요?

—재고의 여지가 없소. 그의 입장을 받아들이든지, 아니면 내 입장을 강요하는 수밖에 없을 것 같소.

—무얼 제안하던가요?

—카르낙은 다른 신전들에 대한 우위를 계속 유지하겠다는 거요. 자기는 남쪽을 다스리겠으니, 나더러 북쪽을 다스리라는 거지.

—받아들일 수 없는 제안이군요.

람세스는 놀란 표정으로 네페르타리를 바라보았다.

—나는 당신이 온건한 태도를 권할 줄 알았소.

—온건한 태도 때문에 나라가 망한다면, 그것은 악덕이 되지요. 그 사제는 자기 법칙을 파라오에게 강요하려는 거예요. 또 모든 사람들의 이익을 희생시키고, 자기의 개인적인 이익을 챙기려는 거지요. 당신이 양보하면 왕의 권위는 흔들리고, 선왕께서 이룩해놓은 모든 것은 파괴되고 말 거예요.

네페르타리는 조용하고 가라앉은 목소리로 자기 의사를 표현했지만 그 말에는 놀랄 만큼 단호함이 깃들여 있었다.

—왕과 아몬 사제 사이의 갈등이 노골화될 경우, 어떤 결과가 생길지 생각해보았소?

—통치 초기부터 약한 태도를 보이면, 야심가들과 무능력한 사람들이 판을 치게 될 거예요. 아몬 사제는 반대파들의 선두에 서서 파라오의 권위를 능멸하고 자기의 권리를 주장할 거예요.

—난 이 전쟁을 치르는 것이 두렵지는 않소. 하지만······.

—당신 역시 자신의 이익만을 위해 행동하는 것이 아닌가 하고 걱정스러운 거지요?

람세스는 연못의 푸른 물에 비친 자기의 얼굴을 들여다보았다.

—당신은 내 생각을 읽고 있군.

—전 당신의 아내잖아요.

—당신이 방금 던진 질문에 대한 당신의 대답은 어떤 것이오?

—인간의 어떤 겉모습도 파라오의 존재를 다 감싸안을 만큼 크지는 않아요. 당신은 관대함이고 열정이고 힘이에요. 당신은 그 무기들을 이용해서, 당신을 사로잡아버린 직분에 걸맞는 높이까지 스스로를 끌어올려야 해요.

—내가 실수를 저지르는 건 아닐까?

—분리시키는 건 나쁜 거예요. 그런데 그 대사제는 분리를 선택했어요. 그것이 자기에게 이익이 되니까. 파라오로서 당신은 한 치의 땅도 그에게 양보해선 안 돼요.

람세스는 네페르타리의 가슴에 머리를 얹었다. 네페르타리는 그의 머리를 쓰다듬었다. 제비들이 비단 스치는 소리를 내며, 왕과 왕비의 머리 위를 맴돌았다.

정원 입구에서 들려오는 말다툼소리가 그들의 정적을 깨뜨렸다. 어떤 여자 하나가 위병들과 다투고 있었다. 그녀의 말소리는 점점 커졌다.

람세스는 로인클로스를 두르고, 싸우는 사람들에게로 다가갔다.

─무슨 일이냐?

위병들이 비켜서자, 매력적인 이제트의 모습이 나타났다. 이제트가 소리를 질렀다.

─폐하! 당신께 말할 수 있게 해줘요. 제발 부탁이에요!

─누가 그대에게 그러지 못하게 했소?

─폐하의 경찰, 군대, 비서, 당신의…….

─나와 함께 갑시다.

어머니 뒤에 숨어 있던 어린 사내아이가 한 걸음 옆으로 나왔다.

─당신 아들이에요, 람세스.

─카!

람세스는 아이를 덥석 안더니 자기 머리 위로 들어올렸다. 겁에 질린 아이가 울음을 터뜨렸다. 이제트가 말했다.

─수줍음을 많이 타요.

왕은 아들에게 무등을 태워주었다. 아이는 이제 무섭지 않은지 깔깔 웃음을 터뜨렸다.

─네 살이군…… 내 아들이 네 살이 되었어! 개인교사가 아이에게 만족하고 있소?

─아이가 너무 진지하다고 걱정을 해요. 잘 놀지도 않고, 신성문자 풀이할 궁리만 해요. 벌써 꽤 많은 단어들을 읽는답니다. 쓸 줄 아는 글자도 있어요.

─나보다 나은 서기관이 되겠군! 와서 땀을 좀 식히구려. 난 아이에게 수영을 가르쳐주겠소.

─저…… 네페르타리도 있나요?

─물론.

─어째서 나는 궁전에 들어오려고 열 번씩이나 애를 써야 해요? 어째서 당신은 나를 낯선 사람 보듯 멀리하는 거예요? 내가 아니었

다면, 당신은 죽었을 텐데!

　─무슨 얘길 하는 거요?

　─당신을 해치려는 음모가 꾸며지고 있다는 걸 내가 편지로 알려
드리지 않았어요?

　─도대체 무슨 소리요?

　이제트가 고개를 숙였다.

　─외로운 밤에는, 당신에게 버림받고 혼자 있다는 게 고통스러웠
어요. 그래요, 사실이에요. 하지만 난 언제나 당신을 사랑했어요.
그래서 당신을 궁지에 몰아넣으려는 당신 가족들과 손잡는 것도 거
절했다구요.

　─난 당신 편지 받은 적 없소.

　이제트의 얼굴이 파랗게 질렸다.

　─그렇다면 당신은, 나 역시 당신의 적들 중의 하나라고 생각했
단 말예요?

　─내가 틀렸소?

　─물론이에요, 틀렸어요! 파라오의 이름을 걸고, 난 당신을 배반
한 적이 없다고 맹세할 수 있어요!

　이제트가 람세스의 팔에 매달렸다.

　─내가 당신 말을 믿어야 하는 거요?

　─내가 어떻게 당신에게 거짓말을 할 수 있나요?

　그때 이제트의 눈에 알몸의 네페르타리가 들어왔다.

　그녀의 아름다움에 이제트는 숨이 멎는 것 같았다. 매혹적인 완
벽한 몸매뿐만 아니라, 왕비의 몸에서 뿜어나오는 빛은 눈부셨다.
그녀를 보는 순간 이제트의 머릿속에서는 모든 비판적인 생각이 사
라지고 말았다.

　이제트의 마음속에는 어떤 질투심도 일어나지 않았다. 네페르타

리는 여름 하늘처럼 빛나는 여자였다. 그녀의 고결함은 존경심을 강요했다.

—이제트! 만나게 되어 반가워요.

이제트가 허리를 굽혀 절했다.

—아니, 이러지 마세요…… 물속으로 들어가세요. 날씨가 너무나 더워요!

이제트는 이렇게 네페르타리에게 환영받으리라곤 생각하지 않았다. 당황한 그녀는 네페르타리의 초대를 거절할 수가 없었다. 그녀는 옷을 벗고 네페르타리처럼 알몸이 되어 연못의 푸른 물 속으로 뛰어들었다.

람세스는 자기가 사랑하는 두 여인이 수영하는 모습을 바라보았다. 어떻게 이토록 서로 다르면서도 강하고 진실한 감정을 느낄 수 있는 것일까? 네페르타리는 평생을 걸고 사랑할 큰 사랑이요 특별한 존재, 곧 여왕이었다. 어떤 시련이 닥쳐오더라도, 나이가 들어 지금처럼 아름답지 않다고 해도, 람세스가 그녀에게 느낀 뜨거운 정열은 사그라들지 않을 것이다. 반면 이제트는 욕망이며 안락이며 미칠 듯한 쾌락이었다. 그러나 그녀는 거짓말을 했고, 자기를 해치려는 음모를 꾸몄다. 어쩔 수 없이 그녀에게 벌을 주어야 한다.

카가 조그만 목소리로 물었다.

—내가 정말 폐하의 아들인가요?

—그럼.

—신성문자로는 오리가 '아들'이란 뜻이에요.

—오리를 그릴 수 있느냐?

아이는 진지한 표정을 하고 오솔길의 모래 위에 검지손가락으로 오리를 그렸다.

—파라오는 어떻게 쓰는지 아느냐?

카는 집과 기둥을 그렸다.

―집은 보호해주는 장소를 뜻하고, 기둥은 위대함을 상징하는 것이란다. 위대한 집, 커다란 집, 그것이 파라오*라는 말이 가진 뜻이지. 넌 왜 사람들이 나를 그렇게 부르는지 아니?

―왜냐하면 아바마마는 세상 전체보다 더 크시고, 그리고 아주 커다란 집에서 사시니까요.

―그래 맞았다, 내 아들아. 그 집이란 이집트 전체를 의미한단다. 거기에서 사는 사람들은 그곳에서 자기 혼자만의 집을 찾아내야 하는 거란다.

―다른 문자들도 가르쳐주실래요?

―넌 다른 놀이는 좋아하지 않니?

아이가 뾰로통해졌다.

―그래, 가르쳐주마.

카가 활짝 웃었다. 왕은 검지손가락으로 동그라미를 하나 그리고, 그 원 한가운데에 점을 찍었다. 왕이 아이에게 설명했다.

―이게 태양이란다. 사람들은 태양을 '라'라고 부른다. 그의 이름은 입 하나와 팔 하나로 이루어져 있지. 왜냐하면 그분은 말씀이시며 행함이시니까. 이제 네가 그려보아라.

아이는 재미있어하며 태양을 몇 개씩이나 그렸다. 아이가 그리는 태양은 조금씩 완전한 원의 모양에 가까워졌다. 물에서 나온 이제트와 네페르타리는 아이가 그려놓은 태양을 보고 깜짝 놀랐다. 왕비가 말했다.

―아이의 재능이 빼어나군요!

---

* 신성문자로 PER(처소, 집, 신전)＋ÂA(위대하다, 크다)＝ PER ÂA, 거기에서부터 음성학적 변화를 거쳐 파라오라는 말이 생겨났다.

이제트가 말했다.

─전 이애의 재능 때문에 겁이 날 지경이에요. 개인교사도 무섭다고 그래요.

람세스가 이제트의 말에 고개를 저었다.

─그건 잘못 생각하고 있는 거요. 아무리 어리다고 해도, 난 내 아들이 자기 길을 걸어가길 바라오. 어쩌면 이애에게 내 뒤를 이을 운명이 마련되어 있는지도 모르지. 이 아이의 조숙함은 신들의 선물이오. 그 선물을 귀하게 여기고 억누르지 맙시다. 모두들 여기서 날 기다려요.

왕은 정원을 떠나서 궁전 안으로 들어갔다.

어린 카는 손가락 끝이 아파졌는지 울기 시작했다. 네페르타리가 이제트에게 물었다.

─아이를 안아줘도 될까요?

─예…… 예, 물론이지요.

아이는 곧 울음을 그쳤다. 아이는 네페르타리의 눈 속에서 한없이 다정한 마음을 보았던 것이다. 이제트는 용기를 내어 그녀의 가슴을 태우고 있는 질문을 던져보았다.

─아이를 잃어 고통스러우셨지요? 아이를 또 가지실 생각은 없으신가요?

─태기가 있는 것 같아요.

─아…… 이번엔 탄생을 주관하시는 신들께서 왕비님께 은혜를 베풀어주시길 바랍니다!

─그런 말씀을 해주셔서 고마워요. 신들께서 제 해산을 도와주실 거예요.

이제트는 혼란스러운 마음을 가라앉혔다. 네페르타리가 왕비라는 사실에 대한 반감도 들지 않았고 무거운 책임과 근심걱정에 짓눌린 왕비의 자리가 부럽게 느껴지지도 않았다. 그녀는 그저 람세스의 아이를 많이 낳아서, 왕에게 평생 동안 귀여움을 받는 여자가 되고 싶었다. 아직까지는 그에게 첫아들을 낳아준 여자이지만, 네페르타리가 아들을 낳는다면 카는 뒷전으로 밀리기 십상이다.

람세스가 돌아왔다. 그의 손에는 조그만 서판 하나와, 빨강색과 까만색의 조그만 잉크 덩어리 두 개, 조그만 붓 세 개가 들려 있었다. 그것을 받는 카의 얼굴이 기쁨으로 환해졌다. 아이는 그 귀한 물건들을 가슴에 꼭 껴안았다.

—아바마마, 사랑해요!

이제트와 카가 떠나고 나자, 람세스는 자기의 심중을 네페르타리에게 솔직하게 털어놓았다.

—이제트가 나를 해치려는 음모에 가담했다고 생각하고 있소.

—물어보셨어요?

—그녀는 나에 대해서 나쁜 생각을 했었다고 고백했소. 그러나 음모가 꾸며지고 있다는 사실을 나에게 알리려 했다는구려. 난 그녀의 편지를 받은 적도 없는데 말야.

—왜 그녀의 말을 믿지 않으시나요?

—거짓말일 수도 있으니까. 내가 당신을 왕비로 선택했다는 사실에 아직도 마음이 풀리지 않은 것 같아.

—잘못 생각하시는 거예요.

—그녀의 잘못은 벌을 받아야 하오.

—어떤 잘못을 했는데요? 파라오는 막연한 추측만으로 벌을 내려선 안 돼요. 이제트는 당신에게 아들을 낳아주었고, 당신에게 해가 돌아가길 바라지도 않아요. 만의 하나, 그녀가 잘못을 저질렀더라도 잊어버리세요. 벌을 주겠다는 생각은 더더욱 안 돼요.

18

세타우의 옷차림은 궁전 출입이 허용되는 왕실인사들이나 서기
관들의 옷차림과는 사뭇 달랐다. 영양 가죽으로 만든 두꺼운 옷은
겨울철에 입는 튜닉(무릎까지 내려오는 낙낙한 옷—역주)과 비슷했
다. 그 옷에는 해독작용을 하는 용액들이 잔뜩 배어 있었다. 뱀에
물리면, 세타우는 그 옷을 물에 담가 해독제를 우려냈다.

람세스가 세타우에게 말했다.

—여긴 사막이 아냐. 그런 휴대 약품은 필요 없다구.

—이곳은 누비아의 오지보다도 더 위험한 곳이야. 뱀과 전갈의
족속들은 늘 같은 모습을 하고 있진 않아. 하지만 빠른 속도로 번
식한다는 점에선 같지. 준비됐나?

—자네 말대로 아무것도 먹지 않았네.

―내 처방 덕에, 자네한텐 이미 대단한 면역성이 생겼지. 종류에 따라선 코브라도 이겨낼 정도야. 그런데도 나머지 처방까지 마저 받고 싶은 건가?

―그러겠다고 했잖은가.

―위험이 아주 없지는 않아.

―시간 낭비 하지 마세.

―네페르타리의 의견은 들어보았나?

―그럼 자넨? 자넨 로투스에게 물어봤어?

―그 여잔 내가 좀 돌았다고 생각하지. 그렇지만 우린 놀라울 정도로 마음이 잘 맞아.

수염도 잘 깎지 않고 가발도 쓰지 않는 우락부락한 세타우의 얼굴을 보면, 대부분의 사람들은 겁부터 집어먹을 것이다.

―만일 내가 이 용액의 양을 잘못 조절했다면, 자네는 바보가 될 수도 있네.

―협박한다고 뒤로 물러설 내가 아니네.

―그럼 마시게.

람세스가 약을 마셨다.

―맛이 어때?

―아주 좋아.

―캐롭 주스를 넣어서 그래. 그걸 빼면, 나머진 별로 기분 좋은 맛이 아니지. 여러 종류의 쐐기풀을 달여 만든 탕약과 증류시킨 코브라 피를 넣었거든. 이제 자네는 어떤 뱀의 독에 대해서도 면역이 생긴 거야. 그 면역성을 유지하기 위해서는 여섯 달마다 한 번씩 이 약을 마시면 돼.

―언제쯤에나 내 조정의 일원이 되어주겠나?

―그런 일은 없을 걸세. 그런데 자넨, 언제쯤이면 그 순진함을

버릴 건가? 내가 자네를 독살했을 수도 있잖나!

―자넨 암살자의 심성을 가진 사람이 아냐.

―마치 암살자의 심성이 어떤 건지 안다는 투로구먼!

―메넬라오스가 나에게 많은 걸 가르쳐주었지. 세라마나, 그리고 내 사자와 개의 본능이 어느 정돈지 잊었나? 자네가 다른 마음을 품었다면 그들이 자넬 그냥 두었을 것 같은가.

―사실 훌륭한 트리오지! 하지만 테베 전체가 자네 떠나기만 고대하고 하나같이 자네의 몰락을 바라고 있다는 걸 잊어버렸나?

―자연은 나에게 좋은 기억력을 주셨네.

―람세스, 인간은 뱀보다도 더 무서운 종(種)이야.

―물론. 그러나 인간은 파라오가 올바르고 조화로운 세계를 건설하기 위한 재료이기도 하지.

―어이구! 몇 년이 지나면 허사가 되어버릴 꿈이 여기 또 하나 있군그래. 친구여, 조심하시게. 자네는 음산하고 악의에 찬 존재들에게 둘러싸여 있어. 그러나 자네에겐 운이 따르지. 그 이상한 힘 말야. 나 역시, 코브라들을 만나러 갈 때에는 내 안에 살아 있는 그 힘을 느끼곤 하지. 그 힘은 자네에게 둘도 없는 동반자 네페르타리를 데려다주었어. 그녀는 현실이 된 꿈이야. 난 자네가 성공할 거라고 믿네.

―자네 도움 없이는 어려워.

―예전엔 아첨하는 버릇은 없는 것 같았는데. 난 독이나 잔뜩 채집해서 멤피스로 돌아가겠네. 조심하게, 람세스.

람세스의 힘이 만만치 않다는 것을 깨달았지만 셰나르는 절망하지 않았다. 젊은 왕과 아몬 대사제의 힘겨루기는 어떻게 끝날지 아직 알 수 없었다. 아마도 두 사람은 계속 자기 입장을 고수할 것이고 그러다보면 람세스의 힘이 밀릴 것이다. 람세스의 말은 아직 세티의 말처럼 권위를 갖고 있지 못하기 때문이다.

셰나르는 조금씩 자기 동생을 알아가게 되었다.

그를 정면에서 공격한다? 보나마나 실패할 것이다. 람세스는 거칠게 방어할 것이고, 그러면 상황이 오히려 람세스에게 유리해질 수도 있다. 계속해서 함정을 파고, 술수와 거짓말과 배반을 이용해야 한다. 적이 누군지 정체를 밝혀내지 못하면 람세스는 허공을 치다가 지쳐버릴 것이다. 지쳐 있는 그를 끝장내는 것은 쉬운 일이다.

왕이 사람들을 이런저런 관직에 임명하고, 테베를 자기 의지 아래 두려고 애쓰는 동안, 셰나르는 마치 그런 일들이 자기와는 아무 상관도 없다는 듯이 조용히 지냈다. 그러나 이제는 음모를 꾸미고 있다는 의심을 받더라도, 침묵을 깰 때가 되었다.

오랫동안 생각해본 뒤에, 셰나르는 람세스가 속아넘어갈 만한 대담한 게임을 하나 해보기로 했다. 람세스는 셰나르가 바라는 것이 람세스의 개입이라는 사실을 깨닫지 못하고 평소처럼 반응할 것이다. 이러한 시도는 일종의 시험용이다. 만일 람세스가 눈치채지 못하는 사이에 셰나르의 작전이 성공한다면, 그는 람세스를 마음대로 조종할 수 있을 것이다.

그렇게만 된다면, 미래는 그에게 미소를 보낼 것이다.

궁전 연못에서 생선을 잡아 사자와 나누어먹는 것은 나쁜 짓이라고 람세스는 벌써 몇 번째 노란 개를 나무라고 있었다. 먹을 걸 충분히 주지 않니? 놈의 영리한 눈빛은 자기가 왜 야단을 맞는지 알아듣고서도 전혀 개의치 않고 있다는 사실을 드러내주었다. 사자가 지켜준다고 믿고 배짱이 두둑해진 개는 자기를 건드릴 자가 누구냐고 생각하는 모양이었다.

세라마나의 거대한 몸집이 람세스의 집무실 입구에 나타났다.

―폐하의 형님께서 뵙기를 청하십니다. 그런데 몸수색은 거절하셨습니다.

―안으로 모셔라.

사르디니아인이 비켜섰다. 셰나르는 세라마나를 지나치면서 그에게 얼음처럼 차가운 눈길을 던졌다.

―폐하와 단둘이 이야기를 나눌 수 있겠습니까?

노란 개는 언제나 꿀과자 한 조각을 주는 세라마나를 따라 밖으로 나갔다.

―셰나르 형님, 우리가 서로 의견을 나눈 지도 오래 되었군요.

―네가 너무나 바쁘니까. 난 왕의 일을 방해하고 싶지 않았다.

람세스가 셰나르의 주위를 빙빙 돌았다.

―왜 나를 그렇게 바라보는 거냐?

셰나르가 놀라서 물어보았다.

―형님, 좀 마르셨군요…….

―지난 주에 식이요법을 좀 했지.

그러나 그런 노력에도 불구하고 셰나르는 여전히 뚱뚱했다. 뺨이 통통한 그의 둥근 얼굴을 생기 있어 보이게 하는 것은 그의 조그만 갈색 눈이었다. 두툼한 입술만 봐도 그가 대식가임을 알 수 있었다.

―왜 이 수염 목걸이를 계속 걸고 계십니까?

―영원히 아버님의 죽음을 슬퍼하기 위해서다. 어떻게 아버님을 잊을 수 있겠느냐?

―형님의 고통을 생생하게 느낄 수 있습니다. 함께 나누고 싶습니다.

―네가 고통스러워한다는 걸 믿는다. 하지만 왕의 직분 때문에 고통을 드러낼 수가 없겠지. 그러나 나야 경우가 다르니까.

─찾아오신 이유가 뭔가요?

　─내가 찾아올 거라고 생각했겠지. 그렇지 않느냐?

　왕은 아무 말도 않고 가만히 있었다.

　─난 너의 형이고, 훌륭한 평판을 듣고 있지. 이제 왕이 되지 못했다는 좌절감은 극복했다. 하지만 나라를 위해서 아무것도 하는 일 없이 빈둥거리는 돈 많은 귀족이 되는 건 참기 어렵구나.

　─형님을 이해할 수 있습니다.

　─네가 나에게 맡긴 의전실장 일은 너무나 뻔하다. 새로운 궁전 집사장 로메가 의전실 일을 적극적으로 맡고 나서니 더더욱 할 일이 없구나.

　─어떤 일을 원하십니까. 형님?

　─이렇게 널 찾아오기 전에 많은 생각을 했다. 나로서는 이렇게 찾아온다는 것 자체가 조금은 모욕스럽게 느껴졌다.

　─형제 사이에, 그런 용어는 당치 않으십니다.

　─내 요구를 물리치는 거냐?

　─아니오, 형님, 그렇지 않습니다. 아직 어떤 요구인지 말씀하지도 않으셨습니다.

　─그럼 내 얘길 들어주겠니?

　─말씀하십시오, 부탁입니다.

　세나르는 불안한 표정으로 왔다갔다했다.

　─총리대신이 된다? 불가능한 일이지. 나에게 지나친 특혜를 준다고 사람들이 널 비난할 테니까. 경찰 총수? 생각해보았지만, 너무나 일이 복잡해. 서기관 최고 책임자? 충분히 쉬지도 못하고 여유도 없는 무거운 일이야. 대공사장들은 어떨까? 내게는 거기에 필요한 능력이 없어. 농무대신? 다른 사람이 임명되었지. 재무대신? 아버님 생시에 일하던 사람을 네가 유임시켰고, 또 나도 신전 생활이

나 대사제들의 활동에는 전혀 취미가 없고.

—그럼 어떤 자리가 남아 있을까요?

—내 취미와 능력에 맞는 자리가 하나 남아 있지. 외무대신 자리다. 너도 내가 우리의 봉국(封國)이나 이웃나라들과의 교역에 흥미를 가지고 있다는 걸 잘 알겠지. 내 개인 재산이나 늘리기보다는 이집트의 외교를 확대시키고 평화를 강화하는 일을 하고 싶구나.

방안을 빙빙 돌아다니며 말하던 셰나르가 멈추어 서서 람세스에게 물었다.

—내 제안이 뜻밖이냐?

—외무대신 일은 책임이 무겁습니다.

—히타이트 족과의 전쟁을 피하기 위해서 내가 모든 노력을 경주할 수 있도록 허락해주겠느냐? 아무도 피 흘리는 전쟁을 원하지 않는다. 파라오가 그의 형을 외무대신 자리에 앉혔다는 사실은 그가 평화를 그만큼 중요시하는 증거라고 여겨지지 않겠느냐?

람세스는 곰곰 생각에 잠겼다가 셰나르를 바라보며 말했다.

—셰나르 형님, 형님께서 원하시는 대로·해드리겠습니다. 그러나 도움이 필요하실 겁니다.

—인정한다…… 누굴 생각하고 있느냐?

—제 친구 아샤입니다. 외교가 그의 전문 분야지요.

—어떤 의미에선, 자유를 주되 감시하겠다, 그런 뜻이로구나.

—효율적으로 협력하자는 뜻이지요.

—네 생각이 그렇다면…….

—가능한 한 빨리 그를 만나시고 내게 보고서를 제출해주십시오.

궁전을 떠나면서, 셰나르는 기쁨의 웃음이 터져나오려는 걸 가까스로 참았다. 람세스는 그가 기대했던 대로 행동해주었던 것이다.

19

람세스의 누이 돌렌테는 왕의 발을 잡고 바닥에 꿇어 엎드렸다.

－날 용서해다오, 제발 부탁이다. 그리고 내 남편도 용서해다오!

－일어나세요. 왜 이러시는 겁니까?

돌렌테는 동생이 내민 손을 잡았지만 감히 그의 눈을 쳐다보지는 못했다. 키만 컸지 무기력해 보이는 돌렌테는 어쩔 줄 모르고 쩔쩔매고만 있었다.

－람세스, 우릴 용서해다오. 우린 미치광이들처럼 행동했다.

－당신들은 내가 죽길 바랐어요. 매부는 벌써 두 번씩이나 나를 해치려는 음모를 꾸몄어요. 내 개인교사였던 사람이!

－그가 지은 죄는 무겁다. 내 죄도 그렇고. 하지만 우린 꼭두각시 노릇을 했을 뿐이야.

—누가 일을 꾸몄습니까?

—카르낙의 대사제가 시켰다. 네가 나쁜 왕이 될 거라고, 네가 왕이 되면 내전이 일어날 거라고 우리를 설득했어.

—그러면 두 사람은 나를 전혀 믿지 않았군요.

—사리는 네가 전사의 본능을 억제하지 못하는 격정적인 성격이라고 생각했다. 그는 자기 잘못을 뉘우치고 있어…… 얼마나 후회하고 있는지 모른단다.

—셰나르 형님도 두 사람을 설득하려 하지 않았습니까?

돌렌테는 정색을 하고 말했다.

—아니, 오히려 오라버니의 말에 따랐어야 하는 건데…… 오라버니는 이제 자기가 네 부하들 중 하나라고 생각해. 그래서 능력에 맞는 자리를 찾아 이집트에 봉사할 궁리만 하고 계신단다.

—왜 매부는 누님과 함께 오지 않았습니까?

돌렌테가 머리를 숙였다.

—파라오의 분노가 너무 무서워서 그렇지.

—누님은 운이 좋았어요. 어머님과 네페르타리가 누님에게 엄한 벌을 내리지 말라고 간곡히 부탁하셨소. 두 사람은 아버님의 명예를 위해서 우리 가족이 하나가 되길 원하고 있습니다.

—그럼…… 날 용서해주는 거냐?

—난 누님을 테베 하렘의 명예 책임자로 임명합니다. 좋은 자리지요. 누님은 별 노력을 하지 않아도 되고. 그곳에 가면, 단단히 입조심 하시오.

—그럼…… 내 남편은?

—카르낙 공사장의 벽돌공 책임자로 임명하겠소. 그러면 좀 쓸모 있는 사람이 되겠지요. 파괴하는 대신 생산해내는 것도 배우게 될 테고.

─하지만…… 사리는 선생이고, 서기관인데…… 그이는 자기 손으로 아무것도 만들 줄 모른단 말야!

─그건 조상님들의 가르침과는 정반대인데요. 조상님들은 손과 정신이 함께 일하지 않으면 사람이 나빠진다고 하셨지요. 자, 어서 새로운 일자리로 가십시오. 할 일이 많을 테니까.

돌렌테는 파라오의 방을 나오면서 한숨을 쉬었다. 세나르가 예상했던 것처럼, 그녀와 사리는 최악의 상황은 모면한 것이다. 통치 초반이기도 하고 또 어머니와 아내의 영향을 받은 덕에 람세스는 엄벌 대신 관대한 용서를 택한 것이다.

일을 해야 한다는 것은 분명히 벌이었지만, 오아시스에서 강제 노동을 하거나, 누비아 지방의 오지로 귀양살이 가는 것보다는 낫다. 사리로 말할 것 같으면, 사형을 당할 수도 있는 중죄인이니 어떤 상황이든 만족하지 않을 수 없었다. 노동이 영광스러운 일은 아니지만 말이다.

이런 수모도 곧 끝날 것이다. 돌렌테가 거짓말로 세나르의 위신을 회복시켜놓지 않았는가. 세나르는 이제 계속해서 충성스럽고 믿을 만한 인물인 척만 하면 된다. 람세스는 여러 가지 일로 바빠서 결국은 믿게 될 것이다. 누이와 형을 비롯한 옛 적들이 다시 자신의 대열 안으로 들어왔다고, 그래서 앞으로는 그저 조용히 살아갈 것이라고.

모세는 기쁜 마음으로, 대열주(大列柱)의 홀을 짓는 카르낙 공사장으로 되돌아왔다. 국상기간이 끝나자 람세스는 선왕이 시작한 대규모의 사업을 끝내기 위해 공사를 재개하기로 결정했던 것이다. 숱 많은 머리에 넓은 어깨와 다부진 체격, 구릿빛으로 그을은 얼굴의 이 젊은 털보 히브리인은, 자기가 감독하는 석수들과 신성문자를 새기는 조각가들로부터 존경과 사랑을 받고 있었다.

모세는 람세스가 제시한 총감독의 직위를 사양했다. 자기에게 그렇게 무거운 책임을 질 만한 능력이 없다고 생각했기 때문이다. 전문가들의 작업을 서로 조화시키고 일을 완벽하게 해내도록 독려하는 일은 할 수 있었지만, 데이르 엘-메디네 동업조합의 건축가처럼 건물을 설계하는 일은 그가 할 수 없는 일이었다. 현장에서 일을 배우고, 자기보다 더 많은 것을 알고 있는 사람들의 이야기를 듣고, 자연과 물질의 지혜에 친숙해진 모세는 건물을 설계하는 것보다는 짓는 일에 더 합당한 인물이라고 할 수 있었다.

공사장에서의 거친 생활은 그로 하여금 육체적인 힘을 발산하고, 그의 영혼을 불태우는 불을 잊게 해주었다. 매일 밤, 침대에 누워 오지 않는 잠을 억지로 청하면서, 모세는 어째서 삶의 단순한 기쁨들이 그에게서 달아나버린 것일까를 생각해보았다. 그는 부유한 나라에서 태어나 고위직에서 파라오와의 우정을 누리고 있으며, 아름다운 여자들에게 인기 있고, 부유하고 평온한 삶을 살아가고 있다…… 그러나 그 모든 것들은 그의 마음을 가라앉혀주지 못했다. 어째서 이토록 끊임없이 불만족스러운 것일까, 어째서 그 어떤 이유로도 설명되지 않는 내면의 고통으로 신음하고 있는 것일까?

다시 열심히 일하고, 망치와 끌의 즐거운 노랫소리를 듣고, 거대한 바위 덩어리들을 실은 나무 썰매가 진흙 위로 굴러가는 것을 바라보고, 일꾼들 한 사람 한 사람의 안전을 점검하고, 기둥이 만들어지는 것을 지켜보고, 그렇게 열정적으로 일하다보면 그의 고통도 사라지리라.

여름에는 대체로 일을 쉬었지만, 세티의 죽음과 람세스의 즉위 때문에 그 관습이 바뀌어버렸다. 모세는 데이르 엘-메디네 동업조합의 우두머리들과 카르낙 총감독의 동의를 얻어서 일일 작업시간표를 작성했다. 카르낙 총감독은 자신의 계획을 모세에게 조목조목 설명해주기도 했다. 첫번째 작업은 새벽에서 오전 중반까지, 그리고 두번째 작업은 오후가 끝날 무렵부터 석양이 질 때까지 실시한다. 그렇게 하면, 모두들 충분히 쉴 수 있다. 작업장 군데군데에 말뚝을 박고 그 말뚝 위에 넓은 천을 덮어 공사장 전체에 그늘을 만들어놓았기 때문에, 그만큼 더 충분히 휴식을 취할 수 있을 것이다.

모세가 공사현장으로 가는 길에 있는 초소를 지날 때 석수들의 책임자가 그에게 다가왔다.

—이런 조건에서 일한다는 것은 말도 안 됩니다.

—아직 더위가 참을 수 없을 정도는 아니잖은가.

—더위가 무서워서 이러는 게 아닙니다…… 비계를 쌓고 있는 벽돌공 분조를 새로 맡은 책임자 때문입니다.

—누군데? 내가 아는 사람인가?

—사리라는 사람인데…… 파라오의 누이인 돌렌테의 남편이랍니다. 그래서 제멋대로 해도 된다고 생각하는 모양입니다!

—그가 뭘 잘못했다는 건가?

—그는 일이 너무 힘들다고 판단하고는 이틀에 한 번씩 자기의 분임조를 불러들이는데, 그 대신 낮잠 시간을 없애고 식수도 제한 배급하고 있습니다. 우리의 동료들을 노예 취급할 생각인 모양이지요? 우린 지금 이집트에 있지, 그리스나 히타이트 제국에 있는 게 아니란 말입니다! 저는 벽돌공들과 연대하고 있음을 밝히는 바입니다.

—자네 말이 맞네. 사리는 어디에 있나?

—시원한 곳에 있겠지요. 분임조장의 천막에요.

사리의 모습은 많이 변했다. 람세스의 쾌활하던 개인교사는 이제 홀쭉이가 다 되어 있었다. 얼굴은 각이 지고 몸놀림은 신경질적이었다. 그는 왼쪽 팔목에 낀 헐렁한 구리팔찌를 빙빙 돌려대거나 관절염 때문에 모양까지 변한 오른쪽 엄지발가락에 수시로 연고를 바르곤 했다. 서기관 계급에 속하는 인물들이 즐겨 입는 우아한 흰색 아마 드레스만이 그가 옛날에 어떤 자리에 있었던 사람인지 알려주고 있었다.

사리는 쿠션 위에 드러누워 시원한 맥주를 마시고 있다가 천막으로 들어서는 모세를 뜨악하니 바라보았다.

─안녕하십니까, 사리 선생님. 절 기억하시겠습니까?

─람세스의 똑똑한 동창생 모세를 잊을 리가 있나! 자네도 이 공사장에서 땀 흘리라는 선고를 받았나…… 왕은 옛 친구들에게도 거의 은혜를 내리지 않는군.

─저는 제 처지에 만족하고 있습니다.

─더 나은 자리에 갈 수도 있었을 텐데!

─이런 대역사(大役事)에 참여한다는 것이 더 의미 있는 일 아닐까요?

─의미라구! 이 더위에, 먼지에, 사람들 땀냄새에, 이 거대한 돌들, 끝없는 노동, 시끄러운 연장 소리에다, 글도 읽을 줄 모르는 잡역부들과 접촉하는 게, 이게 보람이라고! 악몽이라는 소리겠지! 가엾은 모세, 자넨 시간 낭비 하고 있는 거야.

─저에겐 임무가 맡겨졌고, 저는 그 임무를 수행하고 있습니다.

─아름답고 숭고한 태도로고! 그렇지만 권태가 찾아오면, 자네의 태도도 달라질걸.

─선생님께서도 수행하셔야 할 임무가 있으시지요?

입을 비죽거리느라 람세스의 옛 스승의 얼굴이 일그러졌다.

─이 벽돌공들을 감독하는 것…… 그보다 더 열받는 일이 어디 있겠나?

—게으르고 지나치게 먹어대는 서기관들만 존경받아야 하는 건 아니죠. 끈기 있게 열심히 일하는 그들도 존경받을 만한 사람들입니다.

—모세, 이상한 말을 하는군. 이 사회의 질서에 반란이라도 일으킬 참인가?

—사람들을 깔보는 선생님 태도가 마음에 들지 않습니다.

—나에게 설교를 할 셈인가?

—저는 일과시간표를 정해두었습니다. 벽돌공들도 다른 인부들과 마찬가지로 그 시간표에 따라 일하도록 정했습니다. 그걸 지켜주셨으면 합니다.

—난 내 마음대로 정하네.

—선생님의 선택이 제 선택과 일치하질 않는군요. 제 생각에 따라주십시오, 사리 선생님.

—거절하겠네!

—마음대로 하십시오. 총감독에게 선생님께서 거부하셨다고 말씀드리겠습니다. 그러면 총감독은 총리대신에게 보고할 것이고, 총리대신은 파라오의 의견을 여쭈어보겠지요.

—협박이군……

—왕실 공사장에서 불복종이 생길 경우에 취하는 관습적 절차입니다.

—날 모욕하니까 기분이 좋은가!

—저한테는 이 신전의 건축에 참여하는 것 외에는 아무런 목적도 없습니다. 그 어떤 것도 제 목적을 방해할 순 없습니다.

—자넨 날 놀리고 있어.

—사리 선생님, 지금 우리 두 사람은 동료입니다. 서로 협력하는 것이 가장 좋은 방법입니다.

―람세스는 나를 내쳤듯이 자네도 버릴 거야!

―벽돌공들에게 비계를 세우라고 지시하십시오. 그들에게 정상적인 낮잠 시간을 주시고, 그들이 원하는 만큼 물을 배급하는 것도 잊지 마십시오.

20

포도주는 훌륭하고 쇠고기도 맛있었다. 누에콩 퓌레에는 양념이 진하게 배어 있었다. 메바는 '사람마다 셰나르에 대한 평가가 다르 겠지만 어쨌든 손님 접대 하나는 제대로 할 줄 아는 사람이야'라고 생각했다.

─식사가 마음에 드십니까?

셰나르가 미소 지으며 물었다.

─친애하는 친구여, 경이로울 지경입니다! 멤피스에서 제일가는 요리사들을 두셨군요.

오랫동안 외무대신으로 지내왔기 때문에 외교적 수사에 통달한 메바였지만, 그 말만은 진심이었다. 셰나르는 손님에게 음식 대접 을 할 때만큼은 돈을 아끼지 않았다.

메바가 물었다.

—왕의 정치가 일관성이 결여되어 있다고 보지 않으십니까?

—람세스는 이해하기 어려운 인물이지요.

부드럽고 완곡한 비판의 표현이 외교관의 마음에 들었지만, 그의 사람 좋은 얼굴에는 평소의 그답지 않은 불안한 표정이 떠올랐다. 메바는 평소 의사 표현을 상당히 자제하는 편이었다. 그는 셰나르가 자기의 특권을 잃지 않고 편안히 살기 위해서 이젠 자기의 깃발은 접어버리고 람세스의 진영에 합류한 것이라고 생각했었다. 그러나 지금 그가 내뱉은 말은 그 반대의 입장을 나타내는 것이었다.

—시도 때도 없이 관리를 새로 임명하는 것이 잘하는 일 같진 않습니다. 그 때문에 훌륭한 일꾼들이 어쩔 수 없이 하급직으로 밀려나야 하니까요.

—저도 같은 생각입니다.

—정원사를 농무대신에 임명하다니, 얼마나 웃기는 짓입니까! 왕이 제 자리는 언제 어떻게 할 건지 궁금하군요.

—바로 그 문제를 함께 생각해보기 위해서 이렇게 모셨습니다.

긴장한 메바는 아무리 더운 날씨에도 꼭 쓰고 다니는 값비싼 가발을 고쳐 썼다.

—제 문제에 관해 비밀정보라도 가지고 계신지요?

—상황을 정확하게 판단하실 수 있도록 세세한 부분까지 전부 말씀드리지요. 어제, 람세스가 나를 불렀습니다. 예고도 없는 급작스러운 명령이었지요. 나는 만사 제쳐놓고 궁전으로 갔습니다. 그랬더니 한 시간도 더 넘게 기다리게 하더군요.

—걱정되지 않으셨습니까?

—걱정됐습니다. 솔직하게 말씀드리죠. 항의를 하는데도 사르디니아인 친위대장이 내 몸을 거칠게 뒤지더군요.

―왕의 형님인 공을 말씀입니까! 우리나라가 그렇게까지 천박해 졌습니까?

―그러게 말입니다.

―왕에게 항의했습니까?

―나에게 말할 기회를 주지 않았습니다. 자기 근친들을 귀하게 대하는 것보다는 안전이 우선이겠죠.

―세티라면 그런 태도를 나무라셨을 겁니다.

―하지만 슬프게도 아버님은 이 세상 사람이 아니시고, 람세스가 아버님의 뒤를 이었지요.

―사람들은 왔다가 가지만, 제도는 남는 겁니다. 공처럼 훌륭한 분은 언젠가 왕위에 오르실 겁니다.

―신들이 결정하실 문제지요.

―제 문제에 대해서…… 말씀하시고 싶은 게 있으신지?

―말씀드리겠습니다. 그렇게 천박하게 몸수색을 당하고 수치와 모욕감으로 떨고 있는데, 람세스가 나에게 외무대신으로 임명한다 고 말하더군요.

메바의 얼굴이 하얗게 질린 채, 떨리는 목소리로 물었다.

―공을 제 자리에요? 이해할 수 없는 일이군요.

―람세스의 눈에는 내가 지푸라기 인형에 지나지 않죠. 그걸 아 신다면 그가 왜 그런 결정을 내렸는지 쉽게 이해하실 겁니다. 그는 나를 건달들로 에워싸서, 내가 아무런 권력도 행사하지 못하게 할 생각입니다. 친애하는 메바, 당신은 호락호락해 보이지 않았던 모 양입니다. 나는 이름만 빌려주는 존재에 불과한 거죠. 외국 정부들 은 내 손발이 꽁꽁 묶여 있다는 것도 모르고 람세스가 외무대신 자 리에 자기 형을 임명하다니 외교에 큰 비중을 두고 있구나 생각하 고 좋아하겠죠.

메바가 낙담한 표정을 지었다.

─그럼 저는 이제 아무것도 아니군요…….

─누군들 그렇지 않겠습니까. 나도 아무것도 아니지요.

─이 왕은 괴물입니다.

─현명한 사람들은 조금씩조금씩 그 사실을 알아차리게 될 것입니다. 그 때문에 절망해서는 안 되지요.

─그럼, 어떤 다른 방법이라도?

─은퇴를 하시겠습니까, 아니면 제 곁에서 함께 싸우시겠습니까?

─저는 람세스를 교란할 수 있습니다.

─좋습니다. 은퇴하는 체하고 제 지시를 기다려주십시오.

메바가 미소를 지었다.

─람세스가 공을 과소평가하는 건 잘못입니다. 비록 수족이 묶여 있다고는 하나 외무대신이 되시면 좋은 기회를 얻게 될 것입니다.

─통찰력이 있으시군요. 국가라는 이 거대한 유기체가 어떻게 움직이는지 귀한 말씀을 듣고 싶습니다. 대신께서는 나라를 이끌어오는 데 대단한 능력을 보여주셨죠.

메바는 그 말을 부인하지 않았다. 셰나르는 상황을 유리하게 이끌어줄 유력한 동맹자가 있다는 말은 하지 않았다. 아샤는 셰나르가 마지막까지 지켜야 할 비밀이었기 때문이다.

마법사 오피르는 리타의 손을 잡고, 이교도였던 파라오 아케나톤과 그의 아내 네페르티티가 떠나고 없는 태양의 도시 대로 위를 천천히 걸었다. 건물들은 하나도 부서지지 않았지만 사막의 바람이 사납게 불어닥칠 때면 문과 창문들 사이로 모래가 날려들어왔다.

테베에서 북쪽으로 4백 킬로미터 이상 떨어진 이 도시는 약 50년 전부터 사람이 살지 않는 곳이었다. 아케나톤이 죽자 왕실은 이집트 중부에 있는 이 거대한 도시를 버리고 아몬의 도시로 되돌아갔다. 옛날의 전통적 제의들이 되살아났고, 백성들은 유일신의 화신인 태양의 원반 아톤 신을 버리고 옛날 신들을 다시 섬기게 되었다.

아케나톤은 성공하지 못했다. 그는 태양의 원반 그 자체가 진리를 드러내고 있다고 생각했다. 신은 모든 표현과 모든 상징 너머에 존재한다. 신은 하늘에 있고 인간은 땅 위에 있는 존재다.

그런데 이집트는 땅 위에 신들을 살게 함으로써, 유일신의 세계에 맞서온 것이다. 정반대에 선 것이다. 이집트는 망할 수밖에 없는 나라다.

오피르는 오랫동안 아케나톤을 보좌했던 리비아인 고문의 후손이었다. 아케나톤은 이 외국인에게 신비한 시들을 받아쓰게 했고, 이 리비아인은 서아시아 전역에 그 시들을 전파했다. 그 시들은 시나이 반도에 살고 있는 부족들에게까지 퍼져나갔고, 히브리인들에게도 전파되었다.

세티와 람세스가 속한 왕조의 진정한 창시자라고 할 수 있는 장수 호렘헵이 오피르의 선조를 죽였다. 호렘헵은 그 리비아인이 아케나톤으로 하여금 왕의 본분을 잊게 한 장본인으로서 무서운 선동가요 사악한 마법사라고 생각했다.

사실이었다. 그것이 그 리비아인의 의도였다. 자기 민족이 당한 모욕을 씻고 이집트의 힘을 약화시켜, 아케나톤의 건강이 약해진 틈을 타 이집트를 지키는 모든 정신을 방기하게 하는 것.

그 작전은 성공 일보 직전에 좌절되었다.

오늘 오피르가 다시 횃불을 쳐들었다. 그는 선조의 학문과 마법사의 재능을 물려받은 사람이 아닌가? 그는 자기 선조만큼이나 이집트를 증오했다. 그는 자신의 증오 속에서 이집트를 쳐부술 힘을

끌어내겠다고 생각했다. 이집트를 정복하려면 파라오를 때려눕혀야
한다. 람세스를 때려눕혀야 한다.

리타의 눈빛은 여전히 텅 비어 있었다. 그래도 그는 그녀에게 관
청 건물들과 귀족들이 살던 저택들을 하나하나 설명해주고, 장인들
과 상인들이 살던 지역과 아케나톤이 희귀종들을 모아두었던 동물
원을 보여주었다. 오피르와 리타는 몇 시간 동안, 아케나톤 왕과 왕
비 네페르티티가 딸들을 데리고 놀던 텅 빈 궁전을 돌아다녔다. 리
타의 할머니는 아케나톤 왕의 그 딸들 가운데 하나였다.

해마다 피폐해져가는 태양의 도시 아케타톤을 다시 방문하면서,
오피르는 이 도시에 대한 리타의 관심이 전보다 훨씬 많아졌다고
판단했다. 리타는 드디어 바깥 세계에 관심을 가지기 시작한 것 같
았다. 그녀는 아케나톤과 네페르티티의 침실 앞에서 한참을 서 있
었고 부서진 요람 앞에선 눈물을 흘렸다.

그녀의 눈물이 마르자, 오피르는 그녀의 손을 잡고 조각가의 작
업실로 데려갔다. 상자 안에는 석고로 만들어진 여자의 두상이 몇
개 들어 있었는데, 귀한 돌로 초상을 조각하기 전에 본을 뜨는 데
쓰이는 것들이었다.

마법사는 석고상들을 하나하나 꺼냈다.

리타는 갑자기, 그 석고상들 중 하나를 손으로 쓰다듬기 시작했
다. 숭고한 아름다움을 가진 얼굴이었다. 리타가 속삭였다.

―네페르티티예요.

그러고 나서 그녀의 손은 네페르티티의 석고상보다 더 조그만 석
고상으로 옮겨갔다. 놀랍도록 섬세한 얼굴이었다.

―할머니예요. 메리트-아톤, 아톤 신의 총애를 받은 여자란 뜻이
죠. 그리고 여기 할머니의 자매가 있고…… 잊어버렸던 내 가족이
에요. 내 가족이 여기 이렇게, 내 곁에 가까이 있어요!

리타는 석고상들을 가슴에 꼭 끌어안다가 그 중 하나를 놓치고 말았다. 석고상이 땅바닥에 떨어져 산산조각이 났다.

오피르는 그녀가 발작을 일으킬까봐 걱정했다. 그러나 리타는 비명 한마디 지르지 않고, 오랫동안 가만히 서 있기만 했다. 그러더니, 나머지 석고상들을 벽에 던져 깨뜨리고 파편들을 발로 짓밟았다. 눈길을 어딘가에 고정시킨 채, 그녀는 단호한 목소리로 말했다.

—과거는 죽었어. 그걸 마저 죽여버릴 거야.

마법사가 반박했다.

—아냐. 과거는 죽지 않았어. 당신의 할머니와 어머니는 아톤 신을 섬겼기 때문에 박해당했어. 내가 당신을 구해냈어. 리타, 내버려두면 죽을 수밖에 없었던 당신을 내가 귀양지에서 끌어낸 거라구.

—그래요, 기억나요…… 할머니랑 어머니는 그곳, 언덕 위에 묻혀 있어요. 나도 진작에 그분들을 따라가야 했어…… 하지만 당신이 날 딸처럼 대해주셨죠.

—복수의 시간이 왔어, 리타. 당신이 행복한 어린 시절을 보내지 못하고 불행과 고통만을 맛보았던 것은 세티와 람세스 때문이야. 세티는 죽었고, 람세스는 백성들을 압제하고 있어. 그에게 벌을 주어야 해. 리타, 당신이 그를 응징해야 해.

—내 도시를 거닐어보고 싶어요.

리타는 마치 이 죽어버린 도시가 자기 것인 양, 신전의 돌들과 집의 벽들을 만져보았다. 석양이 깔리고 있었다. 그녀는 네페르티티가 살던 궁전의 테라스에서, 유령과도 같은 자기의 왕국을 내려다보았다.

—내 영혼은 비었어요, 오피르. 그리고 당신의 생각이 내 영혼을 가득 채우고 있어.

—리타, 난 당신이 여왕이 되는 걸 보고 싶어. 당신이 유일신에

대한 믿음을 백성들에게 강요할 수 있도록 말야.

　—아녜요, 오피르. 그건 말에 불과해. 당신을 이끌어가는 것은 단하나, 증오뿐이란 걸 알아. 당신 안에 악이 살고 있어.

　—날 도와주지 않겠다는 건가?

　—내 영혼은 비었어요. 그 빈 영혼에, 당신은 누군가를 해치겠다는 당신의 욕망을 채워놓았어. 당신은 나를 당신의 복수와 그리고 나의 복수를 위한 도구로 오랫동안 다듬어왔어. 난 이제, 날카로운 칼처럼 벼려져 있어.

　오피르는 무릎을 꿇고 신에게 감사 기도를 드렸다. 신께서 그의 기도를 들어주실 것이다.

21

관능적인 몸짓으로 춤추는 한 무리의 무용수들 덕분에 술집 안에는 활기가 넘쳤다. 무용단은 이집트 델타 지방의 여자들과 흑단 같은 피부를 가진 누비아 여자들로 이루어져 있었다. 그녀들의 유연한 몸짓이 모세를 황홀하게 했다. 모세는 야자주 한 잔을 앞에 놓고 구석에 있는 테이블에 앉아 있었다. 오늘 낮만 해도 두 번이나 사고가 날 뻔했다. 그렇게 힘든 하루를 보내고 나면, 시끄러운 사람들 사이에 혼자 앉아 있고 싶어졌다. 그들의 우스꽝스러운 짓거리에 끼어들지는 않더라도, 다른 사람들이 살아가는 모습을 지켜보고 싶어지는 것이다.

그에게서 멀지 않은 자리에 이상한 남녀 한 쌍이 앉아 있었다.

여자는 젊고, 금발머리에 통통하고 매력적이었다. 그녀보다 나이가 훨씬 많아 보이는 남자는 불길한 인상을 풍겼다. 툭 튀어나온 광대뼈, 높은 코, 아주 얇은 입술과 뚜렷한 턱선을 지닌 그 마른 남자는 사나운 짐승을 연상시켰다. 소음 때문에 그들이 하는 말은 알아들을 수가 없었다. 남자가 단조로운 목소리로 천천히 내뱉는 몇 마디의 파편들만이 이따금 귀에 들어왔을 뿐이다.

누비아 여자들이 손님들에게 춤출 것을 권했다. 술에 취한 40대 사내가 금발머리 여자의 오른쪽 어깨 위에 손을 얹고 춤을 청했다. 그녀는 깜짝 놀라며 그의 청을 거절했다. 술 취한 사내가 고집을 부리자, 여자와 같이 있던 남자가 그 성가신 사내를 향해 오른손을 뻗었다. 술 취한 사내는 마치 주먹으로 세게 얻어맞은 것처럼, 일 미터는 족히 밀려났다. 겁에 질린 취객은 뭐라고 몇 마디 사과의 말을 중얼거리고는 도망치듯 물러섰다.

그 남자의 조용하지만 빠른 몸짓에서 모세는 뭔가 다른 무엇을 감지했다. 비범한 힘의 소유자인 것 같았다.

남자와 여자가 술집을 나가자 모세는 그들을 따라갔다. 그들은 테베의 인구 밀집 지역을 향해 걷다가 이층집들이 늘어선 서민가의 좁은 골목길로 사라졌다. 잠깐 동안, 모세는 그들을 놓쳤다고 생각했다. 그러나 어디선가 남자의 발걸음 소리가 또박또박 들려왔다.

한밤중이었으므로 거리는 괴괴했다. 어디선가 개 한 마리가 짖어대고, 박쥐들이 모세를 스치고 날아갔다. 앞으로 나아갈수록, 모세의 가슴속에서 호기심도 커졌다. 그는 오두막 사이로 빠져나가고 있는 남녀를 다시 찾아냈다. 헐고 다시 지어야 할 정도로 낡은 집들만 늘어서 있는 그곳은 아무도 살지 않는 지역이었다.

여자가 문을 밀자 끼이익 하는 소리가 밤의 정적을 뒤흔들었다. 남자는 모세의 눈앞에서 사라졌다.

모세는 망설였다.

들어가서 여자에게 물어야 할까? 무얼 하는 사람들이며 왜 그렇게 행동하느냐고? 그가 그렇게 묻는다면 오히려 그의 행동이 이상하게 여겨질 것이다. 경찰도 아닌 그가 그들의 사생활에 끼어들어 참견할 권리는 없는 것이다. 어떤 악령에 사로잡혀서 이렇게 어리석은 미행을 할 생각이 다 들었을까. 모세는 자기 자신에게 화가 나서 왔던 길을 되돌아가기 시작했다.

그 때, 맹금처럼 생긴 남자가 모세 앞에 나타났다.

—모세, 우리를 따라왔나?

모세는 깜짝 놀라 그를 바라보았다.

—내 이름을 어떻게 아시오?

—술집에 물어봤더니 알려주더군. 람세스의 친구라면 유명인사니까.

—그럼 당신은? 당신은 누구요?

—왜 우릴 따라왔나?

—설명할 수 없는 충동 때문에…….

—궁색한 변명이로군.

—하지만 그게 사실이오.

—난 자네 말을 믿지 않아.

—믿지 않아도 할 수 없소. 비켜주시오.

남자가 앞으로 손을 뻗치자, 모래가 움직이며 시뻘건 혓바닥을 날름대는 뿔 달린 독사 한 마리가 나타났다.

—이건 속임수일 뿐이야!

—가까이 가지 말게, 진짜 살아 있는 거니까. 단지 나는 깨우기만 했을 뿐이야.

모세가 돌아서자 또다른 뱀 한 마리가 그를 위협했다.

—살고 싶거든 집 안으로 들어가게.

삐걱거리는 소리를 내며 문이 열렸다.

좁은 골목길에서는 뱀을 피할 재간이 없었다. 세타우가 가까이 있는 것도 아니고. 그는 천장이 낮고, 흙을 다져서 바닥을 만들어놓은 집 안으로 들어갔다. 남자가 그를 따라 들어와 문을 닫았다.

—도망갈 생각 하지 말게. 독사들에게 물릴지도 모르니. 잠 재워야겠다고 생각될 때 재울 거야.

—뭘 원하는 거요?

—얘기하고 싶네.

—주먹 한 방으로, 당신을 때려눕힐 수도 있소.

남자가 빙긋이 웃었다.

—아까 주막에서의 일 잊었나? 공연히 쓸데없는 모험 하지 말게.

금발머리 여자가 방구석에 쪼그리고 앉아 있었다. 그녀는 헝겊조각으로 얼굴을 가리고 있었다.

—어디 아픈가요?

—어두운 걸 견디질 못해. 해가 뜨면 좀 나아질 걸세.

—당신은 누구요? 나에게서 원하는 게 뭐요?

—내 이름은 오피르. 리비아에서 태어났지. 마법사일세.

—어느 신전에서 일합니까?

—어디에서도 일하지 않네.

—그렇다면, 불법적으로 일하는 셈이군요.

—저 여자랑 난 숨어살고 있네. 그래서 끊임없이 옮겨다니지.

—무슨 죄라도 지었나요?

—우린 세티나 람세스가 섬기는 신과 다른 신을 섬기고 있네.

모세는 깜짝 놀랐다. 다른 신이라니.

—무슨 말인지 모르겠군요.

—저 연약하고 상처입은 아가씨의 이름은 리타라고 하네. 55년

전에 태양의 도시 아케타톤에서 죽은 위대한 아케나톤 왕의 여섯 따님들 중 하나인 메리트-아톤의 손녀딸이지. 아케나톤 왕의 이름은 이집트인들에게 유일신 아톤을 숭배하게 했다는 이유로 왕실연감에서 지워져버렸네.

─아톤 신을 섬긴다고 해서 박해당한 사람은 아무도 없소!

─망각이 가장 무거운 징벌 아닐까? 투탕카멘 왕의 아내요 이집트의 왕위 계승자였던 아케사는 부당하게 사형당했고, 호렘헵이 창건한 불경스러운 왕조가 두 개의 땅을 장악해버렸어. 정의가 존재한다면, 당연히 리타가 왕위에 올라야 했네.

─그렇다면, 람세스를 해칠 생각을 하는 거요?

오피르가 미소를 지었다.

─나는 늙은 마법사일 뿐이고 리타는 절망에 빠진 약한 여자야. 힘센 파라오가 우리 따위를 무서워할 리가 만무하지. 우리가 아닐세. 진정한 힘이 그를 멸망시키고 당신의 법을 받아들이게 할 걸세.

─그게 누구요?

─모세, 진정한 신 유일신이 바로 그분이네. 그분의 진노가, 그분 앞에 무릎을 꿇지 않는 모든 민족들을 곧 치실 것이야.

오피르의 장엄한 억양이 누추한 오두막의 벽을 흔들었다. 모세는 이상한 공포를 느꼈다. 두려우면서도 동시에 매혹적인, 그런 이상한 공포.

─자네는 히브리 사람이야.

─난 이집트에서 태어났소.

─나처럼 자네도 유랑하는 자에 불과해. 우리는 수십 명의 신들로 더럽혀지지 않은 순수한 땅을 찾는 자들이지! 모세, 자넨 히브리 사람이야. 자네 민족은 고통당하고 있어. 그들은 조상이 섬기던 종교를 부활시켜 아케나톤의 위대한 계획을 잇고 싶어하네.

—히브리인들은 이집트에서 행복하게 살아가고 있소. 그들은 넉넉한 보수를 받고 풍족한 생활을 하고 있소.

—물질만으론 충분치 않지.

—그렇게 확신하고 계시니, 그들의 예언자가 되시지요!

—난 리비아인에 불과하고, 자네처럼 권위도 없어. 또 유명하지도 않아.

—당신은 미치광이오! 히브리인들로 하여금 람세스에게 반기를 들게 하는 건 그들을 멸망으로 내모는 짓이오. 반란을 일으켜서 이 나라를 떠나고 싶어하는 히브리인들은 아무도 없습니다. 그리고 나는 위대한 통치를 펼칠 것이 틀림없는 파라오의 친구요.

—아케나톤의 가슴속에서 불이 타오르고 있었듯이, 자네의 가슴속에도 어찌할 수 없는 불길이 타오르고 있지. 아케나톤의 이상을 품은 사람들은 아직도 사라지지 않았어. 이제 점점 모여들고 있네.

—그럼 당신과 리타, 두 사람만이 아니라는 거요?

—우리는 아주 신중하게 행동하고 있네. 그러나 날이 갈수록 우리 주변엔 좋은 친구들이 늘어가고 있어. 아케나톤의 종교는 미래의 종교야.

—람세스의 생각은 다를 겁니다.

—모세, 자네는 그의 친구이니, 자네가 그를 설득해야지.

—나더러 그 종교의 신을 섬기란 말이오?

—히브리인들은 전세계 사람들에게 유일신을 받아들이게 할 걸세. 자네는 그들의 우두머리가 될 거고.

—당신의 예언은 우스꽝스럽군요!

—이 예언은 실현될 걸세.

—나는 왕과 맞서고 싶은 생각이 추호도 없소.

—왕이 우리의 길을 터준다면, 목숨은 보존할 수 있겠지.

─허튼 수작 하지 말고, 당신 나라로 돌아가시오.

─내가 돌아갈 새 땅은 아직 존재하지 않네. 자네가 그 땅을 창조하게 될 걸세.

─내겐 다른 길이 있소.

─자넨 오직 한 분뿐인 신을 믿지 않는가, 그렇잖은가?

모세는 혼란스러웠다. 이것이 무엇인가. 그의 내면의 불길이 거세게 일어서는 것 같았다. 무엇인가. 한번도 생각해보지 않았던 다른 신, 유일신.

─당신에게 대답해야 할 의무가 없소.

─자신의 운명을 피하지 말게.

─꺼져버려요, 오피르.

모세는 문을 향해 걸어갔다. 마법사는 막지 않았다. 그가 말했다.

─뱀들은 제 집으로 돌아갔네. 무서워하지 말고 나가게.

─다시는 보지 맙시다, 오피르.

─곧 보세, 모세.

22

동이 틀 무렵, 사제 바크헨은 사제관을 나와 털을 밀어버린 몸을 씻고 흰색 로인클로스를 입었다. 그는 항아리를 들고 신성한 호수를 향해 걸어갔다. 수십 마리의 제비들이 아침이 왔음을 알리듯 호수 위를 날아다니고 있었다. 그는 호수 네 귀퉁이에 있는 계단을 내려가 그 커다란 호수의 가장자리에 섰다.

호수에는 눈(이집트 신화에 나오는 원초의 물 ─ 역주)의 물이 찰랑이고 있었다. 눈은 모든 삶의 형태들이 분출되어 나오는, 마르지 않는 에너지의 대양이었다. 바크헨은 그곳의 귀한 물을 조금만 떠 담았다. 그 물은, 신전에서 치러지는 많은 정화 의식에 쓰이게 될 것이다.

─날 기억하겠나, 바크헨?

사제는 '순수한 사제' 차림의 자기에게 말을 걸어온 사람을 돌아보았다.

―폐하…….

―그대가 교관이었을 때, 우리가 겨룬 적이 있었지. 내가 한 번 이기고, 그대가 한 번 이겼어.

바크헨은 고개를 숙여 절했다.

―폐하, 제 과거는 사라졌습니다. 지금 저는 카르낙 사람입니다.

한때 마구간 감독이었고 노련한 기수였던, 각지고 못난 얼굴에 잔뜩 쉰 목소리의 이 사내는 자기의 새로운 일에 푹 빠져 있는 것처럼 보였다.

―카르낙은 왕의 소유가 아닌가?

―누가 그것을 부정하겠습니까?

―그대의 평온을 깨뜨려서 미안하네. 그러나 난 그대가 적인지 친구인지 알아야만 하네.

―제가 왜 파라오의 적이 되겠습니까?

―아몬 대사제가 내게 맞서고 있네. 모르고 있었는가?

―위계질서의 분쟁은…….

―하나마나 한 말들 뒤로 숨지 말게, 바크헨. 이 나라엔 두 명의 주인을 위한 자리가 없네.

전직 교관은 당황한 것처럼 보였다.

―전 이제 막 첫번째 관문을 통과한 셈이라서, 저는…….

―바크헨, 그대가 내 친구라면 내가 벌이는 전쟁에서 동지가 되어주어야 하네.

―어떻게 말입니까?

―이집트의 다른 신전들처럼 카르낙도 공정함의 단비가 흘러넘쳐야 하네. 지금 그렇지 못하다면, 그대는 어떻게 행동할 텐가?

—제가 말을 길들일 때 했던 것처럼, 죄지은 자들은 혼을 내주어야죠!

—내 부탁이 바로 그걸세. 이곳에 있는 그 누구도 마아트의 법을 배반하지 않는다는 사실을 확실히 증명해주게.

람세스는 단지에 정화수를 담으러 온 사제들처럼 단정한 걸음으로 신성한 호수를 따라 멀어져갔다.

바크헨은 결정을 내리기가 어려웠다. 카르낙은 이제 그에게 그의 집, 그가 살고 싶어하는 세계가 되었다. 그러나 파라오의 의지야말로 가장 우선적인 가치가 아닐까?

시리아인 라이아는 테베의 중심지에 멋진 가게를 세 개나 차려놓고 있었다. 귀족 집안의 요리사들은 그곳에서 절인 고기를 사가고, 안주인들은 우아하고 값싼 아시아의 항아리들에 눈독을 들였다.

국상이 끝나자, 라이아는 장사를 다시 시작했다. 주인이 점잖고 평판도 좋았으므로 단골 손님들은 점점 더 늘어났다. 점원들은 자신들을 격려하고 급료를 올려주는 시리아인 주인을 침이 마르게 칭찬했다.

이발사가 가느다란 수염을 다듬어주고 간 뒤, 라이아는 방해하지 말라는 지시를 내리고 장부 정리를 시작했다.

상인은 이마의 땀을 닦았다. 여름의 더위는 참기 힘들었다. 최근에 겪은 실패는 더더욱 참기 힘들었다. 얼마 전에 그는 금발머리의 그리스 청년을 하나 매수해서 람세스의 집무실에 들어가 중요한 서류들을 조사해오라고 시켰었다. 사실, 실패를 예상하지 않은 건 아니었다. 람세스와 세라마나의 보안상태를 시험해볼 의도도 없지 않았던 것이다. 불행히도, 보안은 튼튼해 보였다. 다른 사람을 매수한다고 해도 믿을 만한 정보를 얻기는 쉽지 않을 것 같았다.

시리아인은 자기 사무실 벽에 귀를 대보았다. 옆 방에서는 아무 소리도 들려오지 않았다. 그를 정탐하는 사람은 아무도 없었다. 신중을 기하기 위해서, 그는 등받이 의자 위에 올라가 칸막이 사이에 뚫어놓은 조그만 구멍에다 오른쪽 눈을 바짝 붙이고 주변을 살펴보았다.

안심한 그는, 이집트의 동맹국인 남시리아에서 수입한 조그만 설화석고 항아리들로 가득한 창고로 들어갔다. 그는 아름다운 부인네들이 좋아하는 그 설화석고 항아리들을 창고에서 하나씩 꺼내어 내다팔았다.

그는 주둥이 부분에 보일락말락 빨간 점이 찍혀 있는 항아리를 찾아냈다. 항아리 안에는 높이, 위쪽의 넓이, 가운데 넓이, 아래쪽 넓이, 가격 등 상품의 특징이 적힌 길쭉한 나무판이 들어 있었다. 그는 암호로 사용된 그 숫자들을 해독하기 시작했다. 그를 고용한 히타이트인들의 메시지는 분명했다! 람세스에게 반대하고 셰나르를 지지할 것.

─멋진 작품이로다.

셰나르는 라이아가 내놓은 항아리의 배를 연인처럼 쓰다듬으면서 말했다. 라이아는 돈 많은 고객들이 보는 앞에서 공공연히 그 물건을 내놓았다. 그런다 한들 파라오의 형님이 부르는 가격보다 더 높은 가격을 내겠다고 나서는 사람은 없을 터였다.

─비결은 죽어도 얘기하지 않는 한 늙은 장인의 작품입죠.

─종자 좋은 젖소 다섯 마리에 흑단 침대 하나, 의자 여덟 개, 여덟 켤레의 샌들과 청동거울을 값으로 쳐주겠네.

라이아가 꾸벅 절을 했다.

─관대하십니다, 나리. 제 장부에 도장을 눌러주시겠습니까?

상인은 셰나르를 안내해서 가게 뒤쪽으로 데려갔다. 그곳에서라면, 남들이 듣지 못하게 낮은 목소리로 이야기를 나눌 수 있으리라.

―멋진 소식이 있습니다. 우리의 외국인 친구들이 나리의 행보를 높이 평가하고, 나리를 지지하기로 결정했답니다.

―조건은?

―아무 조건도 없습니다.

―무슨 잠꼬대를 하는 건가?

―나중에 협상하게 될 겁니다. 현재로서는 원칙에 합의하는 게 우선이니까요. 대단한 성공이라고 생각하십시오. 축하드립니다, 나리. 저는 미래의 왕 앞에서 얘기하고 있는 느낌입니다. 앞으로 가야 할 길이 멀기는 하지만.

셰나르는 취기처럼 몽롱해지는 기분을 느꼈다. 히타이트 족과의 이 비밀동맹은 치명적인 독처럼 효과적인 동시에 위험한 것이었다. 자신에게는 위험이 돌아가지 않게 하고, 이집트의 힘을 약화시키지 않으면서 람세스를 무너뜨리는 데만 그 독을 사용해야 하는 것이다. 그 방법을 알아내는 것은 셰나르 자신의 일이었다. 심연을 내려다보며 벌이는 공중곡예 같은 짓이지만, 셰나르는 그런 곡예를 할 만한 능력이 자기에겐 있다고 생각했다.

라이아가 물었다.

―나리의 새로운 메시지는 어떤 것입니까?

―고맙다고 전해주게. 내가 전력을 다해 일하겠네…… 외무대신으로서 말일세.

시리아인의 얼굴에 놀라움의 표정이 나타났다.

―그 자리를 얻으셨군요!

―빈틈없는 감시가 붙겠지.

―제 친구들과 저는 나리께서 그 감시를 잘 이용하실 거라고 믿

습니다.

─자네의 친구들이 이집트 보호령들 중에서 취약한 지역을 과감하게 기습공격하고, 이집트를 우습게 생각하는 부족들과 공국들을 매수해서 가능한 한 거짓 소문들을 많이 퍼뜨렸으면 하네.

─어떤 소문들 말입니까?

─국경지역의 정복이 임박했으며, 시리아 영토 전체가 병합될 것이고, 리비아의 항구들이 침략당했고, 외국에 주둔하고 있는 이집트 병사들의 사기가 떨어졌다는 등…… 람세스가 겁을 집어먹고, 냉정을 잃게 만들어야 해.

─나리의 전략을 겸손하게 칭송하는 바입니다.

─라이아, 난 다른 전략도 많네. 자네 친구들의 선택은 옳았어.

─그들의 선택에, 나리를 추천한 저도 조금은 영향을 미쳤겠지요.

─공식적인 보수에다 누비아 금 한 자루를 얹어줌세.

셰나르는 가게 뒷문으로 나왔다. 셰나르가 이국적인 항아리들을 좋아한다는 것이 잘 알려진 사실이라 해도 지위가 지위니만큼 특정 상인과 오랫동안 이야기를 나누긴 어려웠다.

적국 히타이트와 비밀동맹을 맺었다는 사실을 아샤에게 알려야 할까? 아니, 그건 실수일 것이다. 셰나르는 자기 동지들의 조직에 최대한 칸막이를 많이 해놓는 게 좋다고 생각했다. 그렇게 함으로써, 좀더 효과적으로 작전을 수행하고, 부족한 부분을 메울 수 있을 것이다.

투야 왕비는 부드러운 단풍나무 그늘에 앉아 세티의 통치 연대기를 기록하고 있었다. 그녀는 이집트가 행복과 평화를 누렸던 축복받은 시대에 세티가 이룩한 위업을 떠올렸다. 남편의 모든 생각, 모든 몸짓이 그녀의 기억 속에 각인되어 있었다. 그녀는 남편의 고뇌

뿐만 아니라 희망에도 주의를 기울였으며, 그들의 영혼이 하나로 합쳐졌던 순간들을 소중하게 간직하고 있었다.

그녀의 가냘픈 모습 속에, 세티가 살아 있었다.

자기를 향해 다가오는 람세스를 보고 투야는 고인이 된 왕의 힘이 고스란히 살아 있음을 느꼈다. 젊은 파라오의 내부에는, 대부분의 사람들을 괴롭히는 균열이 없었다. 그는 오벨리스크처럼, 단 하나의 덩어리로 조각해낸 사람인 것 같았다. 어떤 폭풍우가 불어와도 그는 꿈쩍도 하지 않을 것 같았다. 이 무적의 외양을 젊음의 힘이 타오르듯 감싸고 있었다.

람세스는 어머니의 손에 입 맞추고 곁에 앉았다.

―온종일 글을 쓰고 계시는군요.

―밤에도 쓴단다. 용서하렴. 작은 사실 하나라도 잊어버리면 어떡하니? 그런데, 걱정스러운 얼굴이구나.

투야는 람세스의 마음을 언제나 즉각 읽어냈다.

―아몬 대사제가 왕의 권위에 도전하고 있습니다.

―아버님도 그 일을 예견하셨다. 분쟁을 피할 순 없을 것이다.

―어떻게 해야 할까요?

―모르겠느냐? 왕이 해야 할 행동은 단 하나뿐이다.

―네페르타리도 같은 이야기를 했습니다.

―람세스야, 그애는 이집트의 왕비가 아니냐. 그리고 모든 왕비가 그러하듯이 규범의 파수꾼이고.

―온건한 태도를 권하지 않으십니까?

―나라를 온전히 지켜야 할 때 온건함은 마땅한 태도가 아니다.

―아몬 대사제를 해임시키면, 끔찍한 혼란이 야기될 겁니다.

―아들아, 누가 나라를 다스리는 거냐? 너냐, 아니면 그 사람이냐?

23

 길쌈 공방에서 신전으로 가는 길의 먼지 한 알갱이까지도 다 알고 있는 늙은 잿빛 당나귀를 따라 몇 마리의 당나귀들이 줄줄이 카르낙 경내로 들어갔다. 잿빛 당나귀는 고르고 당당한 걸음걸이로 다른 당나귀들에게 모범을 보였다.

 배달된 물건의 양은 풍성했다. 바크헨은 다른 사제와 함께 창고에 들어가는 물건을 살펴보라는 지시를 받았다. 제복(祭服)을 만드는 데 쓰이는 아마 필이 들어오면 장부에 생산지와 품질을 표시한 뒤 일련번호를 붙이게 되어 있다.

 바크헨의 동료가 품평을 했다. 빼빼 마르고 간사하게 생긴 작은 남자였다.

 ─좋은 상품이군. 자넨 여기 새로 왔어?

—몇 달 됐습니다.

—카르낙에서 지내는 게 마음에 드나?

—제가 바라던 생활이죠.

—신전에서 일하기 전엔, 어떤 일을 했나?

—과거는 잊어버렸습니다. 평생 신전에서 지내겠다고 신청했죠.

—난 창고에서 두 달만 일하고 속세로 돌아갈 거야. 나루터 감독 자리가 내정되어 있어. 피곤한 자린 아니지…… 여기선 쉴 틈이 없어.

—평생 사제직을 바라는 것도 아니고 좋은 자리도 내정되어 있는데, 왜 이 피곤한 일을 하는 거요?

—그거야 내 문제지. 난 일등품 피륙을 맡을 테니까, 자넨 다른 피륙을 맡아.

당나귀 한 마리에게서 짐을 부려놓으면, 창고계들이 헝겊으로 덮인 수레 위에 아마 필을 조심해서 올려놓았다. 바크헨은 그것을 일일이 조사하고 나무 서판 위에 기록해넣었다. 배달된 날짜도 빠뜨리지 않았다. 그가 보기에 그의 동료는 일은 별로 하지 않고, 온종일 자기 주변을 둘러보느라고 시간을 다 보내는 것 같았다. 꼭 염탐당할까봐 걱정하는 사람 같았다. 그가 말했다.

—목 마르군. 자네 물 마시겠나?

—그러지요.

간사해 보이는 사제가 자리를 비웠다. 바크헨은 그가 잿빛 당나귀 등 위에 놓아두고 간 서판을 잠깐 들여다보았다. 그 서판에는, 일등품 아마 배달과는 아무 상관도 없는, 아무렇게나 쓴 신성문자와 기호 몇 개가 씌어 있었다.

사제가 시원한 물이 든 가죽부대를 들고 돌아오는 걸 보며, 바크헨은 다시 자기 일로 돌아갔다.

—마시게, 시원할 거야…… 이런 더위에 일을 시키다니, 비인간적인 짓이야.

—당나귀들은 불평하지 않는데요.

—이 친구, 실없는 사람일세!

—곧 끝나겠지요?

—천만에. 이 일이 끝나면, 창고에 갖다 쌓는 걸 감독해야 돼.

—이 서판은 이제 어떻게 하는 겁니까?

—나에게 맡기게. 내 서판이랑 같이 등기소에 갖다 내주지.

—창고에서 멀리 떨어진 곳인가요?

—그렇게 멀진 않아. 하지만 조금 걸어야 해.

—일을 나누어서 합시다. 제가 서판을 가지고 가지요.

—안 돼, 안 된다구! 등기소 사람들은 자넬 모르잖나.

—차제에 가서 인사도 하지요 뭐.

—그들은 그들의 관습이 있고, 그걸 바꾸는 걸 싫어해.

—똑같은 일만 반복하면 몸에 해롭지 않을까요?

—충고는 고맙지만 내가 알아서 할게.

바크헨의 동료는 몹시 당황한 것 같았다. 그는 바크헨이 자기가 쓰는 내용을 보지 못하도록 옆으로 비켜섰다.

—왜 그래요, 쥐가 나요?

—아냐, 아무것도 아냐.

—의심스러운 게 하나 있는데, 글씨는 쓸 줄 아십니까?

아픈 데를 찔린 사제가 바크헨 쪽으로 돌아섰다.

—왜 그런 터무니없는 질문을 하는 거야?

—당나귀 등에 올려놓은 서판을 봤죠.

—호기심 많은 친구로군…….

—이만 못한 일에라도 호기심을 가졌을 거요. 원한다면, 내가 제

대로 써드리죠. 그렇지 않으면 서판을 가져가봐야 받아주지도 않을 거구, 그럼 문제가 생길 것 아닙니까.

―순진한 체하지 마, 바크헨.

―내가요?

―됐네 됐어, 이 사람아! 자네도 한 입 달라 이거지. 당연한 일이지만, 이 친구 되게 빠르네.

―무슨 얘긴지 알려주려면 제대로 알려줘요.

간사하게 생긴 사제는 바크헨에게 다가오더니 나지막한 목소리로 말했다.

―이 신전은 부자야, 아주 부자지. 그리고 우린 뭐, 알아서 하는 거지. 몇 필쯤 모자란다고 해서 카르낙이 망하진 않을 테니까. 그걸 훌륭한 고객들에게 갖다 판단 말씀이야. 근사한 사업이지. 이제 제대로 알았어?

―등기소도 이 일에 연루되어 있습니까?

―서기관 하나하고 창고계 두 명. 장부에 기록되지 않는 아마 필들은 없는 거나 마찬가지지. 조용하게 일을 처리할 수 있어.

―들키면 어쩌려고 그래요?

―목소리 낮춰.

―윗분들이…….

―윗분들은 다른 일들로 바쁘셔. 그리고 그분들이 눈감아주지 않을 것 같아? 자, 얼마나 떼어주면 좋겠어?

―글쎄…… 기왕이면 많이 쳐주슈.

―하, 이 친구 욕심 좀 보게! 우린 배짱이 잘 맞겠어. 몇 년 뒤면 한밑천 단단히 잡을 거라구. 그럼 여기 일하러 오지 않아도 되지. 자, 이 보급품 정리나 마저 끝낼까?

바크헨은 고개를 끄덕여 찬성을 표시했다.

네페르타리는 람세스의 어깨 위에 머리를 얹었다. 태양이 떠올라, 그들의 침실 안에 아침 햇살이 흘러넘쳤다. 두 사람은 이 매일의 기적, 거듭 어둠을 이겨내는 빛을 숭배했다. 왕과 왕비는 그 승리를 기념하는 의식을 벌여, 태양의 배를 따라 지하의 세계로 내려가 창조의 작업을 방해하는 거대한 용과의 싸움에 동참하곤 했다.

―네페르타리, 난 당신의 마술이 필요하오. 오늘은 힘든 날이오.

―어머님 생각도 제 생각과 같으시던가요?

―두 사람이 마치 말을 맞춘 것 같다는 느낌이 들었소.

―우리는 세상을 보는 눈이 똑같아요.

네페르타리는 웃으면서 말했다.

―두 사람에게 설득당했소. 오늘 아몬 대사제를 파면할 거요.

―왜 지금까지 기다리셨어요?

―그가 행정을 잘못하고 있다는 증거가 필요했거든.

―증거를 찾으셨어요?

―바크헨이라고, 군사교관이었던 사람이 사제가 되었는데, 아마필 암거래를 발견해냈소. 카르낙의 고용인들이 몇 명 연루되어 있다는 거요. 대사제 자신이 부패한 거든지, 아니면 아랫사람들을 통제하지 못하고 있다는 얘기지. 어떤 경우든 이젠 더이상 그 자리에 있을 수 없게 된 거요.

―그 바크헨이란 사람, 믿을 만한가요?

―그는 젊소. 그런데도 카르낙에 일생을 걸었소. 그 도둑질을 발견하고는 정말로 절망에 빠졌지. 하지만 자기에게 침묵하고 있을 권리가 없다고 생각한 거요. 진실을 확인하기 위해서 그가 하는 말을 한마디 한마디 짚어보았소. 바크헨은 밀고자도 아니고 야심가도 아니오.

176

―언제 대사제를 만나실 거예요?

―오늘 아침에 당장! 어려운 싸움이 될 거요. 그는 전혀 책임이 없다고 잡아뗄 거고, 부당하다고 하겠지.

―두려우세요?

―그는 적어도 당분간은 신전의 경제활동을 마비시키고, 혼란스럽게 만들 거요. 나라가 둘로 쪼개지는 걸 막기 위해서 우리가 지불해야 할 대가요.

람세스의 진지한 태도가 네페르타리의 마음에 깊은 인상을 남겼다. 그는 귀찮은 적수를 치워버리려는 폭군이 아니라, 두 땅의 결합의 필연성을 깨닫고 어떤 위험을 무릅쓰더라도 그 결합을 지키겠다고 결심한 파라오였다.

네페르타리가 꿈꾸는 듯한 목소리로 말했다.

―당신한테 고백할 게 하나 있어요.

―당신도 카르낙에 대해 조사했소?

―아녜요.

―그럼 어머니구려. 어머니가 당신을 시켜서 뭘 알려주시려는 게지.

―그것도 아녜요.

―나와 대사제의 회견과 관계 있는 거요?

―아뇨. 하지만 이 나라의 통치와 무관하지 않을지도 몰라요.

―날 애태울 거요?

―몇 달 더 그럴 거예요…… 아기를 가졌거든요.

람세스는 부드럽게 네페르타리를 품에 안았다. 그의 힘은 이제 한 나라와 한 여자를 보호하는 힘이 되었다.

―왕국 최고의 의사들을 시켜서 당신을 매순간 돌보게 하겠소.

―걱정하지 마세요.

―어떻게 걱정하지 않을 수 있겠소? 난 우리 아이가 예쁘고 튼튼하기를 바라지만, 당신의 생명과 건강이 그 무엇보다도 소중하오.

―필요한 모든 조처를 다 취할 거예요.

―이젠 일의 리듬을 조금 늦추라고 당신에게 명령해도 되겠소?

―게으른 왕비를 견디실 수 있겠어요?

람세스는 초조했다. 아몬 대사제의 지각은 모욕적으로 느껴졌다. 이 고위 성직자는 이제 어떤 핑곗거리를 만들어낼까? 만일 바크헨의 폭로를 눈치챘다면, 증거를 인멸하고 범인들과 증인들을 멀리 떼어놓음으로써 수사를 봉쇄하려고 할 것이다. 그런 식의 지연 작전은 람세스에게 불리한 결과를 가져올 것이다.

태양이 거의 머리 위에 올라왔을 때, 아몬의 제4예언자가 알현을 요청했다. 왕은 그를 맞아들였다.

―제1예언자인 대사제는 어디 있는가?

―대사제께서는 지금 막 숨을 거두셨습니다, 폐하.

24

파라오의 명에 따라 대사제를 선출하기 위한 회의가 소집되었다. 카르낙의 제2, 제3, 제4의 아몬 예언자들과 이집트 주요 신전의 남녀 대사제들이 한자리에 모였다. 연로하여 여행을 할 수 없는 덴데라의 대사제와 병중이라 델타의 자택에 머물고 있는 아트리비스의 대사제만 오지 못했다. 그들 대신, 권한을 위임받은 두 명의 대리인들이 참석했다.

각자의 신전에서 왕의 이름으로 제의를 집전하는 이 지긋한 연배의 대사제들은 투트모시스3세 신전의 한 방에 모였다. 투트모시스란 '그 기념물이 태양처럼 빛나는 자'라는 뜻이다. 그곳에서 대사제들이 입문의식을 마치고, 그들의 의무와 책임을 계시받는다.

람세스가 말을 꺼냈다.

―카르낙의 새로운 종교 지도자를 선택하기 위해서 나는 그대들의 의견을 들어보고자 하오.

많은 사람들이 고개를 끄덕였다. 새 파라오는 사람들이 말하는 것처럼 충동적인 사람이 아닌지도 모른다.

멤피스의 대사제가 물었다.

―그 직분은 제2예언자에게 돌아가게 되어 있는 것 아닙니까?

―나는 오래 된 관습만이 충분한 기준이라고 생각지 않소.

아몬의 제3예언자가 끼어들었다.

―폐하께 무능력을 경계하시라고 말씀드려도 되겠습니까? 속세의 영역에서는 새로운 인물에게 책임을 맡기는 것이 가능한 일일지 모르지만, 카르낙에서는 잘못입니다. 경험과 명망이 무엇보다 중요하지요.

―그 명망에 대해 한번 얘기해봅시다! 카르낙 경내에서 취급하는 일등품 아마 필이 암거래되고 있다는 사실을 알고 있소?

갑자기 좌중에 불안한 파문이 번졌다.

―책임자들을 체포해서 길쌈 공방에서 일하도록 조처했소. 앞으로 그들은 절대 신전에서 일하지 못하오. 임시직으로도 안 됩니다.

―고인이 된 대사제에게도 책임이 있습니까?

―그렇게 생각지 않소. 그러나 여러분은 내가 왜 신전의 현재 고위 성직자들이 그의 후임으로 바람직하지 않다고 생각하는지 알 것이오.

긴 침묵이 이어졌다.

헬리오폴리스의 대사제가 물었다.

―폐하께서 염두에 두고 계신 인물이 혹시 있는지요?

―나는 이 회의에서 진지한 제안이 있기를 기대하고 있소.

―시간을 얼마나 주시겠습니까?

—관습에 따라, 나는 곧 왕비와 왕실 인사들을 대동하고 몇몇 도시와 사원을 방문해야 하오. 내가 돌아오는 대로 여러분이 심사숙고한 결과를 알려주기 바라오.

통치 원년에 수행해야 하는 전통적인 이집트 순례를 떠나기 전에, 람세스는 테베의 서쪽 연안에 있는 구르나 신전을 찾아갔다. 구르나 신전에서는 세티의 불멸의 힘 카에게 제사를 드렸다. 사제는 매일 아침 제단 위에 고기와 빵, 야채와 과일들을 진설했다.

왕은 신들 앞에 영원히 젊은 모습으로 서 있는 아버지의 부조를 바라보았다. 그는 돌에서 빠져나오시라고, 벽에서 튀어나와 아들을 얼싸안고 이제는 별이 되신 당신의 힘을 나누어주십사고 기원했다.

날이 갈수록, 람세스에게는 세티의 부재가 시련인 동시에 부름으로 느껴졌다. 든든한 안내자에게 더이상 충고를 구할 수 없게 됐으니 시련이고, 람세스의 생각 하나하나에 고인이 된 파라오가 깃들여 있어 어떤 장애물이 놓여 있든 그의 발걸음을 이끌어주었으므로 그것은 부름이었다.

부유한 귀족이든 장인이든 자기 집 문간에 앉아 수다 떠는 주부든 간에 테베의 시민들이 나누는 대화는 언제나 똑같은 질문으로 되돌아왔다. 두 땅을 주행하여 파라오와 모든 신들의 연합을 공고히 할 순례 여행에 람세스와 네페르타리가 어떤 사람들을 데려갈까 하는 것이었다.

모두들, 궁전에 드나드는 사람들이나 궁전에서 일하는 사람들에게서 얻은 비밀정보를 저마다 하나씩 가지고 있었다. 확실한 소식통에 의하면, 왕의 함대는 우선 아스완까지 남쪽 항로를 따라가다가 나일 강을 타고 델타 지방으로 가기 위해서 북쪽 항로를 택할 것이라고 했다.

함대의 선원들은 속도를 높이라는 지시를 받았다. 힘든 여행이 될 것 같았다. 왕은 기착지에서 잠깐씩만 머물 것이다. 그러나 모두들 그 여행이 즐거웠다. 여행하는 동안 왕과 왕비는 영원한 규범이신 마아트 여신과 합일하며 두 개의 땅을 장악하게 될 것이다.

배가 닻을 올리기가 무섭게, 아메니는 왕이 각 지방의 수령들, 신전의 고위 성직자들, 그리고 중요한 촌락의 장들을 만나보기 전에 숙지해야 할 엄청난 양의 서류들을 람세스에게 떠안겼다. 거기에는 모든 주요 인사들의 경력, 가족상황, 권력욕, 유력인사들과의 우정관계 등도 기록되어 있었다. 확실치 않은 정보이거나 소문에 의한 것일 경우에는 별도로 특기해두었다.

람세스가 아메니에게 물었다.

─이 보물을 긁어모으느라고 또 며칠 밤낮을 새웠겠군?

─상관없어. 내 유일한 걱정은 정보가 정확한가 하는 거지. 정확한 정보 없이 어떻게 나라를 다스리겠나?

─대충 읽어보았는데, 돈 많고 영향력 있는 인사들 가운데 세나르를 지지하는 양반들이 많은 것 같더군.

─놀랐나?

─그 정도까지일 줄은 몰랐네.

─정복해야 할 사람들이 많은 거지 뭐.

─자넨 낙천적이군.

─자넨 왕이고, 그리고 다스려야 해. 나머진 객설에 불과하지.

─자넨 쉬지도 않나?

─죽으면 실컷 자게 될 텐데, 뭐. 내가 왕의 신발 운반 담당관으로 있는 동안은 자네 땅을 평평하게 잘 골라놓겠네. 야전의자가 어떤가, 편해?

파라오의 휴대용 의자는 틀이 단단하고 다리가 튼튼한 가죽의자였다. 다리 끝에는 오리 대가리가 상아로 상감되어 있었다. 왕은 공식적인 행사나 접견이 있을 때, 그 편안한 의자를 사용해도 좋겠다고 생각했다.

아메니가 말했다.

─하렘의 인원들 가운데 왕을 수행할 사람들을 선별해서 데려왔네. 여행하는 동안 아무것도 부족하지 않을 거야. 궁전에서와 똑같은 수준의 식사를 하게 될 거고.

─자넨 여전히 그렇게 간소한 식사를 하나?

─잘 먹는 것이 장수의 비결이지. 또 술을 조금 마시는 것이 에너지와 집중력을 증진시켜준다네. 우리가 기착하게 될 도시의 장(長)들과 대사제들에게 긴급 통신문을 보내 우리 일행이 묵을 숙소를 마련해두도록 지시했네. 물론 왕과 왕비는 궁전을 사용하게 될 거야.

─네페르타리에 대해서도 신경을 썼나?

─물어볼 필요도 없는 질문이네. 왕비의 회임은 국가적인 차원의 일이니까. 왕비의 선실은 바람이 잘 통하는 방이라, 그곳에서 아주 조용히 쉬실 수 있을 거야. 다섯 명의 의사들이 번갈아 보살피고, 그대 폐하께서는 왕비의 건강에 대해 매일 보고받게 될 걸세. 아! 걱정되는 일이 한 가지 있네.

─네페르타리에 관한 건가?

─아니, 부두에 관한 거야. 몇몇 부두의 상태가 나쁘다는 보고서들이 들어와 있는데, 신빙성은 별로 없는 것 같네. 내 생각에는, 몇몇 지방 수령들이 시설 유지를 위해 보조금을 타내려는 것 같아. 마침 파라오도 방문하고 하니까 잘됐다 싶은 거겠지. 그들에게 휘둘려서는 안 되네. 유지들은 저마다 최대한으로 얻어내려고 할 거고, 자네는 국가의 이익에 우선권을 두고 공평하게 처리한다는 걸

보여주어야 하네.

─북부지방의 총리대신과 남부지방 총리대신의 관계는 어떤가?

─그들의 눈으로 보면 고약스런 관계지만, 내가 볼 때는 아주 좋네. 훌륭한 관리들이지만, 너무 소심해. 좌천당할까봐 벌벌 떨면서 살고 있지. 그들을 자리에 그대로 두게. 왕을 배반하지 않을 거야.

─내 생각엔……

─날 총리대신에 임명하겠다구? 그건 절대 안 될 일이야! 내 지금 지위가 자네에게 더 나아. 엄청난 행정업무 때문에 부담스러워하지 않아도 되고 은밀하게 움직일 수도 있고.

─이번 여행에 초대받은 사람들의 반응은 어떤가?

─기뻐하고 있지. 누구나 잠재적인 암살자일 거라고 생각하는 세라마나한테서 의심을 덜 받으니 몸수색을 당하지 않아도 되고 얼마나 좋아. 뭐라고 불평하는 소리를 들은 것 같긴 한데, 곧 잊어버렸네. 하지만 세라마나는 경계를 늦추지 않고 자기 일을 수행하고 있어.

─자네는 내 사자와 개를 잊어버렸네.

─걱정하지 말게. 잘 얻어먹고, 최고의 친위대 노릇을 하고 있으니까.

─로메는 어떡하고 있나?

─완벽해. 아주 오래 전부터 대전 집사장 노릇을 했던 사람처럼 아주 잘하고 있네. 그 사람 덕분에 대전의 살림살이가 완벽하게 돌아가고 있어. 람세스의 본능은 틀리지 않았어.

─네드젬도 잘하고 있나?

─새 농무대신은 자기 역할을 아주 진지하게 생각하고 있어. 하루에 두 시간씩 행정적인 질문을 해대서 나를 못살게 군다네. 그리곤 전임자의 기술고문들한테서 일을 배우느라고 꼼짝도 안 해…… 여행하는 동안, 바다 풍경은 보지도 못할 걸세!

―형님은?

―셰나르의 배는 물 위의 궁전이지. 외무대신께서는 한판 벌려놓고 람세스의 이집트에 대해 빛나는 미래를 호언장담하고 계시지.

―형이 나를 한심할 만큼 순진한 놈이라고 생각할까?

―현실은 더 복잡하지. 어쩌면 외무대신 자리를 얻게 돼서 정말 좋아하고 있는지도 몰라.

―셰나르가 내 편이 되었다고 생각하는 건가?

―마음속 깊은 곳에서야 안 그렇겠지. 그러나 인간이란 간사해서 자기 한계를 받아들이기도 한다네. 왕은 현명하게도 권력에 대한 그의 욕망을 채워주었고, 또 계속해서 사람들 앞에 나설 수 있게 해주었지. 부유하고 아첨받는 고관의 지위로 만족하지 않을까?

―신들께서 자네 얘길 들어주셨으면 좋겠군.

―이젠 좀 자두게. 내일은 힘든 하루가 될 테니까. 적어도 열 번의 회견과 세 번의 연회에 참석해야 한다구. 침대는 편한가?

편하다뿐인가, 왕은 속으로 생각했다. 푹신한 베개, 네 귀를 잡아 당겨 고정시킨 삼베 실타래 매트리스, 수레국화, 만드라고라, 수련 무늬의 발끼우개를 씌운 사자 모양의 침대 다리…… 하나같이 왕의 달콤한 수면을 위한 것들이었다.

아메니가 왕의 침대를 살펴보더니 말했다.

―부드러운 쿠션이 몇 개 필요하겠군.

―하나면 돼.

―안 돼. 이 형편없는 물건 좀 보게.

침대 머리맡에 놓여 있던 쿠션을 거칠게 집어들던 아메니는 갑자기 공포에 질린 얼굴로 뒤로 물러섰다.

쿠션이 놓여 있던 자리에 시커먼 전갈 한 마리가 공격적인 자세로 웅크리고 있었다.

25

·

람세스가 오히려 세라마나를 달래야 할 지경이었다. 친위대장은
어떻게 해서 전갈이 왕의 침실에 들어갈 수 있었는지 이해가 되지
않았다. 하인들을 면밀하게 조사해보았지만, 아무런 결과도 얻어내
지 못했다. 세라마나는 결론을 내렸다.

─이들은 죄가 없습니다. 폐하의 집사를 조사해보아야 합니다.

람세스는 그 생각에 반대하지 않았다.

로메는 세라마나를 별로 좋아하지 않았지만, 세라마나가 묻는 말
에 솔직하게 대답하라는 왕의 명령에 항의하지 않았다.

─이 방에 들어올 수 있는 사람이 몇 명이나 됩니까?

─다섯 명입니다…… 그러니까…… 상근직이 다섯 명입니다.

─그게 무슨 말이오?

—어떤 기착지에서는 한 명이나 두 명 정도의 임시직을 고용하기도 합니다.

—그럼 지난 번 기착지에서는?

—한 명을 고용했습니다. 시트를 가져오고 또 세탁소에 갖다주기 위해서였습니다.

—그 사람 이름이 뭐요?

—됐네.

왕이 조사를 중단시켰다.

—어차피 그 사람은 가짜 이름을 댔을 테니까. 우리에겐 그 사람을 찾아내기 위해 되돌아갈 시간적 여유가 없어.

세라마나가 소리를 버럭 질렀다.

—난 그런 관행이 있다는 걸 몰랐소! 그 관행 때문에 내 경호 조처가 물거품이 되어버렸잖소!

로메가 깜짝 놀라서 물었다.

—무슨 일이 있었습니까?

—당신은 몰라도 돼요! 앞으로는 장군이건 사제건 청소부건 상관없이 폐하의 배에 올라오는 사람은 누구나 다 몸수색을 하겠소!

로메가 람세스를 돌아보았다. 왕은 고개를 끄덕여 세라마나의 말에 동의했다.

—그럼 식사는 어쩌지요?

—당신 요리사들 중 한 사람이 내가 보는 앞에서 음식을 먹어봐야 하오.

—마음대로 하십시오.

로메가 왕의 선실에서 나갔다. 화가 난 세라마나가 주먹으로 기둥을 쳤다. 기둥이 오랫동안 웅웅 하는 소리를 내며 울렸다. 세라마나가 말했다.

―전갈에 물리셨더라도 돌아가시진 않았을 겁니다. 그러나 심한 고열에 시달리셨겠지요.

―그리고 이 여행을 계속할 수 없었겠지…… 신들의 노여움을 사서 그렇게 되었다…… 그게 범인이 노린 거겠지.

세라마나가 장담했다.

―이런 사건은 다신 일어나지 않을 겁니다.

―아니, 진짜 범인이 누구인지 밝혀내지 못하면 또 일어날걸.

세라마나는 뿌루퉁한 표정을 지었다.

왕이 물었다.

―의심 가는 사람이라도 있나?

―사람들은 때로 은혜를 저버리기도 하죠.

―분명히 말하게.

―저 로메라는 사람…… 자기가 일을 저질러놓고 시치미를 떼는 건 아닐까요?

―그걸 밝혀내는 게 자네가 할 일 아닌가?

―절 믿어주십시오.

한 단계, 한 단계 여행이 진행될수록, 왕과 왕비의 의례적인 여행은 훌륭한 성과를 가져다주었다. 지방의 수령들, 대사제들, 촌장들을 위시한 유력인사들은 람세스의 당당함과 네페르타리의 매력에 매혹되었다. 그들은 이집트의 새로운 주인들의 아름다운 모습에 놀라움을 금치 못했다. 람세스는 많은 고관대작들 앞에서 그의 형 세나르의 존재를 존중하는 것도 잊지 않았다. 람세스가 형을 외무대신에 임명했다는 사실은 그들의 걱정을 덜어주었다. 그들에겐 왕의 가족들이 하나로 뭉쳐, 두 형제가 미래를 향해 함께 나아가고 있다는 점이 다행스러웠고, 또 애국심 강하고 권위를 존중하는 셰나르가 야만인들의 공격으로부터 문명을 지켜낼 방어정책을 고수해나가리라는 점이 다행스러웠다.

기착지에 상륙할 때마다, 왕과 왕비는 투야 대비에게 경의를 표했다. 그녀를 보기만 해도, 사람들의 마음엔 감동과 존경심이 솟아났다. 가냘프고 고요하고 나서지 않고 뒤에서 중심을 잡아주는 투야 대비는 전통과 연속성의 화신이었다. 전통과 연속성을 확보하지 못했더라면, 람세스의 왕위 계승은 정당성을 의심받았을 것이다.

유명한 오시리스의 사당이 있는 아비도스가 가까워질 무렵, 람세스는 뱃머리로 친구 아샤를 불러냈다. 언제나 젊은 외교관은 한결같이 우아하고 기품이 있었다.

—이 여행이 마음에 드나, 아샤?

—폐하께서 너그러우시니, 당연히 만족스럽습니다.

—사람들의 태도가 지나치게 위선적이진 않은가?

—그럴지도 모르죠. 그러나 중요한 건 그들이 폐하의 권위를 인정한다는 것 아닐까요?

—셰나르의 외무대신 임명에 대해 어떻게 생각하나?

—놀랍습니다.

—달리 말하면, 충격을 받았다는 얘기군.

—저한테 파라오의 결정을 비판할 권리는 없죠.

—내 형님이 능력이 없는 인물이라고 생각하나?

—현재 상황에서 외교는 어려운 임무입니다.

—누가 감히 이집트의 힘에 도전하겠나?

—파라오가 나라 안에서 승리를 거두었다 해서, 나라 밖 현실을 보지 못해선 안 되지요. 적국 히타이트는 아무것도 하지 않고 가만히 있는 것이 아닙니다. 폐하께서 만만찮은 군주라는 걸 알고 있기 때문에, 그들은 힘을 길러두었다가 훗날 무력 도발을 시도할 것입

니다.

─확실한가?

─아직까지는 가정에 불과합니다.

─이보게, 아샤. 셰나르는 내 형님이고, 그래서 나라를 대표하는 인물로 안성맞춤이지. 그는 연회나 향연에 잘 어울려. 실속 없는 이야기로 외국 사신들을 즐겁게 하고 또 자신도 그걸 즐기는 것 같아. 하지만 악의에 찬 음모를 꾸미는 데도 일가견이 있지. 겉으로는 나에게 협력하고 훌륭한 공복이 되겠다는 의지를 보이고 있지만, 난 그걸 믿을 수가 없네. 그래서 자네 역할이 중요한 거야.

─저에게 뭘 기대하십니까?

─난 자네를 상하 이집트의 정보부장으로 임명하는 바이네. 자네의 대외적인 업무는 선임자들처럼 외교 통신 업무를 관장하는 거지. 간단히 말해서 셰나르가 작성하는 서류를 조사하는 걸세.

─그렇다면 저에게 그를 정탐하라는 겁니까?

─사실, 그것이 자네의 임무들 중 하나일세.

─셰나르가 저를 의심하지 않을까요?

─나는 그에게 어떤 행동의 자유도 없다는 걸 주지시켰네. 끊임없이 감시당하고 있다는 걸 알기 때문에, 후회할 만큼 엉뚱한 짓은 안 할 거야.

─그가 제 감시를 벗어난다면요?

─그러기엔 자네의 재주가 지나치지.

아비도스의 신성한 땅을 보자 람세스는 마음이 조여드는 것처럼 아팠다. 아비도스의 모든 것들이 생전의 세티의 모습을 떠올리게 했던 것이다. 우주적 힘의 화신이며 형제 오시리스를 죽인 세트 신의 계승자였던 세티는, 죽었다가 다시 태어난 신의 신비를 찬양하기 위하여 아름다운 사당을 짓게 했다. 람세스와 네페르타리는 이 곳에서 오시리스의 신비에 입문했다. 그들은 입문의례를 치르면서, 자신들의 존재 깊은 곳에, 앞으로 백성과 함께 나누어야 할 사후의 생에 대한 계시와 확신을 새겨넣었다.

부두에 이르는 운하의 양쪽 연안에는 아무도 나와 있지 않았다. 물론, 이 신성한 땅에서 환호라는 것은 오시리스의 부활 축제 때에나 어울리는 것이다. 그러나 왕의 함대가 도착했는데도, 이처럼 무심하게 맞이한다는 것은 놀랄 일이었다.

손에 검을 든 세라마나가 제일 먼저 배에서 내렸다. 람세스가 곧 뒤따라 내렸다. 위병들이 그를 바짝 둘러쌌다. 사르디니아인이 중얼거렸다.

─기분이 좋질 않은데.

람세스가 부두 위에 발을 올려놓았다. 아카시아 나무가 늘어서 있는 뒤로, 멀리 오시리스의 신전이 보였다. 세라마나가 왕에게 권고했다.

─함정이 있을지도 모르니 가만히 계십시오. 제가 주변을 살펴보겠습니다.

아비도스의 반도(叛徒)들! 왕은 이런 무엄한 행동을 용납할 수 없었다. 람세스가 명령을 내렸다.

─전차들을 대령하라. 내가 선두에 서겠다.

─폐하…….

세라마나는 고집을 부려봐야 소용 없다는 것을 깨달았다. 저토록 막무가내인 왕의 안전을 무슨 수로 보장한단 말인가?

왕이 탄 전차는 부두에서 신전까지 빠른 속도로 질주했다. 신전의 대문이 활짝 열려 있어서, 왕은 너무나 놀랐다. 전차에서 내린 람세스는 지붕이 덮여 있지 않은 마당으로 들어섰다.

신전의 정면에는 비계들이 산만하게 세워져 있었다. 땅바닥에는 오시리스로 화한 선왕의 조상이 눕혀져 있고 여기저기 연장들이 흩어져 있었다. 일하고 있는 인부는 한 명도 없었다.

당황한 파라오는 신전 안으로 들어갔다. 제단에는 제물도 놓여 있지 않고 기도문을 외고 있는 사제도 눈에 띄지 않았다.

신전이 방치되어 있는 것이다.

람세스는 신전에서 나와서, 문간에 꼼짝도 않고 서 있는 세라마나를 불렀다.

─신전 공사장 책임자를 당장 대령시켜라.

세라마나는 한시름 놓고 단숨에 뛰어갔다.

람세스의 분노는 아비도스의 맑은 하늘을 찌를 지경이었다.

신전의 커다란 마당에는 사제와 관리들, 장인들, 그리고 신전의 운영과 관리를 책임지는 제관들이 모여들었다. 게으름과 무관심을 꾸짖는 군왕의 쩌렁쩌렁한 목소리에 겁을 집어먹은 그들은 모두 고개를 수그리고 바닥에 무릎을 꿇거나, 땅바닥에 코를 박고 엎드려 있었다.

람세스는 어떤 변명도 용납하지 않았다. 세티의 죽음을 핑계로 이렇게 부끄러운 행동을 하다니 말이나 되는 얘긴가? 어떤 계기에서든 무질서와 무기력이 이런 식으로 유포되고 만연된다면 아무도 자기의 의무 따위는 생각지 않게 되어버린다.

모두들 엄벌을 받을 것이라고 두려워했다. 그러나 젊은 파라오는 뜻밖에도 세티의 카에 두 배의 제물을 바치라고 지시했을 뿐, 벌을 내리지 않았다. 그는 과수원을 하나 만들어 나무를 심고, 문에 금칠을 하고, 신전 건축을 계속하고, 세티의 조상을 마저 만들고, 매일 제사를 드리라고 지시했다. 그는 오시리스의 신비를 경배하기 위해

배를 한 척 건조할 계획임을 밝혔다. 신전 소유의 땅을 경작하는 농부들은 세금을 면제받을 것이며, 신전도 이번처럼 직무를 태만히 하지만 않는다면 많은 재산을 소유하게 될 것이다.

사람들은 신전의 큰 마당을 조용히 빠져나갔다. 그들은 왕의 관용에 감사하면서 앞으로 왕의 진노를 살 짓은 하지 않겠다고 다짐했다.

마음이 가라앉은 람세스는 아비도스의 '하늘'인 중앙 사당 안으로 들어갔다. 어둠 속에서 비밀스러운 빛이 빛나고 있었다. 그곳에서 람세스는 별들과 함께 있는 아버지의 영혼과 하나가 되었다. 그러는 동안에도 태양의 배는 영원한 여행을 계속하고 있었다.

26

세나르는 기쁨의 탄성을 지르고 싶을 정도였다.

물론, 람세스의 침실에 전갈을 집어넣은 일은 실패로 끝났다. 어차피 그는 증오 때문에 눈이 멀어버린 왕의 옛 개인교사가 제안한 계획이 성공할 거라고는 생각하지 않았다. 람세스의 힘을 약화시키거나 그에게서 육체적인 힘을 빼앗는다는 것은 쉬운 일이 아니다. 그러나 그 경험으로, 제아무리 완벽한 경호 체제라도 빈틈은 있게 마련이라는 것을 알게 되었다.

세나르의 기쁨은 거기에서 끝나지 않았다. 나일 강 위를 미끄러져가는 배 위에서 벌어진 야회가 끝날 무렵 아샤가 멋진 소식을 전해준 것이다. 사람들이 조금 남아 있긴 했지만 워낙 취해서 뱃고물에서 두 사람이 나누는 대화 따위는 귀담아듣지 않았을 것이다. 한 고위관리가 먹은 것을 토해내고 있어 사람들의 주의는 온통 거기에 쏠려 있었다.

─정보부장이라구? 내가 꿈을 꾸고 있는 건 아닌가?

─아뇨, 이건 현실입니다.

─그럼 짐작건대, 나를 정탐하라는 임무도 주어졌겠군.

─그렇습니다.

─그러니까 나는 아무런 힘도 없이 그저 변덕스러운 사교계 인사 노릇이나 하면 된다 이거지.

─그것이 바로 왕이 바라는 바입니다.

─우리, 그 소원이 이루어지게 해주세. 아샤! 난 내 역할을 완벽하게 해낼 거야. 내가 제대로 이해한 것이라면, 자네는 히타이트 족의 정세에 관한 주요 정보 책임자가 되겠군.

─그럴 가능성이 농후합니다.

─우리의 동맹관계가 자네에게 적합한가?

─그 어느 때보다도 그렇습니다. 람세스는 폭군입니다. 전 그 점을 확신하게 되었습니다. 그는 다른 사람을 무시하고, 자기 자신만 믿습니다. 그의 자만심 때문에 이 나라는 재난에 빠지게 될 겁니다.

─우리의 분석은 계속 일치하는군. 자네는 모든 위험을 헤쳐나갈 결심이 되어 있나?

─제 입장은 변함이 없습니다.

─왜 람세스를 그렇게까지 싫어하지?

─그가 람세스이기 때문입니다.

푸르른 벌판 한가운데 자리잡은, 미소짓는 아름다운 여신 하토르의 신전은 하늘과 땅 사이의 조화의 찬가였다. 신전 가까운 곳에 늘어선 커다란 단풍나무들이 신전과 그 부속건물들에 그늘을 드리

위주고 있었다. 그 부속건물들에는 음악 학교가 포함되어 있었다. 네페르타리는 별들의 춤을 전수받은 하토르 여사제들의 여군주로서 이 신전에 들르게 된 것이 너무나 기뻤다. 신전을 방문하는 동안 그녀는 신전에서 몇 시간 동안 명상에 잠겨보고 싶었다.

아비도스에서의 문제를 처리한 뒤 왕의 함대는 다시 남쪽을 향해 떠나야 했다. 그러나 왕비가 떠나기 전에 이 신전을 꼭 방문하고 싶어했던 것이다.

람세스는 걱정스러워 보였다. 네페르타리가 물었다.

─뭘 생각하고 있어요?

─아몬 사제의 임명에 대해 생각하고 있소. 아메니가 몇몇 후보자들의 서류를 넘겨주었지만 마음에 드는 사람은 하나도 없소.

─어머님께 말씀드려보셨어요?

─어머님 생각도 내 생각과 같아요. 모두 아버님께서 물리치셨던 사람들이오. 명예욕에 눈먼 자들이거나 자기 잇속만 채우려는 자들이지.

네페르타리는 돌에 새겨진 하토르 여신의 우아한 얼굴을 바라보았다. 갑자기, 왕비의 눈길에 이상한 빛이 감돌았다.

─네페르타리······.

그녀는 대답하지 않았다. 어떤 환상에 사로잡혀 있는 것 같았다. 람세스는 그녀가 자기에게서 영영 달아나버릴까 두려워 그녀의 손을 꼭 잡았다. 온화한 얼굴의 하토르 여신이 그녀를 하늘로 데려갈 것만 같았다. 그러나 왕비는, 이제 마음이 놓인다는 듯이 람세스의 품속에서 조그맣게 몸을 웅크렸다.

─전 멀리 떠났었어요. 아주 멀리······ 빛의 바다가 펼쳐져 있고, 노래하는 목소리가 들려왔어요. 그 목소리의 메시지를 알아들었어요.

─뭐라고 합디까?

　─추천된 사람들 중 아무도 선택하지 말라고 하셨어요. 우리는
아몬 대사제를 찾으러 떠나야 해요.

　─내겐 시간이 많지 않소.

　─저 너머의 신비한 목소리를 들어보세요. 이집트가 탄생한 이후
로 파라오의 행동을 이끌어왔던 것은 그 목소리가 아니었던가요?

　여류 음악인들의 책임자가 왕과 왕비를 맞았다. 그녀는 신전의
정원에서 그들에게 음악을 들려주었다. 네페르타리는 그 감미로운
순간을 즐기고 있었지만, 람세스는 초조해서 속이 부글부글 끓었
다. 개인적인 야망이 없는 아몬 대사제를 찾아내기 위해 또다른 계
시를 기다려야 하는 것일까?

　람세스는 배로 돌아가 아메니와 그 문제를 의논해보고 싶었지만,
신전과 신전의 작업장과 창고들을 둘러보아야 했다. 어느 곳이나
아름다웠고, 또 질서가 잡혀 있었다.

　신성한 호수 가장자리에서 람세스는 근심을 잊었다. 사방은 고즈
넉했고 붓꽃과 수레국화 화단은 부드러웠다. 저녁 제사를 드리기
위해 물을 뜨러 온 여사제들이 줄을 서서 천천히 걸어가고 있었다.
이런 곳에서는 아무리 고통스러운 영혼이라도 가라앉힐 수 있을 것
같았다.

　한 노인이 잡초를 뽑아 자루에 담고 있는 모습이 보였다. 그의
행동은 느릿느릿했지만 정확했다. 불필요한 동작이 없이, 넘치지도
모자라지도 않는 행동은 그대로 경지에 이른 자의 모습이었다. 왕
과 왕비에게 등을 돌린 채 한쪽 무릎을 땅바닥에 꿇고 자기 일에
열중해 있는 노인을 방해할 수 있는 자는 아무도 없어 보였다. 설
령 그가 왕이라 해도.

　네페르타리가 노인을 보며 조용한 목소리로 말했다.

―꽃들이 너무나 아름답군요.

노인이 무뚝뚝한 목소리로 대답했다.

―나는 꽃들에게 사랑하는 마음으로 말을 건넨다오. 그러지 않으면 비뚤게 자라거든.

―저도 그런 걸 본 적이 있어요.

―아, 그래요? 이렇게 아름다운 젊은 여자분이 정원 일을 하십니까?

―시간이 나면요. 일과중에 짬이 날 때 말이지요.

―아주 바쁜 모양이지요?

―제가 하는 일 때문에, 별로 틈이 나질 않아요.

―여사제들의 상급자이신가?

―그 일도 제가 하는 일 중의 하나지요.

―다른 일도 하시고? 아이구, 용서하십시오. 부인을 그런 질문으로 귀찮게 해드릴 이유가 전혀 없는데 말씀이오. 꽃들에 대한 사랑을 나누는 건 사람을 만나는 가장 좋은 방법 중의 하나지요. 서로 더 알려고 하지 않아도 되고 말이오.

어디가 아픈지 노인이 얼굴을 찡그렸다.

―이 왼쪽 무릎 때문에…… 이따금 무릎이 아파서 일어나기가 힘들다오.

람세스가 정원사에게 팔을 내밀었다.

―고맙습니다, 왕자님…… 이 늙은이의 눈엔 적어도 왕자님은 되어 보이시는군요.

―덴데라의 대사제가 이렇게 정원을 가꾸라고 시키던가요?

―그래요, 그분이 시키셨지요.

―사람들 말로는 아주 엄격한 분이라 하더군요. 아파서 여행을 못 하신다구요.

—맞습니다. 이 젊은 부인처럼 왕자님도 꽃을 좋아하십니까?

—꽃을 심는 건 제가 가장 좋아하는 소일거리지요. 대사제님과 이야기를 나누어보았으면 좋겠군요.

—무슨 일이 있으신가요?

—대사제 선출 회의 때 안 오셨거든요. 그 회의가 끝나면 그분의 동료들은 람세스에게 미래의 아몬 대사제를 천거해야 합니다.

—신들의 그 늙은 종이 꽃이나 가꾸게 내버려두시면 안 되겠습니까?

람세스는 그제서야 깨달았다. 대사제는 정원사의 옷으로 모습을 숨기고 꽃을 가꾸고 있었던 것이다.

—무릎이 아프긴 하지만, 그분이 배를 타고 테베까지 못 가실 것 같진 않군요.

—오른쪽 어깨도 좋은 편이 아니랍니다. 세월의 무게가 워낙 무겁게 짓눌러서요…… 그리고…….

—덴데라 대사제께서는 자신의 운명이 불만족스러운 모양이지요?

—그 반대랍니다, 폐하. 그는 이 신전 경내에서 여생을 조용히 보낼 수 있도록 사람들이 자기를 가만히 내버려두었으면 하지요.

—그런데 만일 파라오가 그에게, 동료들이 그의 경험을 참고할 수 있도록 대사제 선출 회의에 와달라고 직접 부탁한다면 어떻게 할까요?

—만일 파라오께서, 젊은 나이에도 불구하고 어느 정도 경륜이 있으신 분이라면, 그 늙은이에게서 그런 피곤한 일을 면해주실 테지요. 저 담장에 기대놓은 지팡이를 나에게 전해주신다고 람세스님께서 뭐라 하시진 않겠지요?

왕이 지팡이를 노인에게 가져다주었다.

—잘 보십시오, 폐하. 이 늙은 네부는 걷는 것도 힘이 든답니다.

누가 그를 억지로 정원에서 끌어내겠습니까?

　―덴데라 대사제로서, 적어도 이집트의 왕에게 충고라도 해주실 순 있지 않습니까?

　―제 나이가 되면, 입을 다물고 있는 편이 더 낫답니다.

　―피라미드 시대 이래 주옥 같은 잠언으로 우리의 정신에 자양을 공급해주신 현자 프타 호텝의 생각은 그와는 다릅니다. 예하의 말씀은 너무 귀중해서 나는 그 말씀을 듣고 싶습니다. 아몬 대사제의 자리에 어떤 사람이 가장 적합하겠습니까?

　―난 평생을 덴데라에서 지냈고, 한번도 테베에 가본 적이 없습니다. 인사 문제는 제가 잘 해결할 수 있는 문제가 아닙니다. 폐하, 황공한 말씀입니다만, 소승은 일찍 잠자리에 드는 버릇이 있어서…….

네페르타리와 람세스는 점성가들을 대동하고 신전의 테라스에서 얼마간의 밤시간을 보냈다. 밤하늘에는 수천 개의 영혼들과, 극 주위에 총총히 모인 불멸의 별들이 운행하고 있었다. 보이는 것과 보이지 않는 것을 연결해주는 축은 그 극을 관통하는 것이다.

그리고 난 다음 왕과 왕비는 궁전 안으로 들어갔다. 궁전의 창문들은 벌판을 향해 열려 있었다. 시골풍 가구들이 갖추어진 자그마한 궁전이었지만, 그곳은 천국 같았다. 네페르타리는 람세스의 품에 안겨 행복한 꿈속으로 빠져들어갔다.

새들의 노랫소리가 짧은 밤의 어둠을 흩어놓았다.

아침 제사를 드리고 푸짐한 아침식사를 마친 후 궁전에 딸린 연못에서 수영하고 나서 람세스와 네페르타리는 출발을 준비했다. 그때 람세스가 갑자기 행렬을 빠져나가더니 신성한 호수 가까이에 있는 정원으로 향했다.

네부는 쪼그리고 앉아 자기가 심어놓은 금잔화와 참제비고깔을 살펴보고 있었다.

　—네부, 그대는 왕비를 소중하게 여기시오?

　—폐하, 이 늙은이에게서 무슨 대답을 기대하십니까? 그분은 아름다움과 지성의 화신이십니다.

　—그렇다면, 왕비의 생각을 망령되이 여기진 않겠구려.

　—왕비께서 어떤 생각을 하셨는데, 그러십니까?

　—그대를 그대의 평온으로부터 끌어내어 민망하오만, 내 그대를 테베로 데리고 가야겠소이다. 그것이 왕비의 생각이고, 원하는 바요.

　—어떤 의도로 저를 테베로 데려가시겠다는 겁니까?

　—그대를 카르낙의 아몬 대사제에 임명하려고 하오.

27

왕의 함대가 나일 강물을 환하게 물들이며 카르낙의 부두로 돌아오자 테베 시 전체가 발칵 뒤집혔다. 람세스가 이렇게 일찍 돌아온 이유가 무엇일까? 수많은 소문들이 달리는 말처럼 빠른 속도로 퍼져나갔다. 왕이 아몬의 성직자들을 내쫓고 테베 시의 규모를 축소하려 한다는 얘기도 있었고, 왕이 여행중에 병을 얻어 궁전에서 다 죽어간다는 얘기도 있었다. 젊은 파라오의 등극이 너무 빨랐던 것 아닐까? 하늘이 그의 과욕을 벌하려는 건지도 모른다.

히타이트의 첩자 시리아인 라이아는 궁금해서 죽을 지경이었다. 그가 어떤 사안에 대하여 이번처럼 아무 정보도 얻지 못하고 있는 것은 처음 있는 일이었다. 라이아에겐 보부상이라든가 강가에 가게를 차려놓고 장사하는 사람들로 이루어진 조직망이 있어서 테베를 떠나지 않고도 왕의 이동경로가 어떻게 되는지, 그가 사이사이 어떤 결정을 내렸는지 다 전해들을 수 있었던 것이다.

하지만 람세스가 서둘러서 테베로 돌아온 이유만큼은 통 알 수가 없었다. 왕이 아비도스에 들른 건 예상했던 일이지만 북쪽으로 계속 나아가지 않고 다시 남쪽으로 내려와 덴데라에 머문 건 뜻밖이었다.

람세스는 예측할 수 없는 사람이었다. 고문관들이 흘리는 이야기들은 대부분 라이아의 귀에까지 들어오는데, 고문관들의 말을 듣지 않고 불같이 행동하는 데야 방법이 없었다. 라이아는 분통을 터뜨렸다. 이 젊은 왕은 통제하기 어려운 만만치 않은 적수였다. 라이아가 가진 무기들을 최대한 활용할 수 있으려면 세나르가 있는 재주 없는 재주를 다 동원해주어야 한다. 갈등이 표면화되면 람세스는 라이아가 생각했던 것보다 훨씬 더 격하고 위험한 인물로 떠오를 사람이다. 그러자면 수동적인 대응 방식은 더이상 쓸모가 없다. 라이아는 자기 조직에서 능력이 없는 자들과 무기력한 자들을 제거하고, 속도전으로 강하게 치고 나가야겠다고 생각했다.

머리에는 푸른 관을 쓰고 주름이 잡힌 아마로 만든 긴 드레스를 입고 오른손에 왕홀을 든 람세스는 위풍당당함 그 자체였다. 대사제 선출회의가 열리고 있는 신전의 홀 안으로 람세스가 들어서자 회의가 중단되었다. 람세스가 좌중을 둘러보며 물었다.

─나에게 추천할 이름은 정하셨소?

헬리오폴리스의 대사제가 말했다.

─폐하, 계속 토의하고 있는 중입니다.

─이제 토의를 중단하시오. 여기 새로운 아몬 대사제를 소개하겠소.

지팡이를 짚고 네부가 회의실로 들어왔다. 사이스의 대사제가 소리를 질렀다.

—네부! 난 당신이 아파서 움직이지도 못하는 줄 알았소!

—그렇습니다. 그런데 폐하께서 기적을 일으키셨지요.

아몬의 제2사제가 항의했다.

—당신 나이에는 조용히 은퇴하고 싶지 않으십니까? 카르낙과 룩소르의 경영은 힘든 일이란 말입니다!

—그 말이 맞습니다. 하지만 누가 감히 왕의 의지에 맞설 수 있겠습니까?

람세스가 분명히 잘라 말했다.

—내 칙령은 이미 바위에 새겨졌소. 네부가 대사제에 임명되었음을 여러 개의 비문에 새겨 백성들에게 선포하게 될 것이오. 여러분 중에 그가 이 자리에 임명될 자격이 없다고 생각하는 사람이 있소?

아무도 항의하지 못했다.

람세스는 네부에게 황금반지 하나와, 금과 은의 합금인 호박금 지팡이 하나를 주었다. 반지와 지팡이는 왕의 힘을 상징하는 것들이었다.

—그대는 이제부터 아몬의 대사제이니, 아몬의 보물과 곡식 창고를 관장하도록 하라. 아몬의 신전과 그 땅의 윗사람으로서 정직하고 성실하며 세심하라. 그대 자신을 위하여 일하지 말고, 신의 카를 증대시키기 위하여 일하라. 아몬께서는 영혼의 깊이를 헤아리시고 가슴을 꿰뚫어보시니, 그는 각자의 존재 안에 무엇이 숨어 있는지 아시는 분이시다. 그가 그대에게 만족하신다면, 사제들의 머리에 오래 머무르시어 행복한 노후와 장수를 베풀어주실 것이다. 마아트의 규범을 존중하고 그대의 의무를 다하겠노라고 서약하느뇨?

네부가 람세스 앞에 허리를 굽혀 절하면서 선언했다.

―파라오의 생명에 걸고 서약하겠습니다.

아몬의 제2사제와 제3사제는 분노하고 낙담했다. 람세스는 자기가 손짓 한 번만 하고 눈 한 번만 꿈쩍하면 시키는 대로 할 노인네를 신전의 최고 성직자로 임명했다. 뿐만 아니라, 정체불명의 바크헨이라는 자를 제4예언자 자리에 앉힌 것이다! 바크헨, 왕의 맹목적인 추종자인 그자는 노인네를 감시하면서 카르낙의 실질적인 주인 행세를 할 것이다. 앞으로 당분간은 카르낙의 독립이 쉽지 않을 것 같았다.

두 고위 성직자들은 이집트에서 가장 부유한 지역의 지배자가 될 수 있다는 희망을 이제 전혀 가질 수 없게 되었다. 어쩌면 네부와 바크헨에 치어서 조만간 사임해야 할지도 모른다. 그러면 이제까지 쌓아온 경력이고 뭐고 다 물거품이 되고 마는 것이다. 그들은 당황해서 동맹자를 찾았다. 셰나르의 이름이 머리에 떠올랐지만, 그 역시 외무대신이 되면서 왕의 편이 되어버렸을지도 모른다.

그러나 더이상 잃을 것도 없다고 판단한 제2예언자는 람세스의 결정에 반대하는 모든 아몬 사제들의 이름으로 셰나르를 만나러 갔다. 그는 물고기들이 노니는 연못 가장자리에 두 개의 말뚝을 박고 커다란 천막을 쳐서 만든 그늘로 안내되었다. 하인이 그에게 캐롭 주스를 내놓고는 사라졌다. 셰나르는 들여다보고 있던 파피루스를 둘둘 말면서 사제에게 말했다.

―어디서 본 듯한 얼굴인데…….

―저는 아몬의 제2예언자인 도키라는 사람입니다.

그 사람은 셰나르의 마음에 들었다. 작은 키, 삭발한 머리, 좁은 이마, 개암열매 같은 눈, 공격적으로 보이는 긴 코와 턱을 가지고 있었다. 긴 코와 턱 때문에 악어 대가리를 연상시키는 얼굴이었다.

―내게서 무슨 도움을 바라시오?

―어쩌면 제가 서투른 사람이라고 생각하실지도 모르겠습니다만, 저는 의전 절차라든지, 채빈 치례 같은 건 거의 모르는 사람입니다.

―그런 건 피차 생략하기로 합시다.

―네부라는 노인네가 얼마 전에 아몬의 제1예언자인 대사제로 임명되었습니다.

―제2예언자로서 당신은 그 자리에 내정되어 있었겠군요. 내 말이 맞지 않습니까?

―돌아가신 대사제께서도 그런 생각을 제게 숨기지 않으셨습니다. 하지만 왕은 저를 무시했습니다.

―왕의 결정을 비판하는 건 위험한 일이지요.

―네부는 카르낙을 이끌 능력이 없습니다.

―내 동생의 친구인 바크헨이 뒤에 숨어서 주인 노릇을 하겠지요.

―이렇게 대놓고 여쭈어보는 걸 용서해주시기 바랍니다. 이 조처를 인정하십니까?

―그건 현실로 나타난 파라오의 의지입니다.

도키는 실망했다. 셰나르는 람세스 진영의 사람이 된 것이다. 사제가 자리에서 일어났다.

―더 오래 귀찮게 굴지 않겠습니다.

―잠깐만…… 당신은 이미 끝난 사실을 받아들이려 하지 않고 있는 겁니다.

―왕은 아몬 성직자들의 힘을 약화시키려고 합니다.

―그와 맞설 방법이 있습니까?

―저는 혼자가 아닙니다.

―당신은 누굴 대표합니까?

―고위 성직자들 중 상당수와 대부분의 사제들이 저와 생각을 같이하고 있습니다.

―행동 계획을 가지고 있습니까?

―셰나르 나리! 우리는 역모를 꾸밀 생각은 없습니다.

―당신은 뜨뜻미지근한 사람에 불과하군요. 당신은 자신이 무얼 원하는지도 모르고 있소.

―저는 도움이 필요합니다.

―그럼 우선 당신이 용기 있는 사람이라는 걸 보여주시오.

―하지만 어떻게…….

―그거야 당신이 찾아내야지.

―저는 한 사람의 사제에 불과합니다, 전…….

―당신은 야심가이거나, 아니면 무능력한 사람이오. 자신의 비참한 처지를 반추하는 것이 당신이 할 줄 아는 유일한 행동이라면, 난 당신에게 흥미없소.

―만일 제가 파라오 측근들의 평판을 떨어뜨리는 데 성공한다면요?

―그렇게 해보시오. 성공하면, 그때 다시 만납시다. 물론, 이 만남은 전혀 없었던 일이오.

도키의 마음속에 희망이 되살아났다. 그는 실현 가능성도 없는 수많은 계획을 마음속으로 세워보며 셰나르의 저택을 나섰다. 그렇게 열심히 찾다보면 영감이 떠오르겠지.

셰나르는 도키라는 인물에 대해 반신반의했다. 자질이 없어 보이진 않는데 우유부단하고, 남들에게 휘둘릴 것 같은 인물이었다. 자신의 대담성에 지레 겁을 집어먹고 람세스와의 싸움을 포기할지도 모른다. 그러나 어쩌면 동지가 될지도 모르는 사람을 절대로 소홀하게 다루어서는 안 된다. 그는 아몬의 제2사제라는 자의 진정한 성품을 알아보기 위해 치밀한 계획을 짰다.

람세스와 모세와 바크헨은 세티가 구상했고 그의 아들이 실현하게 될, 대열주들이 늘어선 거대한 홀의 건축 공사장을 돌아다니고 있었다. 바위들도 늦어진다거나 하는 법 없이 순조롭게 공급되었고, 다른 작업 팀들도 마찰 없이 잘 지냈다. 원초의 대양에서 솟아오른 파피루스를 상징하는 기둥들이 하나씩 속속 세워지고 있었다.

람세스가 모세에게 물었다.

—같이 일하는 사람들은 만족스러운가?

—사리는 다루기 쉽지 않은 사람일세. 그렇지만 굴복시켰다고 생각하네.

—그가 무슨 잘못이라도 저질렀나?

—인부들을 참을 수 없을 만큼 모욕적으로 다루고 그들의 배급량을 줄여서 착복하려 했네.

—법정으로 보내세.

—그럴 필요까지는 없을 것 같아.

모세가 장난스러운 표정으로 말했다.

—그를 내 손아귀에 쥐고 있는 것이 더 나아. 한계를 넘어서면 내가 직접 처리하면 되니까.

—너무 심하게 몰아대면, 자넬 고소할걸.

—걱정하지 마시게. 사리는 겁쟁이니까.

바크헨이 물었다.

—그는 폐하의 개인교사가 아니었습니까?

람세스가 대답했다.

—그랬지. 능력 있는 개인교사였네. 하지만 어떤 광기가 그를 사로잡았어. 그가 저지른 가증스러운 죄악을 생각하면, 다른 사람 아

닌 바로 내가 그를 오아시스의 도형장으로 보내야 했네. 일을 하다 보면 이성을 좀 되찾겠거니 했는데……

모세가 말했다.

─지금까지 나타난 결과들을 보면 별로 희망적이지 못하지.

─자네가 그토록 애쓰고 있으니 결과가 있겠지…… 하지만 여기 서는 아닐세. 며칠 뒤에, 우린 북쪽으로 떠날 거야. 자네도 떠나세.

모세는 당황한 것처럼 보였다.

─이 대열주의 홀 공사는 아직 끝나지 않았잖은가!

─이 일은 아몬의 제4예언자인 바크헨에게 맡기겠네. 이 사람에 게 이것저것 충고해주고 필요한 지시사항도 일러주게. 이 사람이 공사를 끝내고 또 룩소르 신전의 증축도 맡게 될 거야. 기둥과 탑 문, 그리고 오벨리스크가 다 세워지고 나면 얼마나 장관이겠나! 공 사를 빨리 진척시키게, 바크헨. 운명이 나에게 짧은 인생만을 허용 하실지도 모르지 않나. 나는 그 장엄한 신전들이 완성되는 걸 보고 싶다네.

─믿고 맡겨주시니 영광입니다, 폐하.

─바크헨, 나는 허수아비들을 임명한 게 아닐세. 늙은 네부는 자 기 일을 수행할 것이고, 자네는 자네 일을 하게. 그는 카르낙 관리 를 맡고, 자네는 대형 공사장을 맡는 거야. 어려운 일이 있으면 두 사람 모두 내게 알려주게. 일을 시작하게, 그리고 일만 생각하게.

파라오와 모세는 공사장을 나와서 규범이며 진리이며 정의인 마 아트 여신의 사당으로 가는 길로 접어들었다. 길 양 옆에는 타마리 스 나무가 늘어서 있었다. 왕이 속마음을 털어놓았다.

─나는 이곳에서 명상에 잠기길 좋아해. 이곳에 오면 내 정신은 조용히 가라앉고, 판단력도 더욱 분명해지지. 자기 자신을 잊을 수 있는 저 사제들은 얼마나 운이 좋은 사람들인가! 신전의 돌 하나하

나에서 신들의 혼이 느껴져. 어떤 제단에서나 신들의 말씀이 계시된다네.

　─어째서 나에게 카르낙을 떠나라 하시는가?

　─모세, 멋진 모험이 우릴 기다리고 있네. 우리가 아샤와 아메니와 세타우와 더불어 진정한 힘에 대해 애기했던 기억 나나? 나는 파라오만이 진정한 힘을 소유하고 있다고 확신했었지. 마치 불꽃이 날벌레들을 끌어들이듯이 그 불이 나를 끌어들였다네. 아버님께서 그것을 살아낼 수 있도록 나를 준비시켜주시지 않았더라면 난 아마 그 불에 타버렸을 걸세. 내가 쉬고 있는 동안에도 어떤 힘이 내 안에서 말씀하신다네. 그리곤 나에게 집을 지으라고 명령하시는 거야.

　─어떤 계획을 염두에 두시는가?

　─너무나 엄청나서 감히 자네에게 말할 용기가 나질 않아. 여행하는 동안 곰곰 생각해보겠네. 그것을 잘 이끌어갈 수 있다면, 자넨 이 계획과 밀접한 관계를 맺게 될 거야.

　─솔직하게 말하면, 난 좀 놀랐네.

　─왜?

　─난 왕은 친구들은 잊어버리고, 대신들이나, 국시(國是), 권력의 강제적 요구 따위에만 마음을 쓰실 거라고 생각했었네.

　─날 잘못 봤군, 모세.

　─앞으로는 어때? 달라지실 건가?

　─사람은 자기가 도달하고자 하는 목표에 따라서 변하지. 내 목표는 내 나라의 위대함일세. 그리고 그것은 결코 변하지 않을 거야.

28

람세스의 옛 개인교사 사리는 좀처럼 화가 풀리지 않았다. 왕국
의 엘리트들을 교육하던 자기가 초라한 벽돌공 분임조 따위나 감독
하고 앉아 있어야 하다니! 게다가 그 모세라는 자식은 힘 좀 쓴답
시고 자기를 끊임없이 위협하고 있으니! 날이 갈수록 그는 자기가
당하고 있는 모욕과 조롱을 견디기 힘들었다. 인부들을 부추겨서
그 히브리놈을 애먹여볼까 궁리도 해보았지만 모세의 인기가 워낙
좋아서 자기의 모함은 아무런 반향도 불러일으키지 못했다.

모세는 시키는 대로 하는 자에 불과하다. 그 윗대가리를 쳐야 한
다. 자기를 불행과 영락 속에 빠뜨린 자에게 복수해야 한다.

그의 아내 돌렌테는 쿠션들 위에 축 늘어져서는 남편의 불평에
고개를 끄덕였다.

―나도 당신처럼 람세스를 미워해요. 하지만 당신이 생각하는 해결책은 위험해요. 너무나 위험해서…….

―위험할 게 뭐가 있소?

―여보, 난 무서워요. 그런 음모는 그걸 꾸며낸 사람에게 되돌아오는 법이에요.

―그렇지만 당신은 잊혀지고 경멸당하고, 그리고 나는, 나는 끔찍한 학대를 받고 있소! 어떻게 이런 식으로 계속 살아간단 말이오?

―알아요, 사리. 안다구요…… 하지만 그렇게까지 한다는 건…….

―나랑 같이 가겠소? 아니면 나 혼자 가리까?

―난 당신의 아내예요.

그는 그녀가 일어나도록 도와주었다.

―잘 생각해본 거예요?

―한 달 전부터 끊임없이 생각해왔소.

―그런데 만일…… 누군가 우릴 고발하면 어떡해요?

―위험은 전혀 없어.

―어떻게 장담할 수 있어요?

―신중을 기했으니까.

―충분할까요?

―믿어도 돼.

―포기하면 안 될까요…….

―안 돼, 돌렌테. 결심해요.

―가요.

부부는 수수한 옷으로 갈아입고 길을 나서서 어느 골목길로 접어들었다. 외국인들이 많이 사는 테베의 서민가로 이어지는 길이었다. 람세스의 누이는 불안한 기분을 떨쳐버리지 못하고 남편 옆에 꼭 붙어서 걸었다. 그녀는 길을 따라가다가 머뭇거렸다.

─사리, 길을 잃은 것 아녜요?

─물론 아니오.

─아직 멀었어요?

─마을 두 개만 지나면 돼요.

그곳 사람들이 낯선 침입자들을 바라보듯 그들의 얼굴을 뚫어지게 바라보았다. 그러나 사리는 사시나무 떨듯 떨고 있는 아내를 끌고 고집스럽게 앞으로 나아갔다.

─자, 여기요.

사리는 그 위에 전갈의 시체를 못으로 박아놓은, 나직한 붉은 문을 두들겼다. 한 노파가 문을 열어주었다. 부부는 나무 계단을 따라 내려가 기름 램프가 타고 있는 축축한 동굴 같은 곳에 이르렀다.

노파가 알렸다.

─그가 왔어요. 의자에 좀 앉으시구랴.

돌렌테는 그곳이 너무 무서워서, 그냥 그대로 서 있고 싶었다. 흑마술은 이집트에서는 금지되어 있었지만, 엄청난 금액을 받고 흑마술을 부려주는 마법사들이 더러 있었다.

뚱뚱하고 비굴해 보이는 레바논 남자가 종종걸음으로 고객들을 향해 다가왔다. 그가 말했다.

─준비 됐습니다. 필요한 금액은 가져오셨겠지요?

사리는 조그만 가죽 부대에 든 것을 꺼내 마법사의 오른손에 쥐어주었다. 순도 백 퍼센트의 터키석 열 개였다.

─당신들이 돈을 내고 사신 물건은 동굴 밑바닥에 있습니다. 한쪽 옆을 보면, 생선 가시가 있을 겁니다. 그걸로 당신들이 주문을 걸고 싶은 사람의 이름을 새기고 나서 그 물건을 깨뜨리면 그 사람이 병에 걸리게 되죠.

마법사가 말하는 동안 돌렌테는 숄로 얼굴을 가리고 있었다. 남편과 단둘이 있게 되자, 그녀는 얼른 남편의 손목을 움켜쥐었다.

─우리 돌아가요. 너무나 끔찍해요!

─조금만 참아요. 이제 잠시면 끝나.

─람세스는 내 동생이란 말예요.

─당신 잘못 생각하고 있어. 그는 이제 우리의 불구대천의 원수요. 두려워하지도 말고 후회도 하지 말고 행동해야 돼. 위험할 거전혀 없어요. 람세스는 누가 자기를 치는지도 모를 텐데 뭘.

─그래도 어쩌면 누군가⋯⋯.

─지금은 물러설 때가 아니오, 돌렌테.

동굴 속에는, 괴물들과 악령을 나타내는 이상한 기호들로 뒤덮인 제단 같은 것이 있었다. 그 위에는, 얇은 석회판 하나와 길고 두껍고 뾰족한 생선 가시 하나가 놓여 있었다. 석회판에는 갈색 자국이 얼룩덜룩 나 있었다. 마법사가 사악한 힘을 배가시키기 위해 뱀의 핏속에 담갔던 흔적이었다.

사리는 생선 가시를 집어들고, 신성문자로 람세스의 이름을 새기기 시작했다. 돌렌테는 고통스러워서 눈을 감았다. 사리가 돌렌테에게 명령을 내렸다.

─당신 차례야.

─아녜요, 난 할 수 없어요!

─부부가 같이 주문을 걸지 않으면, 효력이 떨어진대요.

─내 손으로 람세스를 죽이고 싶지 않아요.

─죽지 않아. 마법사가 약속했소. 병이 나서 왕 노릇을 할 수 없게 되는 것뿐이오. 세나르가 섭정공이 되고, 우리는 멤피스로 돌아가게 되는 거야.

─난 못 해요.

사리는 아내의 오른손에다 생선 가시를 놓아주고 손가락으로 쥐게 했다.

―람세스의 이름을 새겨요.

사리는 손을 덜덜 떠는 돌렌테를 도와주었다. 비뚤비뚤 그려진 신성문자는 왕의 이름, 람세스였다.

이제는 얇은 석회판을 깨기만 하면 된다. 사리가 석회판을 꽉 움켜쥐었다. 돌렌테가 다시 얼굴을 가렸다. 그녀는 이 끔찍한 짓거리의 증인이 되고 싶지 않았다.

있는 힘을 다했지만, 사리는 석회판을 깨지 못했다. 석회판은 마치 화강암으로 만들어진 것처럼 단단했다. 화가 난 사리는 지하실에 굴러다니는 돌멩이로 주문에 걸린 석회판을 힘차게 내리쳤다. 그러나 실패였다. 사리가 중얼거렸다.

―이해할 수가 없어…… 이 판은 얇잖아. 이렇게 얇은데 말야.

돌렌테가 큰 소리로 울부짖었다.

―람세스는 보호받고 있어요! 아무도 그를 해칠 수 없어요. 마법사도 못 하잖아요. 여길 떠나요. 빨리. 떠나자구요!

부부는 서민가의 골목길을 헤매고 다녔다. 뱃속까지 뻣뻣해질 정도로 공포에 사로잡힌 사리가 길을 찾지 못했기 때문이다. 그들이 지나칠 때마다 열려 있던 문들이 황급히 닫혔다. 빠끔히 열린 덧창 뒤에 숨은 눈들이 그들을 훔쳐보고 있었다. 돌렌테는 더운 날씨에도 아랑곳없이 계속해서 숄로 얼굴을 가리고 있었다.

맹금 같은 인상을 풍기는 마른 체격의 사나이가 그들에게 다가왔다. 그의 어두운 초록색 눈동자가 불길한 빛으로 번쩍였다.

―길을 잃으셨습니까?

사리가 대답했다.

―아니오, 비켜서시오.

―나는 적이 아닙니다. 당신들을 도울 수 있습니다.

―우리가 알아서 할 거요.

―이 동네에선 이따금 강도를 만나게 되기도 합니다.

―우린 막을 수 있소.

―무기를 들고 떼지어 덤벼들면, 방법이 없죠. 보석을 지니고 있는 사람이라면 이 동네에선 군침 넘어가는 먹이죠.

―우린 보석 같은 거 가지고 있지 않아요.

―레바논인 마법사에게 터키석으로 값을 지불하지 않으셨습니까?

돌렌테가 남편에게 꼭 붙어섰다.

―말도 안 되는 소리 하지 말아요.

―당신들은 다 조심성 없이 행동했어요. 이거…… 당신들이 잃어버리신 거 아닙니까?

마른 남자는 람세스의 이름이 쓰여진 석회판을 내놓았다.

돌렌테가 눈이 허옇게 뒤집어지면서 남편의 품안에 쓰러졌다.

―파라오에게 흑마술을 부리는 행위는 무조건 사형이죠. 모르셨던가요? 아, 당신들을 고발하려는 건 아니니까, 안심하십시오.

―뭘…… 도대체 뭘 원하는 거요?

―도와드리려는 겁니다. 아까 말씀드리지 않았습니까? 왼쪽에 있는 집으로 잠깐 들어가시지요. 부인께서는 물을 좀 드셔야겠습니다.

흙을 다져서 바닥을 만든 그 집은 초라하지만 깨끗했다. 통통한 금발머리 여자가 사리를 도와 돗자리를 덮은 긴 의자 위에 돌렌테를 눕히고 물을 가져다주었다.

마른 남자가 선언하듯이 말했다.

―내 이름은 오피르요. 그리고 여긴 아케나톤 왕의 후손이며 이집트 왕좌의 계승자인 리타요.

사리가 대경실색했다. 돌렌테는 의식을 되찾았다.

―지금…… 농담하는 거요?

―아닙니다. 진실입니다.

사리는 금발머리 아가씨에게로 돌아섰다.

―이 사람이 지금 거짓말하는 거지요?

리타는 고개를 가로 저었다. 그녀는 그들에게도, 눈앞의 일에도 관심이 없다는 듯 그들로부터 떨어져 방구석에 쪼그리고 앉았다. 오피르가 말했다.

―놀라지 마십시오. 너무나 고통을 많이 당한 분이라, 사는 걸 다시 배우려면 시간도 많이 걸리고 힘들 겁니다.

―무슨 일을 당했는데요?

―사람들이 그녀에게 죽이겠다고 협박하고, 때리고, 가두었지요. 또 유일신 아톤에 대한 신앙을 부인하고 부모님의 이름을 잊어버리라고 강요하면서 그녀의 영혼을 파괴하려고 했지요. 내가 개입하지 않았더라면, 그녀는 가엾은 미친 여자에 불과했을 거예요.

―왜 저 여잘 돕는 겁니까?

―내 가족 역시 그녀의 가족처럼 박해를 당했으니까요. 우리가 살아 있는 이유는 단 한 가지, 복수입니다. 복수를 해서 리타에게 권력을 돌려주고 가짜 신들을 이집트 땅에서 내쫓을 겁니다.

―람세스는 당신들의 불행과는 무관하지 않소?

―왜요, 그는 백성을 속이고 압제하는 저주받은 왕조의 일원입니다.

―어떻게 살아남을 수 있었습니까?

―아톤 신을 섬기는 사람들이 우리를 숨겨주고 먹을 것을 가져다

주었습니다. 그들은 아톤 신께서 우리의 기도를 들어주실 거라는 희망을 가지고 있습니다.

　―그런 사람들이 아직도 많습니까?

　―당신들이 생각하는 것보다 많습니다. 그러나 침묵을 지키고 있지요. 리타와 나만 남더라도, 우리는 계속 싸울 겁니다.

　람세스의 누이가 항의했다.

　―그 시대는 지나갔어요. 그런 원한은 당신들 문제일 뿐이에요.

　오피르가 반박했다.

　―틀렸소. 당신들이 내 동지잖소.

　―사리, 우리 이 집에서 나가요. 이 사람들은 미쳤어요.

　오피르가 말했다.

　―난 당신들이 누군지 알고 있소.

　―거짓말 말아요!

　―당신은 람세스의 누이인 돌렌테요. 이 사람은 당신의 남편이자 파라오의 옛 개인교사였던 사리이고…… 람세스의 잔인함에 희생당한 두 분은 복수를 꿈꾸고 있죠.

　―그건 우리 일이요.

　―나는 당신들의 석회판을 가지고 있소. 내가 만일 이걸 총리대신의 사무실로 가져가서 당신들에게 불리한 증언을 한다면…….

　―이건 협박이군요!

　―내 동지가 돼주시오. 그러면 협박하지 않으리다.

　사리가 물었다.

　―우리에게 돌아오는 이익은 뭐요?

　―람세스에게 마법을 건다는 건 좋은 생각이오. 그러나 당신들은 전문가가 아닙니다. 당신들이 사용한 마술로는 평범한 사람들을 병들게는 할 수 있지만, 왕은 안 돼요. 일단 왕위에 오른 파라오는 보

이지 않는 힘들의 보호를 받게 되지요. 그래서 그의 주위에는 막 같은 것이 형성되어 있어요. 그를 보호해주는 힘들을 하나씩하나씩 부수어가야 합니다. 나와 리타는 그것을 할 수 있어요.

─우리에게 원하는 건 뭐요?

─집, 은신처, 그리고 사람들을 만날 수 있는 조용한 장소를 마련해주십시오.

돌렌테가 사리에게 다가갔다.

─그의 말을 듣지 말아요. 위험한 사람이에요. 우릴 해칠 거예요.

사리가 마법사에게 다가갔다.

─좋소. 이제 우린 동지요.

29

람세스는 카르낙의 성상 안치석을 밝혀주는 등잔에 불을 붙였다. 그곳은 신전에서 가장 비밀스러운 장소로서 왕과, 왕의 부재시에는 왕의 대리인인 대사제만이 들어갈 수 있는 곳이었다. 등잔에 불이 켜지자 성물(聖物) 중의 성물, '누워 있는 자' 아몬 신의 지상의 이미지를 간직하고 있는 분홍빛 화강암 제단이 나타났다. 아몬 신의 진짜 모습은 아무도 알 수 없다고 한다. 향이 서서히 타들어가면서, 신의 에너지가 보이지 않는 것과 보이는 것 안에서 현현하시는 이 장소를 향기롭게 만들었다.

왕은 성상 안치석에 찍혀 있는 진흙 봉인을 깨고, 빗장을 끄집어내어, 유물함 뚜껑을 열었다.

—매순간 창조하시는 근원의 힘이시여, 평화로이 깨어나소서. 그

대의 아들인 나를 알아보아주소서. 내 가슴이 그대를 사랑하오니, 그대에게 유익한 것을 이루기 위하여 그대의 가르침으로 나를 채우고자 여기 왔나이다. 평화로이 깨어나소서. 그리하여 그대의 사랑으로 인하여 살아가는 이 땅을 비추어주소서. 그대에게서 나오는 힘으로 존재하는 모든 것이 부활하게 하소서.

불을 켜 신의 조상을 밝히고 조상을 싸고 있던 아마 붕대를 벗겨낸 왕은 신성한 호수에서 떠온 물로 조상을 씻기고 연고를 바른 뒤 깨끗한 새 붕대로 다시 감쌌다. 그리고 자기의 목소리로 그 붕대들을 살아 있는 것으로 만들고, 조상 앞으로 다가가 이 시간 다른 신전에서 다른 사제들이 바치는 제물과 같은 제물을 바쳤다. 매일 아침 똑같은 제의가 이집트에 있는 모든 신전에서 치러지는 것이다.

드디어 최고의 제물을 바칠 순서가 되었다. 그것은 영원한 생명의 규범인 마아트의 제물이었다. 왕은 신에게 말했다.

─그대는 마아트로 인하여 살아 계십니다. 여신께서는 자신의 향기로 그대에게 생기를 불어넣어주시며, 자신의 이슬로 그대를 먹이십니다. 그대의 눈동자는 규범입니다. 그대의 존재 전체가 규범이십니다.

파라오는 성상에 다정하게 입맞추고 나서, 성상 안치석의 문을 닫고 빗장을 채우고 진흙 인장을 눌렀다. 내일은, 내부 대사제가 파라오의 이름으로 똑같은 제사를 치를 것이다.

람세스가 성상 안치석에서 물러나오자, 신전 전체가 잠에서 깨어났다. 사제들은 이제 인간들이 먹게 될 정화된 음식을 제단에서 거두어들였고, 카르낙의 부엌에서는 빵과 과자들이 만들어져 나왔으며, 푸주한들은 점심식사에 쓸 고기를 준비했다. 장색들은 일하기 시작했고, 정원사들은 꽃으로 신전을 장식했다. 평화롭고 행복한 하루가 시작된 것이다.

세라마나의 수레를 앞세운 람세스의 수레가 왕들의 계곡을 향해 굴러가고 있다. 아침 나절인데도 견디기 힘든 혹열이었다. 용광로처럼 뜨거운 계곡의 더위가 두려웠지만, 네페르타리는 고요했다. 목덜미 위에 올려놓은 젖은 헝겊과 양산이 그녀에게 이 시련을 견딜 수 있도록 해줄 것이다.

　람세스는 다시 북쪽으로 떠나기 전에 아버지의 무덤을 다시 보고, 아버지의 석관 앞에서 묵상하고 싶었다. 이집트어로 '생명의 주인'이라 불리는 석관은, 그 이름에 이미 그 역할이 암시되어 있다. 황금의 방의 신비 안에서, 세티의 영혼은 끊임없이 새로 태어나고 있다.

　두 개의 수레가 계곡의 좁은 입구에서 멈추어 섰다. 람세스는 네페르타리가 수레에서 내리는 것을 도와주었다. 경찰이 있었지만 세라마나는 직접 주위를 수색했다. 왕들의 계곡이라고 해서 안심할 수 있는 것은 아니었다. 사르디니아인은 계곡의 입구를 지키고 있는 경찰들의 얼굴을 뚫어져라 살펴본 뒤, 그들의 행동이 전혀 이상하지 않다는 결론을 내렸다.

　람세스가 세티와 람세스1세가 나란히 누워 있는 영원의 집을 향하지 않고 오른쪽 공사장으로 가는 길로 접어들자 네페르타리는 깜짝 놀랐다. 인부들이 곡괭이로 바위를 쪼아내고 있었다. 바위 파편들은 작은 바구니 속에 담겨 있었다.

　다듬어서 죽 늘어놓은 몇 개의 바위 덩어리 위에, 데이르 엘-메디네의 동업조합의 달인 한 사람이 파피루스를 펼쳐놓고 있었다. 그가 왕과 왕비 앞에 머리를 조아렸다. 람세스가 네페르타리에게 말했다.

　―이곳이 내 무덤 자리요.

―당신은 벌써 그 순간을 생각하고 있군요.

―파라오는 통치 원년부터 자신의 영원의 집을 설계하기 시작하는 거라오.

람세스가 그렇게 말하자, 네페르타리의 눈길에 어둡게 드리워져 있던 슬픔의 베일이 걷혔다.

―죽음은 매순간 우리와 함께 있죠. 당신 말이 맞아요. 죽음을 준비할 줄 알면, 죽음은 오히려 다정하게 느껴질 거예요.

―이 장소가 마음에 드오?

왕비는 그 공간을 음미하는 듯이, 바위와 땅의 깊이를 가늠해보며 아주 천천히 제자리에서 한 바퀴를 돌고는 눈을 감고 가만히 서 있었다. 그녀가 예언했다.

―이곳에서 당신의 몸은 쉬게 될 거예요.

람세스가 그녀를 꼭 껴안았다.

―비록 규범이 그대를 여왕들의 계곡에 묻도록 규정하고 있기는 하지만, 우리는 결코 헤어지지 않을 것이오. 그대가 누울 영원의 집을 신들에게서 사랑받는 이 땅에서 가장 아름다운 영원의 집으로 만들어주겠소. 자자손손 사람들은 그 집을 기억할 것이며, 그 아름다움을 노래할 것이오.

계곡의 힘과 그 장엄함이 왕과 왕비를 새로운 끈으로 묶어주었다. 그들을 결합시키는 강한 끈은 석공과 석수와 달인에게도 느껴졌다. 그들은 서로 사랑하는 한 여자와 한 남자를 넘어, 생과 사를 영원에 맡긴 한 명의 파라오와 한 명의 왕비로서 존재하고 있었다.

그 순간 일이 중단되고, 연장들이 침묵을 지켰다. 일꾼들은 모두 깨닫고 있었다. 하늘이 그 기둥 위에서 휴식하고, 땅이 즐거운 축제를 벌일 수 있도록, 나라를 다스리는 두 존재의 신비에 지금 자신들이 참여하고 있음을. 그 두 존재 없이는, 나일 강은 흐르지 않을 것이며, 물고기는 강물 위에서 더이상 뛰어오르지 않을 것이며, 새들은 창공에서 날지 않고, 인간들은 생명의 숨결을 빼앗기리라.

왕과 왕비가 포옹을 풀었다. 그러나 그들의 시선은 떨어지지 않았다. 그들은 이제 막 진정한 결혼의 문을 넘어섰던 것이다.

일꾼들이 다시 곡괭이질을 시작했고, 왕은 달인에게 다가갔다.

─그대가 구상한 설계도를 보자.

왕은 자기 앞에 펼쳐진 설계도면을 살펴보았다.

─첫번째 복도를 더 길게 만들고, 첫번째 방에는 네 개의 기둥을 세우고, 바위를 좀더 깊이 파고, 마아트의 방은 좀더 넓게 만들도록 하라.

달인이 내준 붓을 들고, 왕은 빨간색 잉크를 찍어서 선을 고치고, 자기가 요구하는 규모를 명확히 밝혔다.

─마아트의 방부터는 직각으로 만들도록 하라. 짧고 좁은 통로를 통해서 황금의 방에 이르게 하되, 그 방에는 여덟 개의 기둥을 세우고, 한가운데에 석관을 두도록 하라. 사자(死者)의 집기를 들여놓을 방은 이 방과 서로 통할 수 있게 만들라. 그대의 의견은 어떠한가?

─기술적으로는 아무런 어려움이 없습니다.

─작업 도중에 문제가 생기면, 나에게 즉각 보고하라.

─그 문제들을 해결하는 것이 저의 임무입니다.

왕과 왕비는 왕들의 계곡을 떠나 나일 강 쪽으로 난 길로 다시 접어들었다. 왕이 목적지를 정해주지 않았기 때문에, 세라마나는 끊임없이 언덕 꼭대기를 살펴보아야 했다. 젊은 왕은 도대체가 위험에 대해서는 무관심했다. 무턱대고 운을 믿다간, 큰코 다칠지도 모를 일이었다.

경작지들이 나타나는 고도에 이르렀을 때, 왕의 수레는 오른쪽으로 방향을 틀어 귀족들의 공동묘지와 투트모시스3세가 묻혀 있는 신전 앞을 지나갔다. 투트모시스3세는 아시아 지역에 평화를 정착시키고 찬란한 이집트 문명을 중동 전역과 그 너머로까지 전파한 빼어난 파라오였다.

람세스는, 건축가들이 사는 마을에서 멀지 않은, 사막과 밭의 경계선에 있는 황량한 장소에 멈추어 섰다. 세라마나는 혹시 자객이 밀밭에 숨어 있지나 않을까 두려워서 부하들을 얼른 사방으로 풀어놓았다.

—네페르타리, 이곳에 대해 어떻게 생각하오?

왕비는 땅의 에너지를 좀더 잘 느끼기 위해서, 공기처럼 가볍고 우아하게 샌들을 벗었다. 그녀는 맨발로, 불타듯 뜨거운 모래를 밟았다. 그녀는 왼쪽 오른쪽으로 왔다갔다하다가, 서 있던 자리로 되돌아와서는 야자나무 그늘에 놓여 있는 평평한 바위 위에 앉았다.

—이곳엔 힘이 살고 있어요. 당신의 가슴속에 살고 있는 힘과 똑같은 힘이에요.

람세스는 무릎을 꿇고 앉아서, 왕비의 연약한 발을 부드럽게 매만졌다. 왕비가 고백했다.

—어제, 난 이상한 느낌을 받았어요. 두려움에 가까운 기분이었죠.

—설명해줄 수 있겠소?

—당신은 긴 바위 속에 들어가 있었어요. 바위가 당신을 보호하고 있었죠. 그런데 누군가 당신을 보호하는 그 바위를 부수고, 당신을 파괴하려고 했어요.

—그가 바위를 부수었소?

—내 정신이 그 어둠의 힘과 싸웠어요. 내 정신이 그 어두운 힘을 밀어냈지요. 바위는 부서지지 않고 그대로 있었어요.

―악몽을 꾼 거요?

―아니오, 전 깨어 있었어요. 그 영상은, 멀리 떨어져 있지만 정말로 존재하는 어떤 현실처럼 내 머리를 스치고 지나갔어요. 너무나 생생하게…….

―당신의 혼란은 사라졌소?

―아뇨, 완전히 사라진 건 아녜요. 어떤 고뇌가 남아 있어요. 마치 어떤 적이, 당신을 해치려는 의지를 가지고, 내 손이 닿지 않는 먼 곳으로 숨어버린 것만 같아요.

―네페르타리, 나는 적들이 많소. 하지만 그게 놀라운 일이겠소? 나를 쓰러뜨리기 위해서라면, 적들은 가장 야비한 수단도 주저없이 사용할 거요. 그들의 공격이 두려워 꼼짝도 하지 말든지, 아니면 개의치 않고 앞으로 전진하든지 둘 중의 하나요. 난 전진하기로 결심했소.

―내겐 당신을 보호해야 할 의무가 있어요.

―세라마나가 내 안전을 책임질 거요.

―그는 눈에 보이는 공격은 막아낼 수 있을 거예요. 하지만 눈에 보이지 않는 공격으로부터 당신을 어떻게 지키실 거지요? 람세스, 그건 내 역할이에요. 난 당신의 영혼을 악마들이 넘지 못할 사랑의 성벽으로 둘러쌀 거예요. 하지만 더더욱 필요한 것은…….

―무슨 생각을 하고 있는 거요?

―아직은 세상에 태어나지 않은 존재, 당신의 이름과 당신의 생명을 지켜줄 존재에 대해서요.

―그는 이곳, 당신이 맨발로 밟은 이 땅에서 태어날 거요. 돌의 육체와 영원의 물질로 이루어진 그 위대한 동맹자가 여기 세워질 것이오. 나의 수백만 년의 신전, 라메세움이 이곳에 설 것이오. 나는 당신과 함께 우리 아이를 만들고, 그 영원의 신전을 만들고 싶소.

30

세라마나는 콧수염을 다듬고 넓은 깃이 달린 보라색 상의를 입고 향수를 뿌린 다음, 자신의 머리 모양을 거울에 비추어보았다. 이제 람세스에게 하려는 이야기를 생각해서라도 그는 믿을 만한 이성적인 인물로 보여야 했다. 사르디니아인은 왕에게 그 이야기를 하겠다고 결심하기까지 많이 망설였다. 그러나 그의 짐작은 틀린 적이 없었다. 더구나 가슴에 그냥 담아두기에는 너무나 무거운 얘기였다.

왕의 아침 몸단장이 끝날 무렵, 그는 왕을 찾아갔다. 람세스는 활기에 넘쳐 보였다. 이야기가 잘 풀릴 것 같았다.

세라마나의 옷차림을 보고 왕이 말했다.

―음, 멋진데. 멤피스의 최신 유행을 좇느라고 내 친위대장 노릇

을 집어치울 생각은 아니겠지?

　─소인 생각엔…….

　─미묘한 사실을 밝히기 위해선 세련된 옷차림이 도움이 될 거란 말이지?

　─누가 폐하께 그걸 미리 알려드렸습니까?

세라마나는 깜짝 놀라 주위를 돌아보았다.

　─아무도 없네. 안심하게, 자네 비밀은 아무도 몰라.

　─폐하, 소인의 생각이 맞았습니다.

　─무턱대고 맞다니, 뭐가? 어떤 일인데?

　─폐하를 물 뻔했던, 그러니까 여행을 망쳐놓을 뻔했던 그 전갈 말입니다…… 누군가가 그놈을 폐하의 침실에 넣어놓았습니다.

　─넣어놓았으니 있었겠지. 그거야 부정할 수 없는 사실 아닌가. 그런데 새로 발견된 사실이라도 있나?

　─폐하를 잘 경호하지 못한 게 화가 나서, 조사를 해보았습니다.

　─그런데 결론이 자네를 혼란스럽게 한 것 같군, 그런가?

　─그렇습니다, 폐하. 정말 그렇습니다…….

　─두려운가, 세라마나?

모욕을 당했다는 생각이 들었는지, 사르디니아인의 얼굴이 파래졌다. 상대가 람세스만 아니었다면, 세라마나의 주먹이 날아가 그의 입을 틀어막았을 것이다.

　─소인은 폐하의 안전을 지켜야 합니다. 그런데 그게 언제나 쉽지가 않습니다.

　─앞일을 생각지 않는다고 나무라는 건가?

　─폐하께서 좀더 앞일을 생각하신다면…….

　─그럼 자네가 심심했겠지.

　─소인은 왕년의 해적이올습니다. 그래도 소인은 일을 깔끔하게

끝내는 걸 좋아하지요.

─누가 그러지 못하게 하던가?

─수동적으로 폐하를 보호하는 덴 아무 문제도 없습니다. 그러나 제게 그 이상의 권리는 없는 건지요?

─좀더 분명히 말해보게.

─소인은 폐하의 측근 한 사람을 의심하고 있습니다. 그 전갈을 가져다놓을 수 있는 사람이라면 폐하의 선실이 어디 있는지 아는 사람일 테니까요.

─그걸 아는 사람들이 어디 한둘인가!

─하지만 소인의 본능에 따르면, 범인을 밝혀낼 수 있다는 확신이 듭니다.

─어떤 방식으로?

─소인의 방식대로지요.

─정의는 이집트 사회를 받치고 있는 토대일세, 세라마나. 파라오는 누구보다 먼저 규범을 섬겨야 하며, 그 테두리 밖에선 존재하지 않네.

─달리 말하면, 소인이 공식적인 허가는 받지 못할 거라는 말씀이군요.

─공식적인 허가가 없어서 자네의 방식을 쓸 수 없나?

─알아들었습니다, 폐하!

─내겐 확신이 있다, 세라마나. 자네 하고 싶은 대로 하게. 그러나 사람들을 존중해야 해. 어떤 권력 남용도 용인하지 않을 거야. 공식적인 허가가 있건 없건 간에 자네의 행동은 자네에게 책임이 있으니까.

─아무도 밀어붙이지 않겠습니다.

─약속하게.

—해적의 약속도 가치가 있습니까?

—용감한 사람은 자기가 한 말을 어기지 않지.

—소인이 '밀어붙인다'고 말할 때, 그건…….

—세라마나, 약속하게.

—좋습니다. 약속하겠습니다, 폐하!

궁전의 청결은 대전 집사장으로 승진하여 파라오의 편안한 생활을 책임지게 된 로메의 강박관념 중의 하나였다. 그래서 비질하는 하인들이나 바닥을 닦는 하인들, 그 밖에도 궁전을 청소하는 하인들은 쉴 틈이 없었다. 거기다가 어떻게 하면 로메의 눈에 들어 좀 승진해볼까 하는 궁리에 하인들을 닦달하는 비열한 서기관이 하나 있었다. 그는 청소부들의 일을 점검하고, 툭하면 그들을 불러들여 제대로 일하지 않으면 급료를 깎겠다고 협박하곤 했다.

밤이 되자 그 서기관은 거울처럼 반짝반짝 윤이 나는 궁전을 나섰다. 피곤하기도 하고 목이 컬컬하기도 해서, 그는 맥주나 한 잔 마실 생각으로 술집을 향했다. 여기저기 밀가루 포대들을 싣고 다니는 당나귀들로 부산스러운 골목길을 지나는데, 갑자기 어떤 억센 손아귀가 그의 저고리 깃을 움켜쥐었다. 그는 그 힘에 떠밀려 한 어두운 가게 안으로 뒷걸음질쳐 들어갔다. 가게 문이 그의 뒤에서 쾅 하고 닫혔다. 너무나 공포에 사로잡힌 나머지 비명조차 지를 수 없었다.

두 개의 거대한 손이 그의 멱살을 거머쥐고 있었다.

—이 비열한 놈아, 말해…….

—놔줘요…… 숨을 쉴 수가 없다구요.

세라마나가 손아귀의 힘을 조금 풀었다.

—네놈도 네 상관이랑 한통속이지, 엉?

—상관이라니……. 누구 말입니까?

—집사장 로메 말야.

—하지만…… 제가 일을 얼마나 잘하는데요.

—로메는 람세스를 싫어하지. 내 말이 틀렸어?

—모릅니다…… 아니오, 아뇨, 그렇지 않아요! 그리고 전 말씀입니다. 전 왕의 충실한 신하입니다!

—로메는 전갈을 무척 좋아하지. 틀림없어.

—그 양반이, 전갈을요? 그는 전갈을 무서워해요!

—거짓말 마.

—아닙니다. 맹세코 거짓말이 아닙니다.

—넌 그자가 전갈을 부리는 걸 봤어.

—잘못 생각하신 겁니다.

사르디니아인은 의심이 들기 시작했다. 평소 같으면, 이 정도만 을러도 줄줄 나오기 시작하는데. 서기관이 거짓말을 하고 있는 것 같진 않았다.

—전갈을 좋아하는 사람을 찾고 계십니까?

—누구 아는 사람 있어?

—왕의 친군데, 세타우라고…… 그 사람은 뱀이나 전갈들과 평생을 보냈죠. 남들이 그러는데 그는 뱀과 전갈의 말을 할 줄 안대요. 그놈들도 그 사람 말을 따르구요.

—그 사람 어디 있어?

—멤피스로 갔어요. 그 사람 실험실이 거기 있거든요. 누비아 여자 마술사랑 결혼했다는데 로투스란 그 여자도 남편 못지않게 무시무시하대요.

세라마나는 서기관을 놓아주었다. 그는 숨을 쉴 수 있게 된 것이 행복해서 목덜미를 문질렀다.

―저…… 가봐도 될까요?

사르디니아인은 손등으로 서기관을 쫓아냈다.

―잠깐…… 아프지 않았어?

―아니오, 아닙니다!

―가봐. 그리고 우리가 이런 얘기 나눈 거 아무한테도 말하지 마. 안 그랬다간 내 팔이 뱀으로 변해 네 모가질 조를 테니까.

서기관이 도망치고 있는 동안, 세라마나는 조용히 가게를 걸어나오며 생각에 잠겼다.

세라마나의 본능은, 너무 빨리 승진한 집사장 로메야말로 왕을 해치기에 가장 적당한 인물이라고 주장하고 있었다. 세라마나는 쾌활한 성격으로 능란하게 야심을 감출 줄 아는 로메와 같은 사람들을 알고 있었다. 하지만 자기가 잘못 생각한 것일 수도 있다. 그 실수가 결과적으로 이익이 되긴 했지만. 서기관에게서 얻은 몇몇 단서들 가운데 하나는 세타우와 연관되어 있었다.

사르디니아인은 얼굴을 찡그렸다.

람세스는 친구와 우정에 대해 철저했다. 그에게 우정은 신성한 가치를 지닌 것이었다. 세타우를 공격한다는 것은, 그가 가진 꿈틀거리는 무기만큼이나 위험한 일이었다. 그러나, 그러한 정보를 듣고서 아무것도 하지 않고 가만히 있을 수는 없는 노릇이었다. 멤피스로 돌아가면, 뱀들과 사이좋게 지내는 그 맹랑한 부부를 주의 깊게 살펴보리라.

―자네에 관해 아무 불평도 들려오지 않더군.

람세스가 말했다.

―소인이 약속을 지켰으니까요.

세라마나가 자신 있게 말했다.

―확실한가?

―그럼요.

―조사 결과는?

―현재로서는 아무것도 없습니다.

―완전한 실패인가?

―방향을 잘못 잡은 모양입니다.

―그러니까 아직 포기한 건 아니군.

―폐하를 보호하는 것이 소인이 할 일이니까요…… 법을 지키면서 말입니다.

―나에게 미묘한 사항을 숨기고 있는 건 아니겠지, 세라마나?

―폐하, 소인이 그럴 수 있다고 생각하십니까?

―해적은 무엇이든지 할 수 있는 사람 아닌가?

―소인은 왕년의 해적입죠. 하지만 쓸데없는 위험을 무릅쓰기엔 지금의 생활이 너무나 마음에 듭니다.

람세스의 시선이 날카로워졌다.

―자네는 용의자를 제대로 짚지 못했어. 괜히 고집을 피웠지.

세라마나는 희미하게 고개를 끄덕였다.

―자네의 조사를 중단시켜 미안하네.

세라마나는 실망을 감추지 않았다.

―소인은 아주 은밀히 일을 추진시켰습니다. 확실하게 말씀드릴 수…….

―자네가 일을 잘못해서 그런 게 아냐. 내일 우리는 멤피스로 떠난다.

31

로메는 정신이 하나도 없었다. 테베에서 멤피스로 왕실이 옮겨가는 일은 너무나 엄청난 일이라서 걱정이 태산이었다. 귀부인들이 사용할 문갑 하나, 귀족들의 안락의자 하나 빠뜨려서도 안 되고, 배 위에서의 식사도 땅 위에서의 식사와 똑같이 맛있어야 하고, 람세스의 개와 사자도 푸짐하게 먹여야 한다. 그런데 요리사는 갑자기 병이 났고 세탁부는 꾸물거리고 길쌈하는 여자는 세수용 헝겊을 엉뚱한 것으로 가져왔다!

람세스가 명령을 내렸으니, 명령은 수행되어야 한다. 맛있는 요리나 정성스레 만들면서 조용히 살아갈 생각이었던 로메는 이 까다롭고 성미 급한 왕에게 홀딱 반해버렸다. 물론 람세스는 자기 주변을 잠시도 가만 놔두지 않는, 참을성 없는 사람이긴 했다. 그뿐인

가, 그는 언제나 옆 사람을 태워버릴 만큼 뜨거운 불로 타오르고 있
었다. 그러나 그는 자기가 지킬 커다란 하늘을 사랑하는 매처럼 매
력적인 사람이었다. 로메는 자기의 평온한 생활을 희생시켜서라도
자신의 능력을 증명해 보이고 싶었다.

집사장은 몸소 신선한 무화과 바구니를 들고 왕의 배에 늘어뜨려
져 있는 사다리 앞에 가 섰다. 세라마나가 길을 막고 나섰다.

─수색해야 하오.

─난 폐하의 집사장이오!

─수색해야 하오.

사르디니아인이 되풀이해 말했다.

─일 만들고 싶어서 이래?

─왜 찔리는 데가 있나보지?

로메가 흥분했다.

─이게 무슨 소리야?

─무슨 소린지 모르면, 잘된 거구, 아니라면, 나를 피하지 못할
걸.

─이 사르디니아놈아, 너 미쳤냐! 그렇게 못 믿겠으면, 네놈이 직
접 폐하께 갖다드려. 난 해야 할 일이 산더미처럼 쌓여 있으니까.

세라마나는 바구니를 덮은 하얀 헝겊을 벗겨냈다. 튼실한 무화과
들이었지만, 죽음의 함정을 감추고 있을지도 모를 일이다. 그는 무
화과를 하나씩하나씩 조심스레 꺼내서 부두에 내려놓았다. 무화과
를 한 개씩 꺼낼 때마다, 혹시라도 전갈의 공격적인 꼬리가 보이지
않을까 기대했다.

바구니가 다 비었지만, 아무것도 없었다. 이제는 잘 익은 과일들
을 터뜨리지 않고 바구니에 도로 집어넣어야 할 일이 남았다.

이제트는 매혹적이었다.

그녀는 생전 처음으로 왕을 만나보는 귀족 아가씨처럼 람세스 앞에서 공손히 허리를 굽혔다. 그녀는 금방이라도 쓰러져버릴 것만 같았다.

람세스가 부드럽고도 힘있게 그녀를 일으켜 세웠다.

—몸이 약해진 모양이구려?

—그런가 봅니다, 폐하.

그녀의 얼굴은 어둡고 불안해 보였지만, 눈에는 웃음을 띠고 있었다.

—걱정이 있소?

—폐하께 말씀드려도 될까요?

그들은 나지막한 의자를 서로에게 가까이 당겨놓고 앉았다.

—개인 접견에는 시간을 많이 낼 수가 없소.

—왕이 된다는 건 그렇게 시간을 뺏기는 일인가요?

—이제트, 내 몸은 이제 내 것이 아니라오. 하루 온종일 열심히 일을 해도 다 못 한다오. 하루하루가 너무 짧소.

—왕실이 멤피스로 돌아가나봐요.

—그렇소.

—내겐 어떻게 하라는 말씀도 없으시고…… 폐하랑 같이 떠나야 하나요, 아니면 테베에 머물러 있어야 하나요?

—내가 왜 침묵을 지키고 있는지 짐작 못 하겠소?

—솔직하게 말씀드릴게요. 그 침묵이 저를 짓눌러요.

—당신이 선택하게 하려는 거요.

—왜요?

—난 네페르타리를 사랑하오.

—당신은 저도 사랑하시잖아요. 아닌가요?

―당신은 날 증오하게 될 거요.

―당신은 왕국을 다스리시면서 한 여자의 마음도 이해하지 못하시나요? 네페르타리는 특별한 사람이에요. 난 그렇지 못하구요. 하지만 그녀도, 당신도, 내가 당신을 사랑하는 걸 막을 순 없어요. 당신이 나에게 어떤 자리를 마련해준다 해도 마찬가지예요. 어째서 후궁은 자기에게 주어지는 일 초 일 초를 소중히 여길 줄 아는데도, 행복해질 권리가 없는 건가요? 당신을 바라보고, 당신에게 말하고, 잠깐이나마 당신의 존재를 공유하는 것, 그것은 내가 그 어떤 것과도 바꿀 수 없는 소중한 기쁨이에요.

―결심이 섰소?

―왕실과 함께 멤피스로 떠나겠어요.

40여 척의 배가, 람세스와 네페르타리를 왕과 왕비로 인정한 수많은 군중들의 환호를 받으며 테베를 떠났다. 아몬의 대사제 승계는 마찰 없이 진행되었다. 테베의 시장과 총리대신은 그대로 유임되었다. 왕실은 호사스러운 연회를 베풀었고, 백성들은 나라의 번영을 가져다줄 풍성한 강의 범람에 즐거워했다.

로메는 잠시 긴장을 풀고 쉬었다. 왕의 배 위에는 불협화음이라곤 없었다. 자기를 끊임없이 염탐하는 저 덩치 큰 사르디니아인만 빼면 말이다. 그는 선실이란 선실을 몽땅 뒤지고, 배에 타는 사람들의 몸을 모조리 수색했다. 언젠가 저 외국놈은 몹쓸 일을 당하고 말 거야. 그래도 아무도 불쌍해하지 않을걸. 안 그래도 지위가 높은 사람들에게 무지막지하게 굴어 벌써부터 상당한 반감을 불러일으키고 있다. 그나마 왕이 지지해주니까 그 자리를 고수하고 있는 것이다. 그러나 왕의 지지가 과연 오래 갈까?

집사장은 안심이 되지 않아 왕의 침대는 편안한지, 의자는 튼튼한지, 선상에서의 식사는 차질 없이 준비될 수 있는지 몇 번씩 점검해보았다. 사자와 개에게 줄 시원한 물을 담은 가죽부대도 살펴보았다. 놈들의 자리는 햇빛이 닿지 않는 그늘진 곳에 마련되어 있었다.

람세스는 네페르타리의 널찍한 선실 창문을 통해 로메의 모습을 지켜보며 즐거워했다.

―드디어, 이익보다는 일에 더 마음을 쓰는 집사장이 나타났소. 즐겁고 반가운 일이오, 그렇게 생각지 않소?

네페르타리의 빛나는 얼굴에 피곤의 그늘이 드리워져 있었다. 람세스는 침대 위에 앉아 그녀를 꼭 끌어안았다.

―세라마나는 당신과 생각이 다르던걸요. 세라마나와 로메 사이에 분명 어떤 증오의 감정 같은 게 생겨나고 있어요.

왕이 깜짝 놀랐다.

―이유가 뭐요?

―세라마나가 의심하면서, 언제나 감시하고 있어요.

―로메를 의심해봤자 아무 소용 없어요!

―그랬으면 좋겠어요.

―당신도 로메의 충성심을 의심하는 거요?

―우린 아직 그를 조금밖에 모르잖아요.

―난 그에게 그가 꿈꾸던 자리를 주었소.

―그는 그 사실을 잊어버릴 거예요.

―오늘 당신은 비관적이구려.

―전 로메가 제 생각이 틀렸다고 나무라주었으면 좋겠어요.

―뭐 확실한 증거라도 본 거요?

―세라마나의 적의처럼 막연한 거예요.

―그대의 눈은 예리하지, 예리해서……

네페르타리는 람세스의 어깨에 머리를 기댔다.

─당신에 관해 무심한 사람은 아무도 없어요, 람세스. 사람들은 당신을 돕든지, 아니면 당신을 증오해요. 당신의 힘은 너무나 강해서, 사람들로 하여금 그 존재 자체를 비난하게 만들어요.

왕이 침대에 등을 펴고 눕자 네페르타리가 그의 곁에 누워 몸을 웅크렸다.

─아버님은 나보다 더 강한 힘의 소유자였잖소?

─두 분은 비슷하면서도 달라요. 아버님께서는 말씀 한마디 없이도 권위를 발휘하셨어요. 그분의 힘은 숨어 있었죠. 그런데 당신은 불이고 격류예요. 당신은 어떤 노력을 해야 하는지 생각도 않고 길부터 열어요.

─네페르타리, 나에게는 계획이 하나 있다오. 거대한 계획이오.

. ─단 하나뿐인가요?

─이건 정말 거대한 계획이오. 나는 즉위할 때부터 그 계획을 마음속에 품고 있었는데, 지금은 꼭 실현해야 하는 것처럼 느껴져서 숨길 수가 없구려. 내가 그 계획을 실행에 옮길 수만 있다면 이집트의 면모는 완전히 뒤바뀔 것이오.

네페르타리는 왕의 이마를 쓰다듬었다.

─그 계획은 아직도 꿈에 불과한가요, 아니면 구체화되었나요?

─나는 꿈을 현실로 바꿀 능력을 가지고 있지만, 아직은 징조를 기다리고 있소.

─왜 망설이시는 거예요?

─하늘이 허락해주셔야 하니까. 신들과 맺은 협약을 깨어서는 안 되지.

─비밀을 지키고 싶으세요?

─말을 사용해서 비밀을 옮긴다는 것은 그에게 이미 몸을 준 것

과 다르지 않소. 그러나 그대는 왕비이니, 내 영혼에 대해 모두 알고 있어야 하오.

람세스는 자기의 계획을 털어놓았고, 네페르타리는 들었다.

원대한 계획…… 그렇다, 파라오의 계획은 원대했다.

람세스의 이야기를 듣고 나서 네페르타리가 결론을 내렸다.

—당신이 저 너머의 세계로부터 오는 징조를 기다리겠다는 건 옳은 생각이에요. 저도 매순간 당신 곁에서 그 징조를 기다릴게요.

—징조를 보내주시지 않는다면…….

—보내주실 거예요. 그 징조를 해독하는 건 우리가 할 일이구요.

람세스는 일어서서 네페르타리를 바라보았다. '미녀 중의 미녀' …… 그것은 세상 사람들이 네페르타리를 부르는 말이었다. 그녀는 사랑의 시에 어울리는 이상적인 여인이었다. 도자기와 터키석 같은 팔다리를 가진 여자. 그녀의 유연하고 매끄러운 몸은 천상의 물처럼 깊었다.

왕은 아내의 배 위에 부드럽게 귀를 갖다댔다.

—우리 아이가 자라는 걸 느낄 수 있어요?

—아이는 태어날 거요. 내가 그대에게 약속하리다.

네페르타리가 입은 드레스의 끈이 어깨 위로 흘러내려 젖가슴이 드러났다. 람세스는 이빨로 얇은 드레스 끈을 마저 풀어내 아내의 윗몸을 드러냈다. 람세스는 그녀의 눈 속에서 천상의 나일 강물을, 깊은 욕망을, 그리고 끝없는 사랑 속에서 하나가 된 두 육체의 마술을 읽어냈다.

32

람세스는 왕위에 오른 뒤 처음으로 멤피스에 있는 아버지의 집무실에 들어가보았다. 아무 장식도 없었다. 흰 벽, 세 개의 커다란 창문, 커다란 책상 하나, 왕이 사용하던 등받이가 곧은 의자 하나, 짚을 넣어 만든 손님용 의자들, 파피루스 서랍장 하나, 그게 전부였다.

람세스는 감동해서 목이 잠겼다.

세티의 정신은 이집트를 다스리고 이집트의 행복을 위해서 수많은 낮과 밤을 쉬지 않고 일하던 그 검소한 공간에서 아직도 살아 움직이고 있었다. 이곳에는 아무런 죽음의 흔적도 없었다. 다만 세티의 단호한 의지만이 영원히 살아 있을 뿐이었다.

그의 아들은 전통에 따라 자신의 집을 짓고 자신의 삶의 틀을 만들어가야 했다. 람세스는 그 집무실을 부수고 자신의 이미지에 따라 다시 지어야 한다. 그것이 이 넓은 방을 찾아오기 전에 젊은 파라오가 품었던 생각이었다.

람세스는 창문으로 왕의 수레가 놓여 있는 안마당을 내다보았다. 책상도 만져보고, 새 파피루스가 들어 있는 정리장 문도 열어보고 등받이가 곧은 의자 위에도 앉아보았다.

세티의 영혼은 그를 밀어내지 않았다.

아들은 아버지를 계승하고, 아버지는 아들을 두 땅의 주인으로 받아들였다. 람세스는 세티의 집무실을 건드리지 않고 그대로 두겠다고 생각했다. 앞으로 멤피스에서는 여기에서 일하게 될 것이다. 방의 형태를 무너뜨리지 않고 그대로 보존할 것이다. 세티가 일하던 방은 람세스가 중요한 결정을 내릴 때마다 귀한 도움을 줄 것이다.

커다란 책상 위에는 두 개의 부드러운 아카시아 나뭇가지가 놓여 있었다. 두 개의 나뭇가지 끝은 아마실로 연결되어 있었다. 세티가 사막에서 물을 찾을 때 쓰던 것이었다. 아직 자신의 운명을 회의하던 젊은 왕자 람세스에게 그것은 얼마나 중요한 순간이었던가! 그 순간, 그는 파라오가 원소들에, 그리고 창조의 신비에 도전하고 있음을, 물질 속으로 깊숙이 들어가 그로부터 은밀한 생명을 빛 속으로 끌어내려 하는 존재라는 것을 깨달았다.

이집트를 다스리는 것, 그것은 단지 하나의 국가를 이끄는 것이 아니라, 눈에 보이지 않는 것과 대화를 나눈다는 것을 의미했다.

호메로스는 나이 때문에 곧잘 마비되곤 하는 손가락으로 마른 샐비어 잎사귀를 다져 파이프 속에 채워넣었다. 커다란 달팽이 껍질로 만든 그 담배통은 비로소 만족스러울 만큼 거무스레한 색깔을 띠기 시작했다. 담배를 피우는 사이에, 그는 아니스와 고수를 넣어

향미를 낸 포도주를 한 모금 마셨다. 그리스인 시인은 레몬나무 아래서 부드러운 쿠션이 놓인 안락의자에 앉아 부드러운 저녁 공기를 맛보고 있었다. 그때 그의 시중을 드는 하녀가 들어와 왕이 찾아왔다는 것을 알렸다.

가까이 다가오는 람세스를 살펴본 호메로스는 그의 당당한 모습에 깜짝 놀랐다.

시인은 힘겹게 자리에서 일어났다.

—괜찮습니다, 앉아 계십시오.

—폐하, 모습이 너무나 변하셨습니다.

—폐하…… 라구요. 호메로스님께서 이젠 깍듯이 예를 갖추기로 마음먹으신 모양이지요?

—왕위에 오르셨으니까요. 그리고 폐하처럼 이렇게 당당한 모습을 한 군왕이라면 존경할 수밖에 없지요. 폐하를 뵈니, 더이상 내가 설교를 늘어놓던 옛날의 괄괄한 소년이 아니군요. 제 말이 귀에 들어오기나 하실지 모르겠군요.

—선생님께서 건강이 좋으신 걸 보니 기분이 좋습니다. 생활여건에 대해선 만족하고 계십니까?

—하녀 고분고분하겠다, 정원사 조용하겠다, 요리사 솜씨 좋겠다, 그뿐인가요, 시를 받아쓰는 서기관은 내 시를 좋아하는 척이라도 해주겠다…… 더 바랄 게 뭐가 있겠습니까?

흰 털과 까만 털이 뒤섞인 헥토르가 시인의 무릎 위에 올라앉아 가르랑거렸다.

평소처럼 호메로스는 몸에 올리브 기름을 발라둔 상태였다. 적어도 그의 생각엔, 그보다 더 좋은 향기를 내며 건강에 좋은 것은 더이상 없었다.

—작품엔 진전이 있었습니까?

─제우스가 신들에게 하는 말이 마음에 듭니다. '하늘에다가 금 밧줄을 하나 매달아놓으시오. 내가 그걸 강하게 잡아당기면, 땅과 바다가 끌려올 것이오. 나는 그 줄을 올림포스에 붙잡아매겠소. 그러면 이 세계는 허공에 대롱대롱 매달려 있게 될 것이오.'

─달리 말하면, 내 권위가 아직도 튼튼하지 않아서, 내 왕국이 바람이 부는 대로 흔들린다는 뜻이군요.

─여기 이렇게 틀어박혀 있는데 세상 돌아가는 걸 어떻게 알 수 있겠습니까?

─시인의 영감과 하인들의 수다로는 세상에서 벌어지는 일들을 파악할 수 있지 않은가요?

호메로스가 흰 수염을 쓰다듬었다.

─가능하지요. 움직이지 않고 한 곳에 있다는 게 꼭 불편한 일만은 아닙니다. 멤피스로 돌아오신 건 잘하신 일입니다.

─미묘한 문제를 하나 해결해야 했습니다.

─알고 있습니다. 즉위하시자마자 폐하를 배반하지 않을 새로운 아몬 대사제를 임명하셨지요. 신속하면서도 현명한 판단이었습니다. 야심 없는 노인을 선택한 것은, 젊은 군왕으로선 가지기 힘든 정치적 노련함을 지닌 분이라는 걸 보여주셨습니다.

─저는 그분을 높이 평가하고 있습니다.

─왜 그렇지 않겠습니까? 그러나 더 중요한 건 그가 폐하께 복종한다는 것이겠지요.

─북부와 남부가 서로 갈라지면, 이집트는 붕괴되고 맙니다.

─이집트는 이상한 나랍니다. 그러나 아주 흥미롭습니다. 저는 조금씩조금씩 이 나라의 관습에 길들어가고 있습니다. 이러다간 제가 좋아하는 포도주마저 배반하게 될지도 모르겠습니다.

─건강은 돌보고 계십니까?

―이 나라엔 의사들이 와글와글하지요! 치과의사, 안과의사, 내과의사가 번갈아가며 내 침대맡을 들락거립니다. 그들이 어찌나 많은 물약을 처방해주는지 다 마실 수가 없을 정돕니다. 게다가 안약도 있지요. 덕분에 시력이 좀 좋아지긴 했습니다만. 그리스에서 그런 안약들을 사용할 수 있었더라면, 내 눈이 이 지경이 되진 않았을 텐데…… 난 다시는 돌아가지 않을 겁니다. 그곳엔 파벌도 너무 많고 분쟁도 잦고, 그저 서로 밤낮 싸움질이나 해대는 패거리들이 우글거립니다. 난 다시는 돌아가지 않을 겁니다. 글을 쓰려면, 조용하고 편안해야 합니다. 폐하, 위대한 나라를 건설하는 데 전심전력을 쏟으셔야 합니다.

―선왕께서 이미 그 일을 시작하셨습니다.

―이런 구절을 썼답니다. '영혼을 떨며 울어본들 무엇할 것이냐. 그것이 고통 속에서 죽어가야 할 우리네 인간들에게 신들이 내리신 운명인 것을.' 폐하 역시 인간 공동의 운명을 피하실 수는 없겠지만, 그래도 폐하의 직분은 고통에 순응하는 이 사람들보다 더 높은 곳에 자리해 있습니다. 폐하의 백성이 행복을 믿고, 그것을 맛보고, 또 그것을 집처럼 단단한 모습으로 일으켜 세울 수 있는 것은, 파라오와 또 수세기 전부터 영속되어온 제도 때문이 아닌가요?

람세스가 빙긋이 웃었다.

―이제야 비로소 이집트의 신비를 알아차리기 시작하셨군요.

―선왕이 옆에 계시지 않다고 아쉬워하지 마십시오. 그분을 모방하려고 애쓰지 마십시오. 다만 그분처럼, 다른 누구와도 바꿀 수 없는 왕이 되십시오.

람세스와 네페르타리는 멤피스의 모든 신전들에서 제사를 드리고 멤피스 대사제의 활약을 치하했다. 멤피스의 대사제는 천재적인 조각가들도 적지 않은 여러 장인(匠人) 학교의 작업 수준을 조정하는 역할을 맡고 있었다.

마침내 왕과 왕비가 두려워하던 순간이 왔다. 왕과 왕비는 왕관을 쓰고 손에는 홀을 든 채 몇 시간씩 꼼짝도 않고 있어야 했다. 〈생명을 주는 사람들〉이라는 제목으로 왕과 왕비의 젊은 모습을 조각하기 위해서였다. 네페르타리는 이 힘든 시련을 위엄 있게 견디어냈지만, 람세스는 벌써 몇 번씩이나 못 참겠다는 시늉을 했다. 결국 둘째 날부터는 아무것도 하지 않고 가만히 있을 수가 없어서 아메니를 오게 했다.

— 강의 범람은 어때?

— 적당합니다.

왕의 개인비서가 대답했다.

— 농부들은 강물이 더 많이 넘치길 바랐겠지만, 그래도 저수 담당 관청의 견해는 낙관적입니다. 물이 모자라진 않을 것 같습니다.

— 농무대신은 어떻게 행동하고 있나?

— 행정적인 일은 죄다 나한테 맡겨놓고 집무실에 붙어 있질 않아요. 이 밭에서 저 밭으로, 이 농장에서 저 농장으로 돌아다니면서 현장에서 생기는 문제들을 해결하고 있지요. 대신다운 행동은 아니지만······.

— 그대로 두게! 농부들의 항의는 없었나?

— 작황이 좋아서, 곡식 창고가 가득 찼습니다.

— 가축들은 어때?

— 최근의 조사에 의하면, 출산율은 늘어나고 사망률은 줄었어요. 가축 담당부서에서 불안한 보고는 받은 바 없고요.

— 형님은 어떡하고 계시나?

— 모범적으로 업무에 임하고 계시지요. 외무성 직원들을 집합

시켜놓고 폐하를 칭송하고, 관리들 한 사람 한 사람에게 양심적이고 능률적으로 이집트에 봉사하라고 당부했답니다. 여간 진지하게 업무를 처리하는 게 아닙니다. 아침 일찍 일을 시작하고 고문들에게 자문을 구하고 우리 친구 아샤에게도 공손하게 굴지요. 셰나르는 서류를 꼼꼼히 살펴보는 책임감 있는 대신이 되었습니다.

―진정으로 그렇게 생각하는 건가, 아메니?

―나라 일을 가지고 농담하는 사람은 없어요.

―형님과 대화해보았나?

―물론이죠.

―자네를 어떻게 대하던가?

―정중하던데요. 매주 활동상황에 대한 보고서를 작성해서 제출하라고 요구했는데도 전혀 이의를 제기하지 않더군요.

―놀랍군…… 거절할 법한데 말야.

―제가 보기엔, 일에 열중하고 있는 것 같아요. 폐하께서 모든 걸 통제하고 있는데 뭐가 두렵겠습니까?

―그가 규범에 합당하지 않은 행동을 하면, 절대로 봐주지 말게.

―여부가 있겠습니까, 폐하.

람세스와 네페르타리는 일어나서 왕관과 홀들을 옥좌 위에 올려놓고는 조각가를 내보냈다. 초벌 작업이 끝났기 때문이다. 왕이 솔직하게 고백했다.

―포즈를 취하는 건 정말 고역이야. 이렇게 힘든 줄 알았으면 피했을 거야! 우리 모습이 확실하게 남겨질 테니 그나마 다행이군.

―어떤 직분이든 어쩔 수 없이 해야 할 일들이 있는 거지요. 왕도 예외일 수 없지요.

―아메니, 조심하게. 자네가 현자가 되면, 자네의 모습을 조각하게 될지도 모르니까.

—폐하께서 신(臣)에게 떠맡긴 생활로 보아서야 어디 그럴 가능성이 있겠습니까.

람세스가 친구에게 가까이 다가왔다.

—대전 집사장 로메에 대해 어떻게 생각하나?

—일은 잘하는데 불안한 사람 같아.

—불안하다니?

—사소한 일에도 안절부절못하고 언제나 완벽을 추구해.

—그렇다면, 자네와 비슷한걸.

아메니가 화가 나서 팔짱을 꼈다.

—흉보는 건가?

—로메의 행동 중에 자네 마음에 걸리는 건 없는지 알고 싶네.

—정반댈세. 그 사람을 보면 안심이 되는걸! 관리들이 전부 그 사람처럼만 행동해준다면, 걱정할 게 없겠어. 그의 어떤 점이 못마땅해서 그러지?

—지금으로선 그런 거 없네.

—로메에 대해선 걱정할 필요 없어. 더이상 물어보실 게 없다면, 소인은 이만 일하러 달려가보겠습니다.

네페르타리가 부드럽게 람세스의 팔짱을 꼈다.

—아메니는 정말 한결같은 사람이에요.

—아메니 혼자서 조정 전체가 해낼 일을 하고 있지.

—그 징조 말인데요. 그걸 느끼셨어요?

—아니, 네페르타리.

—전 그걸 느껴요.

—그 징조가 어떤 형태로 드러날 것 같소?

—모르겠어요. 하지만 마치 말처럼 껑충껑충 우리를 향해 달려오고 있는 것만은 분명해요.

33

9월 초순의 며칠 간, 강물은 계속해서 같은 수위에 머물러 있었다. 이집트는 마치 꼭대기에 마을을 인 언덕들이 여기저기 불쑥불쑥 솟아 있는 거대한 호수 같았다. 파라오의 공사장에서 일하지 않는 사람들에게는 이 시기가 휴가기간이었다. 그들은 배를 타고 이곳저곳을 돌아다녔다. 작은 언덕으로 피신한 가축들은, 농부들이 가져다주는 꼴을 배불리 먹었다. 강의 범람 이전에는 경작지였던 곳에서 사람들은 지금 낚시질을 하고 있다!

멤피스보다 약간 위쪽에 있는 델타의 남쪽 끝에서 흐르는 나일 강의 폭은 20킬로미터다. 홍수는 나일 강을 북쪽 끝에서 난바다로 밀어내면서 그 폭을 무려 200킬로미터 넘게 넓혀놓는다.

파피루스와 연꽃이 무성하게 자라나, 이집트는 마치 인간이 살기 이전의 원초적인 시간으로 되돌아간 것처럼 보인다. 명랑하게 흐르는 강물은 땅을 정화시키고, 해충을 익사시키고, 풍요와 번영을 약속하는 기름진 진흙을 남긴다.

5월 중순부터 매일 아침 그래왔듯이 그날도 한 관리가 나일 강수위계 계단을 내려갔다. 수위계 내벽에는 범람한 물의 수위를 확인하고 상승 속도를 계산하기 위해서 팔꿈치에서 손가락 끝까지의 길이(대략 50센티미터 — 역주)를 단위로 눈금이 새겨져 있다. 지금은 나일 강의 수위가 거의 알아차릴 수 없을 만큼 조금씩 낮아지기 시작할 때다. 그러다가 9월 말쯤이면 물의 양이 눈에 띄게 줄어든다.

나일 강 수위계는 돌을 깎아 만든 네모난 우물처럼 생겼다. 수위 측정을 맡은 관리는 미끄러질까봐 오른손으로 벽을 짚고 천천히 내려갔다. 왼손에는 나무 서판과 글씨 쓰는 데 쓰이는 생선 가시 하나가 들려 있었다.

그의 발이 물에 닿았다.

그는 깜짝 놀라 벽에 있는 눈금을 다시 자세히 살펴보았다. 눈이 실수를 저지를 수도 있으므로, 그는 확인하고 또 확인했다. 그는 계단을 달려 올라갔다.

멤피스의 운하 감독관은 놀란 얼굴로 수위 측정 담당자를 바라보았다.

— 귀관의 보고는 괴상하군.

— 어제는 저도 그렇게 생각했었습니다. 그러나 오늘 다시 확인해 보았는데, 틀림없습니다.

— 지금이 어느 땐지 알고 하는 소리야?

— 알지요! 9월 초순 아닙니까?

—귀관은 분별력 있는 사람이지. 승진 대기자 명단에도 버젓이 이름이 올라가 있고. 이번 사건은 없던 걸로 할 테니까, 다신 그런 실수 저지르지 말고 잘못된 보고서나 고쳐놔.

—그건 실수가 아닙니다.

—결국은 귀관을 징계처분하게 만들 셈이야?

—감독관님이 한번 확인해주십시오. 부탁합니다.

수위 측정 담당자가 거듭 말하자, 감독관은 혼란스러워졌다.

—그게 불가능한 일이라는 건 귀관도 잘 알잖아!

—저도 알 수가 없어요. 하지만 사실입니다…… 제가 이틀씩이나 계속해서 서판에다 기록했는데, 확실하다니까요!

두 사람은 수위표를 향해 갔다.

감독관은 몸소 그 이상 현상을 확인했다. 강물은 줄어드는 대신 불어났던 것이다!

16팔꿈치길이. 이상적인 범람 수위였다. 그것은 그래서 '완전한 기쁨'이라고도 불리는 수위였다.

그 소식은 마치 전속력으로 달리는 자칼처럼 빠른 속도로 나라 전체에 퍼졌다. 곳곳에서 함성소리가 솟아올랐다. 람세스가 즉위 원년에 기적을 일으켰다! 저수용 연못이 가득 찼으니, 건기가 올 때까지 농토의 관개는 확실하게 보장될 것이요, 두 개의 땅은 왕의 기적 덕분에 풍요로운 시대를 맞이하게 될 것이다.

람세스의 능력은 세티에게서 물려받은 것이다. 이집트는 강의 수위를 조절하고 기근의 귀신을 쫓아내어 사람들을 배불리 먹일 수 있는 초자연적인 힘의 소유자, 뛰어난 파라오의 통치를 받게 되었다.

세나르는 분개했다. 단순한 자연 현상을 주술적인 힘의 현현이라고 생각하는 이 어리석은 백성을 도대체 어찌해야 한단 말이냐. 어쩌자고 그 망할 놈의 강물은 줄어들지 않고 불어났단 말이냐? 이 현상은 물론, 엉뚱하기는 하다. 믿을 수 없을 정도라고 말할 수도 있다. 그러나 절대로 람세스의 덕은 아니란 말이다! 그럼에도 불구하고, 도시와 마을마다 파라오에게 영광을 돌리기 위한 축제가 벌어지고 그 이름이 높이 받들어졌다. 이대로 나가다간 람세스를 신격화하기 십상이다.

왕의 형은, 조정 내의 다른 동료들이 하는 대로, 개인적인 약속을 취소하고, 외무성 내의 관리들에게 하루 휴가를 주었다. 별나게 구는 것은 큰 실수를 저지르는 짓이니까.

어째서 람세스는 그토록 운이 좋은 것일까? 그의 인기는 몇 시간만에 세티의 인기를 앞질러버렸다. 람세스의 적들은 대부분 마음의 동요를 느끼고 그와 싸우는 것이 과연 가능할 것인지 자문했을 것이다. 셰나르는 앞으로 나아가는 대신, 지금까지보다도 더욱더 신중하게 천천히 그물을 짜야겠다고 생각했다.

그의 집요함이 동생의 운을 밀어낼 것이다. 운이라고 하는 것은 원래 자기가 보호하던 사람을 저버리게 마련인, 믿을 수 없는 것이다. 운이 람세스를 떠나는 순간, 셰나르는 행동할 것이다. 강하게, 그리고 확실하게 치려면 성능이 좋은 무기들을 준비하지 않으면 안 된다.

거리에서 사람들이 외치는 소리가 들려왔다. 셰나르는 처음엔 사람들이 싸우는 소리인 줄 알았다. 그러나 소리는 점점 더 커져서 나중엔 정말 야단법석이 되어버렸다. 멤피스 전체가 환호성을 지르고 있었다! 외무대신은 테라스로 난 계단을 올라갔다.

수천 명의 이집트인들 앞에 펼쳐진 광경은 그를 아연실색하게 만들었다.

왜가리처럼 생긴 거대한 푸른 새가 도시의 상공을 선회하고 있지 않은가.

'불사조다! 있을 수 없는 일이다. 불사조가 돌아오다니……'

셰나르는 그런 바보 같은 생각을 머릿속에서 쫓아낼 수가 없었다. 그는 그 푸른 새를 믿기지 않는 눈으로 뚫어져라 쳐다보았다. 영광스러운 통치를 예고하고, 새로운 시대를 열기 위하여 저 세상으로부터 돌아온다는 전설의 새.

유치한 어린애들 얘기거나 사제들이 지어낸 멍청한 소리 아니면, 순진한 백성을 즐겁게 해주기 위한 허튼 수작이다! 그러나 불사조는 마침내 멤피스를 찾아냈다는 듯 커다란 원을 그리며 공중을 선회하고 있었다.

그가 궁수였다면 셰나르는 그 새가 그저 방향을 잃고 겁에 질려 있는 한 마리 철새에 불과하다는 것을 증명하기 위해, 그 새를 쏘아 죽였을 것이다. 병사에게 명령을 내려볼까? 그러나 누구든 그의 말을 듣기는커녕 그가 미쳤다고 생각할 것이다. 불사조에 관한 한 온 백성의 생각이 하나였기 때문이다. 갑자기 환호성 소리가 잦아들었다.

셰나르는 희망을 되찾았다. 당연하지, 모두들 알게 된 거라구! 만일 저 푸른 새가 불사조라면, 저렇게 멤피스의 상공만 맴돌고 있을 리가 없다. 전설에 의하면, 불사조는 확실한 목적지를 가지고 있기 때문이다. 저 새는 길을 잃고 헤매는 왜가리에 불과하다. 사람들의 환상은 곧 사라질 것이고 더이상 람세스의 두번째 기적을 믿지 않게 될 것이다. 어쩌면 첫번째 기적마저 부정하게 될지도 모른다. 그래, 그 운, 그 대단한 운이라는 것이 벌써 방향을 틀어버린 것이다!

아이들이 외치는 소리가 몇 번 더 들려왔을 뿐, 곧 침묵이었다.

거대한 새는 아직도 큰 원을 그리며 날고 있었다. 새의 날갯짓이

내는 소리가 맑은 공기를 가르고 사람들 귀에 들려왔다. 마치 헝겊이 스치는 소리 같았다. 조금 있으면 기쁨은 사라지고 모두들 실망의 눈물을 흘리겠지. 천5백 년 만에 한 번씩 나타난다는 불사조가 아니라, 무리를 잃고 어디로 갈지 몰라 헤매는 한 마리 불쌍한 왜가리를 본 것에 불과하다는 사실을 깨닫고.

셰나르는 안심하고 다시 자기 집무실로 돌아갔다. 자기가 옳았다. 정신이 약한 자들을 현혹하기 위한 그 케케묵은 전설은 믿을 만한 게 못 된다. 수천 년씩 살아가는 새나 사람 따위는 없다. 한 파라오의 예정된 운명을 축복하기 위해 주기적으로 저 세상으로부터 돌아온다는 불사조 따위는 존재하지 않는 것이다. 어쨌든 셰나르는 이 사건으로부터 한 가지 교훈을 끌어낼 수 있었다. 한 나라를 다스리고자 하는 자는 대중을 조작할 줄 알아야 한다는 교훈이었다.

대중에게 꿈과 환상을 주는 것은 대중에게 먹을 것을 주는 것만큼 중요하다. 만일 한 나라의 우두머리가 그의 존재만으로 인기를 얻을 수 없다면, 온갖 소문과 떠도는 이야기들을 이용해서 그것을 만들어가는 것이 마땅하다.

다시 사람들의 고함소리가 들려왔다.

그들이 원하던 기적이 아니었다는 사실에 좌절하고 화가 난 사람들이 분통을 터뜨리는 것이겠지. 셰나르는 사람들이 외치는 소리 사이사이에서 람세스라는 말을 알아들었다. 이제 람세스는 가혹한 비난의 대상이 될 것이다.

셰나르는 다시 테라스로 나가보았다. 그리고 경악했다. 사람들은 원초의 바위 위에 솟은 오벨리스크 쪽으로 날아가는 불사조를 보며 환호하고 있었던 것이다.

셰나르는 분노에 몸을 떨면서도 신들이 새로운 시대를 선언했다는 사실을 깨닫지 않을 수 없었다. 새로운 시대, 람세스의 시대를 말이다.

—두 가지 징조가 나타났어요.

네페르타리가 단언했다.

—예기치 않게 강물이 불어나고 불사조가 돌아왔어요. 어떤 시대가 이보다 더 눈부시게 시작되겠어요?

람세스는 막 그에게 도착한 보고서를 읽고 있는 중이었다. 강물이 이상적인 수위에까지 올라왔다는 것은 이집트에 내린 축복이었다.

멤피스 시민 전체가 감탄의 눈길로 지켜보는 가운데 거대한 푸른 새는, 햇빛을 표현하는, 헬리오폴리스 대사원의 오벨리스크 꼭대기에 가서 앉았다. 저 세상으로부터 돌아온 불사조는 꼼짝도 하지 않고 앉아서 신들의 사랑을 받는 나라를 이윽히 내려다보았다.

보고서를 읽고 있는 왕을 바라보며 네페르타리가 말했다.

—당신, 당황했나 봐요.

—이런 징조들이 보여주는 힘에 놀라지 않을 사람이 어디 있겠소?

—그래서 뒤로 물러나실 건가요?

—아니오, 네페르타리. 이 징조들은 내가 비판과 질곡과 어려움을 걱정하지 말고 앞으로 나아가야 한다는 것을 내게 확인시켜주는 것이오.

—이렇게, 당신의 위대한 계획을 실현시켜야 할 시간이 온 거예요.

그는 그녀를 품에 안았다.

—불어난 강물과 불사조가 대답해주었소.

그때 아메니가 숨을 헐떡이며 왕과 왕비의 접견실로 달려들어왔다.

—생명의 집의 책임자가…… 폐하를…… 뵙고 싶어합니다.

—안으로 들라 하게.

—세라마나가 그를 수색하려고 합니다. 말썽이 생길 거예요!

람세스는 서둘러 대기실을 향해 걸어갔다. 하얀 옷을 입고 삭발한 건장한 60대 남자와, 투구와 갑옷 차림에 무장한 우람한 거인 세라마나가 대치하고 있었다.

책임자가 파라오 앞에서 절했다. 세라마나는 파라오의 못마땅한 표정을 눈치챘다.

사르디니아인이 중얼거렸다.

—예외는 없습니다. 그렇지 않으면 폐하의 안전을 지킬 수가 없어요.

—뭘 원하는가?

람세스가 책임자에게 물었다.

—생명의 집에서는 가능한 한 빨리 폐하를 뵙기를 앙망하고 있습니다.

34

람세스를 헬리오폴리스에 데려왔을 때 세티는 람세스로 하여금 미래가 걸린 시련을 겪게 하기로 결정했었다. 오늘, 람세스는 파라 오로서 태양신 라의 대사원 경내로 들어가는 대문을 넘고 있다. 라 대사원은 카르낙에 있는 아몬 대사원만큼이나 큰 사원이었다.

이 신성한 공간에 세워진 건물들은 서로 운하로 연결되어 있다. 원초의 바위 사당, 단풍나무 그늘 아래 세워져 있는 창조주 아툼 신(태양신 라의 우주의 창조주로서의 면모를 가리키는 이름—역주)의 사당, 나무 줄기에 왕들의 이름이 새겨진 버드나무 사당, 사카라의 피라미드를 건설한 드제제르의 기념관 등이 여기저기 세워져 있다.

헬리오폴리스는 매혹적인 곳이었다. 아카시아 나무와 버드나무와 타마리스 나무들이 서 있는 숲 사이사이에 오솔길들이 나 있고 그 오솔길 가장자리에는 신들의 조상(彫像)을 모시기 위한 간이제단들이 늘어서 있다. 풍성한 과수원과 올리브 농원도 있다. 양봉하는 사람들은 많은 꿀을 모아들이고, 젖이 넉넉한 암소들은 단풍나무 아래서 쉬고 있고, 공방에서는 재능이 빼어난 장인들을 길러내고, 백 개가 넘는 마을들이 이 신성한 도시를 위해 일했다. 신전은 그 대가로 그들의 행복한 삶을 보장해주는 것이다.

이집트의 지혜는 이곳에서 형성되었다. 그 지혜는 제의의 형태로, 또는 스승의 입으로부터 제자의 귀로 전해지는 신화의 형태로 전수되었다. 학자들과 제관들, 그리고 마술사들은 그곳의 침묵과 비밀 속에서 가르침을 익혔다.

모든 대사원 안에는 생명의 집이 있었는데, 헬리오폴리스의 생명의 집은 이집트 안에서 가장 오래 되고 모범적인 곳이었다. 헬리오폴리스의 생명의 집 주지는 속세에 잘 나타나지 않았다. 명상과 수련에 전념하면서, 그는 자기의 영역을 좀체로 벗어나지 않았다. 주지가 람세스에게 말했다.

―선왕께서는 자주 사원에서 지내셨습니다. 그분께서 가장 원하시던 것은, 속세를 떠나는 것이었습니다. 그러나 그분께서는 그 꿈이 절대로 이루어질 수 없다는 것을 아셨습니다. 폐하께서는 젊으십니다. 수많은 계획들이 폐하의 머리와 가슴에 가득 차 있습니다. 그러나 폐하께서 그 이름에 합당한 존재가 되실 수 있을까요?

람세스는 치밀어오르는 화를 누르려고 애썼다.

―그러지 못할 거라고 생각하십니까?

―제 대신 하늘이 대답해줄 것입니다. 절 따라오십시오.

―명령입니까?

―폐하께서는 나라의 주인이시고, 소승은 폐하의 신하입니다.

그렇게 말했지만, 생명의 집의 주지는 눈길을 내리지 않았다. 그는 람세스가 지금까지 만났던 어떤 사람보다도 두려운 적수였다.

─절 따라오시겠습니까?

─앞서시오.

주지는 곧은 걸음걸이로 앞장서 갔다. 그는 원초의 바위 사당을 향해 걸어갔다. 신성문자로 뒤덮인 오벨리스크가 그 바위에서 솟아나와 있었다. 그 꼭대기에, 불사조가 꼼짝도 않고 앉아 있었다.

─폐하, 눈을 들어 저 새를 똑바로 마주 보실 수 있겠습니까?

불사조의 모습은 눈부신 정오의 태양빛 속에 잠겨 잘 보이지도 않았다.

─내 눈을 멀게 할 작정이오?

─판단은 폐하께서 하십시오.

─왕은 당신의 도전에 반드시 응해야 할 의무는 없소.

─왕 자신이 아니라면 누가 그에게 그것을 강요하겠습니까?

─이렇게 행동하는 이유를 설명해주시오.

─폐하께서는 이름을 가지고 계십니다. 폐하의 통치는 그 이름으로 뒷받침됩니다. 지금까지 그 이름은 하나의 이상에 불과했습니다. 그것을 이상인 채로 두시겠습니까? 아니면 어떤 위험을 겪더라도 용기를 내서 그 이상을 실현하시겠습니까?

람세스는 태양을 마주 보았다.

태양 원반은 그의 눈을 태워버리지 않았다. 그는 불사조의 몸이 점점 더 커지는 것을 바라보았다. 새는 날개를 퍼덕이더니, 하늘로 날아갔다. 왕의 시선은 창공을 빛내며 낮을 창조해내는 햇빛과 하나가 되어 오랫동안 떨어질 줄 몰랐다.

─폐하께서는 진실로, 빛의 아들이요 태양의 아들인 람세스이십니다. 폐하의 통치가 어둠에 대한 빛의 승리를 선포하게 되기를 바라 마지않습니다.

람세스는 이제 태양을 두려워할 필요가 없다는 것을 깨달았다. 자신은 지상에 있는 태양의 화신인 것이다. 태양과 한 몸이 되었으므로 그는 태양의 에너지를 자신의 자양으로 삼을 것이다.

생명의 집 주지는 아무 말도 하지 않고 담이 높고 두터운 직사각형의 건물을 향해 갔다. 람세스는 그를 따라 헬리오폴리스의 생명의 집으로 들어갔다. 생명의 집 중앙에 있는 작은 둔덕에는 수양 가죽에 덮인 신성한 돌이 놓여 있었다. 연금술사들의 변성실험에도 사용되고, 죽은 자들을 죽음에서 부활로 이끌기 위해 비전 전수자들의 석관 위에도 놓이는 돌이었다.

주지는 천문학과 점성술에 관한 저술, 예언서와 왕조실록 등이 보관된 거대한 도서관으로 왕을 안내했다.

주지가 말했다.

―우리의 실록에 따르면, 불사조는 1461년 전에 나타났던 이후로는 한번도 헬리오폴리스에 나타난 적이 없습니다. 불사조가 돌아온 것으로 보아 폐하의 통치 원년은 우리나라 천문학자들이 확립한 두 가지 책력이 일치하는 시점입니다. 4년마다 하루를 버리는 고정된 책력과, 매년 하루의 4분의 1씩을 버리는 실제 책력이 만나는 것이지요. 폐하께서 왕위에 오르시는 바로 그 순간에, 그 두 개의 우주 순환주기가 일치했습니다. 폐하께서 허락해주신다면, 이 사건을 알리기 위해서 기념비를 하나 만들겠습니다.

―당신의 이야기에서 어떤 가르침을 이끌어내야 하는 거요?

―우연은 존재하지 않는다는 것, 그리고 폐하의 운명은 신들에게 속해 있다는 것입니다.

기적적인 강의 범람, 되돌아온 불사조, 새로운 시대…… 이건 셰나르에겐 가혹한 일들이었다. 절망으로 머리가 텅 비어버린 것 같앞지만, 그러나 그는 람세스를 위해 열린 행사에서 훌륭하게 처신했다. 상서로운 전조와 함께 시작된 람세스의 시대는 틀림없이 대단한 시대가 될 것이라고들 떠들었다. 신들께서 두 개의 땅을 다스리고, 그 두 땅의 통일을 유지시키며 위력을 만방에 떨치라고 그 젊은이를 택하셨다는 것을 아무도 의심하지 않는 분위기였다.

세라마나는 잔뜩 볼이 부어 있었다. 왕의 신변을 보호하기 위해서는 끊임없이 신경을 곤두세워야 했기 때문이다. 고관들 한 패거리가 파라오에게 인사하려고 몰려오는가 하면, 파라오는 한술 더 떠서, 백성들의 갈채를 받으며 수레를 타고 멤피스의 대로를 돌아다녔다. 조심하시라는 세라마나의 충고는 들은 체도 않고, 왕은 그저 자기의 인기에 취해 있었다.

도시를 도는 것으로 성이 차지 않아서, 왕은 시골에까지 모험을 감행했다. 그 대부분은 홍수 때마다 물에 잠기는 땅이었다. 농부들은 연장과 쟁기를 수선했고, 곡식 창고를 보수했다. 그 동안 아이들은 떠다니는 것들을 이용해서 헤엄치는 것을 배웠다. 주둥이가 빨갛고 까만 두루미들이 아이들의 머리 위를 날아다녔고, 하마 떼들은 강물에서 빈둥거렸다. 람세스는 하룻밤에 두세 시간씩만 자면서 많은 마을들을 돌아다녔다. 그는 지방 수령들과 시장들로부터 충성의 서약을 받았으며, 평민들의 신임을 얻었다.

그가 멤피스로 돌아왔을 때, 강물이 빠지기 시작했고, 농부들은 파종을 준비하고 있었다.

네페르타리가 왕에게 물었다.

―피곤한 기색조차 보이지 않네요.

―백성과 한마음이 되는데, 어떻게 피로를 느끼겠소? 당신은 어디 아픈 것처럼 보이는구려.

―조금 불편해요.

―의사들이 뭐라던가요?

―정상적으로 분만하고 싶으면 누워서 지내래요.

―그런데 왜 서 있소?

―당신이 없을 땐, 제가…….

―분만할 때까진, 멤피스를 떠나지 않겠소.

―그럼 당신의 위대한 계획은요?

람세스는 당황한 것처럼 보였다.

―그럼 잠깐 여행해도 되겠소?

왕비가 미소를 지었다.

―제가 어떻게 파라오의 청을 거절할 수 있겠어요?

―네페르타리, 이 땅은 정말로 아름답소! 이곳을 돌아다니는 동
안, 나는 이 땅이야말로 하늘의 기적이며, 물과 태양의 딸이라는 걸
알았소. 호루스의 힘과 하토르의 아름다움이 이 땅에 완결되어 있
소. 우리는 생애의 매순간을 이집트에 바쳐야 하오. 그대와 나는 이
땅을 다스리기 위해서가 아니라, 이 땅을 섬기기 위해 태어난 것이
오.

―저도 생각했어요.

―무슨 생각이오?

―섬긴다는 것은 한 인간이 이룩할 수 있는 가장 숭고한 행동이
에요. 섬김에 의해서, 섬김에 의해서만 충만함을 이룰 수 있어요.
헴, '섬기는 자'라는 뜻의 그 숭고한 단어는 가장 겸손한 사람, 공
사장 인부나 농부를 가리키는 동시에 가장 강한 자, 신들과 백성을
섬기는 자 파라오를 지칭하지 않던가요? 당신이 왕위에 오른 뒤부
터, 저는 다른 현실을 엿보기 시작했어요. 당신도 나도 섬기는 것만
으로 만족할 순 없어요. 우리는 국가라는 거대한 배가 좋은 방향으
로 나아가게끔 키의 방향을 정하고, 조종대에 서기도 해야 하니까

요. 아무도 우리 대신 그 일을 해줄 순 없어요.

왕의 얼굴에 잠시 슬픔의 그늘이 드리웠다.

—아버님이 돌아가셨을 때, 나도 바로 그런 감정을 느꼈소. 인도
하고, 충고해주고, 명령을 내려줄 수 있는 우월한 존재가 함께 계시
다는 느낌은 얼마나 든든한 건지 몰라! 아버님 덕에 어떤 어려움이
라도 뛰어넘을 수 있고, 어떤 불행도 맞서 극복할 수 있다고 느껴
졌소.

—당신의 백성이 당신에게 기대하는 것이 바로 그런 거예요.

—나는 태양을 정면으로 마주 보았소. 그런데 태양은 내 눈을 태
워버리지 않았소.

—태양이 당신 안에 있어요, 람세스. 태양은 생명을 주고, 식물과
동물, 인간들을 자라게 하지만, 너무 뜨거우면 모든 것을 말라죽게
할 수도 있어요.

—사막은 태양으로 불타버린 곳이지만, 그래도 그곳엔 생물이 많
소!

—사막은 땅 위에 있는 저 세상이에요. 사람들은 그곳에 집을 짓
지 않아요. 세대와 세대를 건너뛰고, 시간을 무력화시키는 영원의
집들만이 그곳에 지어지죠. 인간들을 잊어버리고 자신의 생각을 사
막에 파묻는 것, 그것이 파라오들이 느끼는 유혹이 아닌가요?

—아버님은 사막의 사람이었소.

—모든 파라오들은 사막의 사람이어야 해요. 그러나 그의 시선은
계곡에서도 꽃을 피워야만 해요.

람세스와 네페르타리는 함께 저녁의 평화를 맛보았다. 석양이 헬
리오폴리스의 유일한 오벨리스크를 금빛으로 물들이는 그 시간.

35

세라마나는 자기가 선별한 위병들이 제자리에 있는지 확인하고, 람세스의 침실 불이 꺼지기를 기다렸다가 궁전을 떠났다. 그는 검은 준마에 올라타고 멤피스를 가로질러 사막으로 가는 길로 접어들었다.

이집트인들은 밤에 움직이는 걸 별로 좋아하지 않는다. 해가 지면, 악마들이 소굴에서 기어나와 조심성 없이 돌아다니는 사람들을 공격한다고 생각했다. 우람한 덩치의 사르디니아인은 그런 미신 따위는 개의치 않았다. 괴물 같은 짐승 떼거리가 달려든다 해도 그는 자신을 방어할 수 있었다. 일단 그의 머릿속에 무슨 생각이 떠오르면 아무도 말릴 수가 없었다.

세라마나는 세타우가 람세스를 위해 열린 행사에 참여하기 위해 궁전을 방문할 것이라고 기대했다. 그러나 이 뱀 전문가는 괴짜라는 평판에 걸맞게 자기 실험실을 떠나지 않았다. 아직도 람세스의 선실에 전갈을 집어넣은 범인을 찾고 있는 세라마나는 여러 사람에게서 비밀스러운 정보들을 얻어내려고 애썼다.

세타우를 좋아하는 사람은 아무도 없었다. 사람들은 그의 마법과 그가 친하게 지내는 끔찍한 동물들을 두려워했지만, 그의 사업이 날로 번창하고 있다는 것만은 인정했다. 세타우는 중병 치료제를 만드는 데 쓰이는 독을 팔아 재산을 모으고 있었다.

여전히 로메가 의심스럽긴 했지만, 세라마나는 세타우가 강력한 용의자라는 것을 인정하지 않을 수 없었다. 가증스러운 범죄가 실패로 돌아가자, 친구를 마주 볼 수가 없어서 감히 나타나지 못했을 것이다. 자기 집에 틀어박혀 있다는 것은, 그가 자신의 범죄를 인정했다는 말이 아닌가?

세라마나는 그를 볼 필요가 있었다. 왕년에 해적 노릇을 했던 그는 얼굴을 보고 상대를 파악하는 습관이 있었다. 지금까지 살아남을 수 있었던 것도 그런 통찰력 때문이다. 세타우를 보고 나면, 생각이 정리될 것이다. 그런데 그가 모습을 감추고 있으니, 엄폐물 뒤에서 기어나오게 만드는 수밖에 없다.

경작지들이 끝나는 곳에서, 세라마나는 말에서 내려 말고삐를 무화과나무 줄기에 매었다.

그는 말을 안심시키기 위해 귀에다 대고 몇 마디 중얼거린 다음, 세타우의 실험실을 향하여 소리없이 나아가기 시작했다. 달은 이제 막 차기 시작한 초승달이었지만, 밤은 어둡지 않았다. 하이에나의 울음소리가 들려왔지만, 그는 뒤도 돌아보지 않았다.

실험실에는 불이 켜져 있었다. 심문해보면 진실을 알 수 있을까? 용의자들을 밀어붙이지 않겠다고 약속한 바 있지만, 필요에 따라서는 법을 모른 척할 수도 있는 법이니까. 그는 신중하게 몸을 구부리고 작은 언덕을 돌아 건물 뒤쪽으로 다가갔다.

사르디니아인은 벽에다 등을 딱 붙이고 귀를 기울였다.

실험실 안에서 신음소리가 들려왔다. 이 땅꾼이 어떤 불쌍한 사람을 괴롭히고 있는 것일까? 그는 게걸음으로 입구가 있는 곳까지 다가가서, 안을 들여다보았다. 항아리, 단지, 여과기, 뱀과 전갈을 가두어놓은 우리, 크고 작은 칼, 바구니…… 판자와 선반 위에 온갖 잡동사니들이 놓여 있었다.

바닥에는, 남자와 여자가 벌거벗고 한데 엉켜 있었다. 날씬하고, 흥분될 만큼 아름다운 몸매를 가진 누비아 여자가 쾌락의 신음소리를 지르고 있었다. 까만 머리에 네모난 머리를 가진 그녀의 짝은 남성적이고 단단한 몸집을 갖고 있었다.

사르디니아인은 몸을 돌렸다. 그는 내숭 떨지 않는 여자들을 좋아하긴 했지만 딴 사람들이 사랑을 나누는 걸 들여다보는 취미는 없었다. 그런데도 그 누비아 여자의 아름다움은 그의 마음을 뒤흔들어놓았다. 어쨌든 저 정념의 놀이를 훼방하는 건 죄가 되리라. 그는 참고 기다렸다. 세타우가 기진맥진해지면, 심문하기에도 더 편할 테니까.

그는 즐거운 마음으로 내일 저녁 식사를 같이 하기로 한 아름다운 멤피스 여자를 생각했다. 그녀와 친하다는 여자친구의 말에 따르면, 그녀는 힘센 근육질의 남자들을 좋아한다고 했다.

왼쪽에서 이상한 소리가 들렸다.

사르디니아인이 고개를 돌리자, 몸을 곧추세우고 공격할 태세를 갖춘 거대한 코브라 한 마리가 눈에 들어왔다. 싸움을 벌이지 않는 것이 상책이다. 그는 뒤로 물러섰다. 하지만 벽에 부딪쳐서 꼼짝없이 멈춰설 수밖에 없었다. 또 한 마리의 코브라가 나타나 그의 앞길을 가로막았다.

—저리 비켜! 이놈의 더러운 짐승들아!

우람한 덩치의 사나이가 칼을 뽑아들었는데도, 뱀들은 겁을 먹기는커녕 계속해서 쉭쉭대며 위협을 가해왔다. 한 놈을 죽이는 데 성공한다 해도, 다른 놈이 그를 물 것이다.

—무슨 일이야?

벌거벗은 채, 손에 횃불을 들고 바깥으로 나온 세타우가 사르디니아인을 발견했다.

—내 물건을 훔치러 왔군…… 나의 충직한 파수꾼들 덕분에 그런 기분 나쁜 일을 겪는 법은 없지만. 이놈들은 경계심이 남다른데다가, 주인인 나를 사랑하거든. 네놈에겐 안 된 일이지만, 이놈들이 키스를 하면, 넌 죽게 돼.

—세타우, 그런 범죄를 저지르진 않겠지!

—어쭈, 내 이름까지 알고 계셔…… 어쨌든 넌, 현장에서 잡힌 도둑놈이야. 손에 칼까지 들고 있으니, 네놈이 죽는다 해도 판사는 정당방위라는 결론을 내릴걸.

—난 람세스의 친위대장 세라마나다.

—어쩐지 어디서 봤다 했더니. 그런데 어쩌다 이런 좀도둑이 됐지?

—널 만나러 왔을 뿐이야. 다른 목적은 없어.

—이 밤중에? 로투스와 사랑을 나누는 걸 방해했을 뿐만 아니라, 되지 않는 거짓말까지 하고 있군.

—내 말은 사실이야.

—그런데 왜 갑작스럽게 내가 보고 싶으셨나?

—보안상의 필요 때문이지.

—그게 무슨 소리야?

―왕을 보호하는 게 내 의무야.

―내가 람세스에게 위험한 존재라구?

―난 그렇게 말한 적 없어.

―하지만 그렇게 생각했으니까, 날 염탐하러 온 것 아냐.

―나에겐 실수할 권리가 없으니까.

코브라 두 마리가 사르디니아인에게 다가왔다. 세타우의 눈이 분노로 이글거렸다.

―미친 짓 하지 마.

―왕년의 해적께서 죽음을 무서워하시나?

―그래, 이렇게 죽는 건 싫어.

―세라마나, 꺼져. 그리고 다신 날 귀찮게 하지 마. 안 그랬다간 이 파수꾼들을 말리지 않을 테니까.

세타우가 손짓을 하자, 코브라들이 비켜섰다. 땀에 흠뻑 젖은 사르디니아인은 그들 사이를 지나 경작지들이 있는 곳까지 곧장 걸어갔다.

그는 세타우에 대한 생각을 정리했다. 저 세타우라는 놈에겐 범죄자의 기질이 있다.

―저 사람들이 뭘하는 거예요?

어린 카는 물이 가득 찬 밭으로 양떼를 몰아넣는 농부들을 보며 그렇게 물었다.

농무대신 네드젬이 대답했다.

―양들을 시켜서, 자기들이 뿌려놓은 씨를 땅속에 박아넣는 거야. 강이 범람하면서 강가와 밭에다 엄청나게 많은 진흙을 남겨놓았거든. 그 진흙 덕택에 밀이 튼튼하게 자라서 열매를 많이 맺는 거야.

―저 양들은 유익한가요?

―암소처럼, 이 세상의 모든 동물처럼 유익하지.

강물이 빠지기 시작했다. 농부들이 씨를 뿌리기 시작했다. 그들은 거대한 강이 남겨준 기름진 진흙을 밟을 수 있어서 행복했다. 그들은 아침 일찍부터 일어나 일했다. 조금만 지나면, 땅이 단단해져서 뒤집기가 어려워진다. 농부들은 괭이질을 해서 물이 스며든 진흙 덩어리들을 부순 뒤 씨를 뿌리고 다시 흙으로 그 위를 덮는다. 그런 다음 동물들이 씨앗을 땅속 깊이 박아넣는 일을 해주는 것이다.

―아저씨, 시골은 아름다워요. 하지만 난 파피루스랑 신성문자들이 더 좋아요.

―농장을 보고 싶니?

―아저씨만 괜찮으시다면…….

농무대신은 아이의 손을 잡았다. 아이는 글을 읽고 쓸 때와 똑같은 태도로 걸었다. 어린아이답지 않게 아주 진지한 태도였다. 온화한 네드젬은 혼자 가만히 있기를 좋아하는 아이의 성품에 놀랐다. 아이는 장난감을 달라고 하지도 않았고, 친구들과 놀겠다고 떼를 쓰지도 않았다. 아이는 이제트에게 네드젬이 자신의 개인교사가 되었으면 좋겠다고 말했다. 네드젬이 보기에 람세스의 아들은 온실에서 벗어나 자연과 자연의 경이를 만나는 것이 좋을 듯싶었다.

카는 신기하고 새로운 광경에 놀란 아이가 아니라, 상부에 제출할 보고서 작성을 준비하는 서기관처럼 사물을 관찰했다.

농장은 곡물 보관 창고, 외양간, 가축 사육장, 빵 굽는 곳과 채소밭으로 이루어져 있었다. 농장 입구에서 네드젬과 카는 손과 발을 씻어달라는 요청을 받았다. 그들은, 높으신 분들의 방문에 입이 함지박만큼 벌어진 농장 주인의 환영을 받았다. 그는 잘 먹이고 깨끗하게 손질한 아름다운 젖소들을 보여주었다. 그가 털어놓은 비결은 이러했다.

─좋은 목초지에 데려가 싱싱한 풀을 먹이는 게 제 비결이죠. 날씨만 너무 덥지 않으면, 매주 토실토실 살이 오른답니다!

그 말에 어린 카가 또랑또랑한 목소리로 말했다.

─암소는 하토르 여신의 짐승이에요. 그래서 아름답고 부드러운 거예요.

농장 주인이 깜짝 놀랐다.

─누가 그런 걸 가르쳐드렸습니까요, 왕자님?

─애기책 속에서 읽었어.

─벌써 글을 읽을 줄 아십니까?

─날 기쁘게 해줄 테야?

─물론이지요, 왕자님!

─나에게 석회암 조각하고 갈대 하나를 갖다줘.

─예, 예…… 즉각 대령합지요.

농장 주인은 어떡할까요, 하는 표정으로 네드젬의 눈치를 살폈다. 네드젬은 눈을 찡긋해서 그렇게 하라는 시늉을 했다. 도구를 챙겨든 소년은, 깜짝 놀란 표정으로 지켜보는 농부들 앞에서 농장의 마당이며 외양간을 돌아다녔다.

한 시간 뒤에 소년은 숫자가 잔뜩 쓰인 석회암 조각을 농장 주인에게 내밀며 말했다.

─내가 잘 세어보았어. 백열두 마리의 암소가 있더군.

아이는 눈을 비비더니, 네드젬의 무릎에 머리를 기댔다.

─이젠 졸려.

농무대신은 왕자를 품에 안았다.

카는 벌써 잠들어 있었다. 네드젬은 생각했다.

'람세스 폐하의 또다른 경이로다.'

270

36

람세스만큼 건장한 체격에 넓은 어깨, 숱 많은 머리카락으로 덮인 높은 이마, 검붉게 그을은 얼굴의 털보 모세가 이집트 왕의 집무실 안으로 천천히 들어섰다.

람세스가 자리에서 일어났다. 두 친구는 서로 얼싸안았다.

—세티께서 일하시던 곳이군. 그렇잖은가?

—아버님이 쓰시던 그대로 두었네. 이 방에는 그분의 생각이 배어 있어. 그 생각이 내가 나라를 다스리는 데 영감을 주었으면 하고.

세 개의 아클라우스트라 창문을 통해서 부드러운 빛이 방안으로 들어왔다. 창문 덕분에 방안은 환기가 잘 되어 쾌적했다. 끝무렵의 여름 햇살이 기분 좋게 느껴졌다.

―건강은 어떤가, 모세?

―건강이야 좋지. 일을 하지 않아서 힘이 남아도는걸.

―이젠 서로 얼굴 볼 시간도 없군. 내 탓일세.

―난 빈둥거리면서 사치스럽게 사는 생활이 소름 끼치게 싫다네. 카르낙에서 하던 일이 좋았는데.

―멤피스 궁전에는 마음을 끄는 일이 없나?

―난 조신들이 지겹네. 파라오를 찬미하느라 정신이 없지. 이러다간 머지않아 자넬 신들의 반열에 올려놓고 말 걸세. 어리석고 한심한 작태야.

―내 행동을 비판하는 건가?

―기적적인 강물의 범람, 불사조, 새로운 시대…… 그건 자네의 인기를 설명해주는 명백한 사실들이지. 파라오가 초자연적인 힘의 소유자인가? 그리고 미리 예정된 자인가? 자네 백성은 그렇게 믿고 있네만.

―자넨 어떻게 생각하나?

―그게 사실인지도 모르지. 그러나 자넨 진정한 신은 아냐.

―내가 그렇게 주장한 적이 있나?

―조심하게, 람세스. 자네 측근들의 아첨이 자네를 끝없는 허영심에 빠지게 할 수도 있네.

―자넨 파라오의 직분이 어떤 건지 잘 몰라. 또 내가 평범한 사람이라고 생각하고 있어.

―자넬 도우려는 것뿐이야.

―그렇잖아도 자네에게 날 도울 수 있는 기회를 주려고 하네.

모세의 눈이 호기심으로 반짝였다.

―날 카르낙으로 돌려보내줄 건가?

―자네만 찬성한다면, 그보다 더 큰 일을 맡길 생각이네.

ー카르낙보다 더 중요한가?

왕이 자리에서 일어나 창가에 기대어섰다.

ー나는 엄청난 규모의 공사를 하나 생각하고 있네. 네페르타리에 겐 이미 말했어. 네페르타리와 나는 그 계획을 구체화시키기 전에 하늘의 징조가 나타나길 기다렸지. 강의 범람과 불사조가 나에게 두 가지 징조를 보여주셨네. 또 생명의 집에서는 천문학의 법칙에 따라 새로운 시대가 열렸다는 사실을 확인시켜주었네. 물론, 선왕 께서 시작하신 카르낙과 아비도스의 공사도 끝낼 걸세. 그러나 이 새로운 시대는 새로운 창조로 시작되어야 해. 그것이 허영인가, 모 세?

ー모든 파라오들은 전통에 따라 마땅히 그렇게 행동해야지.

람세스는 걱정스러운 표정을 지었다.

ー세상이 바뀌고 있네. 히타이트인들은 여전히 위협적인 존재야. 이집트가 부유하니까 군침을 삼키고 있는 거지. 그래서 이런 계획 을 생각해낸 거라네.

ー군사력을 증강시킨다는 계획인가?

ー아닐세, 모세. 이집트의 수도를 옮기는 거야.

ー자네 말은……

ー새로운 수도를 건설하는 거야!

모세가 아연실색했다.

ー자네…… 제정신인가?

ー우리나라의 운명은 북동쪽 국경에 달려 있지. 따라서 조정이 있어야 하는 곳은 델타 지방이야. 그렇게 되면, 레바논이나 시리아, 그리고 히타이트 족의 위협을 받는 우리의 보호령에서 어떤 일이 일어나는지 아주 사소한 정보까지도 입수할 수 있게 될 거야. 테베 는 계속해서 거대한 카르낙 신전과 내가 증축하려는 룩소르 신전이 지키는 아몬의 도시로 남을 거야. 서쪽 연안에 서 있는 침묵의 산은 왕들의 계곡과 왕비들의 계곡, 그리고 정의로운 사람들의 영원의 집을 지켜줄 거고.

—그럼 멤피스는?

—멤피스는 델타와 나일 강 계곡의 합류점에 위치하고 있으니까, 두 땅의 저울이라고 볼 수 있어. 멤피스는 계속 이집트의 경제적 수도로서 국내 정치를 조율하는 중심지 역할을 하게 될 거야. 모세, 북쪽과 동쪽으로 더욱더 멀리 나아가야 하네. 이집트가 고립되어 갇혀 있어선 안 돼. 우리가 한때 침략당했던 사실, 또 이집트가 탐나는 먹이감이라는 사실을 잊어선 안 되네.

—요새의 방어선만으론 충분치 않은가?

—위험이 있을 땐, 신속히 대응해야 해. 국경 가까이 있을수록, 정보가 도착하는 시간도 덜 걸리겠지.

—수도를 새로 건설한다는 건 위험한 시도일세. 아케나톤이 이미 실패했잖은가?

—아케나톤은 용서할 수 없는 실수를 저질렀지. 그가 선택한 중부이집트는 첫번째 머릿돌을 놓는 순간부터 저주받은 곳이었어. 그는 백성의 행복을 좇았던 것이 아니라, 자신의 신비주의적인 꿈을 실현시키려고 했던 거지.

—그 역시 자네처럼 아몬의 사제들과 대립하지 않았나?

—아몬의 대사제가 규범에 충실하고 왕에게 충성했다면, 무엇 때문에 그를 내쳤겠는가?

—아케나톤은 유일신을 믿었고, 자신의 영광을 위해서 도시를 건설했지.

—그는 위대한 아멘호텝이 그에게 물려준 부유한 나라를 거의 다 망가뜨렸어. 아케나톤은 기도에 빠져 있던 유약하고 우유부단한 자

였지. 그의 통치기간 동안, 이집트의 적국들이 이집트의 통제하에 있던 많은 영토들을 정복했네. 자네는 그를 옹호하려는 건가?

모세가 망설였다.

—오늘날 그의 수도는 폐허가 되었네.

—나의 수도는 수많은 후손들을 위하여 건설될 걸세.

—자네 말을 들으니 겁이 날 지경이네, 람세스.

—친구, 용기를 내게!

—아무것도 없는 무의 상태에서 하나의 도시를 일으켜 세우려면 시간이 얼마나 걸릴까?

람세스가 빙긋이 웃었다.

—아무것도 없는 건 아닐세.

—무슨 말인지 설명해보게.

—나를 가르치시는 동안, 선왕께선 중요한 장소들을 발견하게 해주셨네. 여행을 할 때마다, 아버님께선 내가 원하는 가르침을 주셨지. 이제야 아버님께서 나를 데리고 그곳들을 여행하셨던 이유를 알겠네. 그런 장소들 중 하나가 아바리스일세.

—아바리스라면, 침략자들인 힉소스 족의 수도였던, 저 저주받은 도시 아닌가?

—선왕께선 오시리스를 죽인 세트 신에게서 당신의 이름을 따오셨지. 왜냐하면 그분께서는 파괴의 힘을 평화의 힘으로 바꾸시고, 그 힘으로부터 빛을 끌어내어 그것을 건설하는 데 쓰실 수 있을 만큼 강하셨으니까.

—그러니까 자넨 아바리스를 람세스의 도시로 바꾸고 싶다는 건가?

—피 람세스, 즉 '람세스의 도시'가 이집트의 수도가 될 걸세.

—굉장하군!

—피-람세스는 멋지고 풍요로운 도시가 될 거야. 시인들이 그 아름다움을 노래하게 되겠지.

　—얼마나 시간이 걸릴까?

　—자네가 던진 질문 잊지 말게. 바로 그 때문에 자네를 부른 것이기도 하고.

　—무슨 말인지 이해를 못 하겠군.

　—작업을 감독하고 일정이 조금도 지체되지 않게 해줄 사람이 필요해. 모세, 난 바쁘다네. 아바리스는 가능한 한 빨리 피-람세스로 바뀌어야 해.

　—기간을 얼마나 생각하고 있나?

　—일 년 미만으로 잡고 있네.

　—불가능해!

　—자네가 나서면 가능해.

　—자네는 내가 매처럼 빨리 바위들을 날라다가, 내 힘 하나만 가지고 쌓을 수 있을 거라고 믿는 건가?

　—바위로는 불가능하지. 하지만 벽돌이라면 가능해.

　—그렇다면, 자네 생각은……

　—그곳에 히브리인들을 많이 투입시키세. 그들은 지금 현재 여러 군데의 촌락에 흩어져 살고 있지. 그들을 한데 모아놓으면, 아주 능률적인 인부 집단을 확보할 수 있을 거야. 그들을 고용하면 거대한 공사를 잘 끝낼 수 있을 거야.

　—신전은 돌로 지어져야 하는 것 아닌가?

　—난 이미 있는 건물들을 증축하는 거야. 새로 지으려면, 몇 년씩 걸릴 걸세. 궁전, 관청 건물, 귀족들의 저택, 크고 작은 집들을 벽돌로 지을 거야. 일 년도 안 돼서 피-람세스는 살기 좋은 수도로 바뀔 거야.

모세는 반신반의하는 모습이었다.

—난 여전히 불가능하다는 생각이 드네. 설계만 해도…….

—설계도는 내 머릿속에 들어 있네. 내가 직접 파피루스에 그려 주겠네. 자네는 설계대로 공사가 진행되는지 감독하면 돼.

—히브리인은 반항적인 민족이야. 각 지파마다 우두머리가 따로 있네.

—내가 자네에게 요구하는 것은 한 나라의 왕이 되어달라는 것이 아니야. 공사 총감독이 되어달라는 거지.

—나에게 뭘 시키는 일은 쉽지 않을걸.

—난 자네를 믿네.

—이 계획이 알려지면 당장 다른 히브리인들이 내 자리를 차지하려고 들 걸세.

—그들이 그 자리를 차지할 수 있을 거라고 생각하나?

이번엔 모세가 빙긋이 웃었다.

—자네가 요구하는 기간 안엔 성공할 가능성이 전혀 없어.

—우리는 피-람세스를 지을 거야. 그 도시는 델타의 태양 아래 번영하여 이집트를 빛낼 거야. 자, 일을 시작하세, 모세.

　벽돌공 아브네는 더이상 사리의 부당한 행동을 참을 수가 없었
다. 람세스의 매형이라는 이유로, 이 이집트인은 인부들을 경멸하
고 못살게 굴었다. 그는 시간외 근무수당을 깎아서 지급하고, 식량
배급량을 속이는가 하면, 일을 제대로 하지 못했다며 휴가를 주지
않기도 했다.

　모세가 테베에 머물고 있을 때, 사리는 보이지 않는 곳에서 은밀
히 인부들에게 폭력을 행사했다. 모세가 떠나고 나자, 그는 인부들
을 더욱더 못살게 굴었다. 어제, 그는 벽돌을 빨리 날라오지 않았다
고 열다섯 살짜리 소년을 막대기로 때렸다.

　인부들은 이번엔 정말 참을 수가 없었다.

　사리가 벽돌공장 입구에 모습을 나타냈을 때, 히브리인들은 둥글

게 원을 이루고 앉아 있었다. 아브네만이 텅 빈 광주리들 앞에 서 있었다. 그 사이 사리는 더욱더 말라 있었다. 사리가 인부들에게 명령했다.

—일어나서 일들 해!

아브네가 조용한 목소리로 말했다.

—사과하십시오.

—어디다 대고 그런 말을 하는 거야?

—당신에게 부당하게 얻어맞은 아이가 병들어 누웠습니다. 그 아이에게뿐만 아니라, 우리 모두에게 사과하십시오.

—아브네, 너 지금 제정신이냐?

—사과하지 않으면, 일을 할 수 없습니다.

사리가 미친 듯이 웃었다.

—야, 이 불쌍한 놈아, 너 웃기는구나!

—우리를 놀리셨으니, 고발하겠습니다.

—넌 웃길 뿐만 아니라 멍청하구나. 내가 명령을 내려서 경찰이 조사를 했단 말이다. 경찰은 그 젊은 인부가 자기 잘못 때문에 생긴 사고로 다쳤다는 걸 확인했다고.

—하지만…… 그건 거짓말입니다!

—내가 보는 앞에서 그 녀석이 하는 말을 서기관이 받아 썼어. 자기가 한 말을 부정하면, 그놈이 위증죄로 벌을 받게 될걸.

—어떻게 그렇게 진실을 왜곡할 수가 있습니까?

—당장 일을 다시 시작하지 않으면, 엄한 벌을 받을 줄 알아라. 네놈들은 테베 시장님께서 사실 새 집에 쓸 벽돌을 만들어내야 한단 말이다. 그분은 일이 늦어지는 걸 못 참는 분이시다.

—법이…….

—법이라구? 히브리놈 주제에? 넌 법을 이해할 능력이 없어. 겁

없이 고발만 했단봐라. 네 가족들과 친척들에게 호되게 갚아줄 테니까.

아브네는 이 이집트인이 두려웠다. 그와 다른 인부들은 다시 일을 시작했다.

사리의 아내 돌렌테는 리비아인 마법사 오피르의 이상한 존재에 점점 더 매혹되었다.

불길해 보이는 얼굴과 맹금 같은 인상에도 불구하고, 그는 조용히 가라앉은 목소리로 태양신 아톤에 대해 이야기했다. 그가 하는 말에는 사람의 마음을 파고드는 열정이 담겨 있었다. 그는 돌렌테의 친구들을 초대해서 아케나톤에게 가해진 박해가 부당한 것이었으며 유일신 예배를 발전시켜야 한다는 점을 역설했다.

오피르는 듣는 사람을 매혹하는 힘이 있었다. 아무도 그가 하는 이야기에 무심할 수가 없었다. 어떤 사람들은 마음이 흔들렸고, 어떤 사람들은 그 마법사의 견해가 옳다고 생각했다. 날이 갈수록 그가 쳐놓은 그물에 흥미로운 믹이들이 점점 더 많이 걸려들었다. 몇 주 지나지 않아 아톤 신을 믿고, 리타의 등극을 지지하는 사람들이 꽤 늘어났다. 왕위를 쟁취하기 위해서 무슨 짓이든 할 수 있을 정도는 아니었지만 머릿속에 있던 조직이 구체적인 형태를 갖추기 시작한 것이다.

리타는 집회에 참석하기는 했지만, 아무 말도 않고 가만히 앉아 있기만 했다. 젊은 여성의 당당하고 조신한 몸가짐은 몇몇 유력인사들에게 확신을 주었다. 저 여성은 분명히 존중받아 마땅한 어떤 가문에 속해 있는 것이 틀림없다. 조만간, 왕실 안에서 어떤 지위를 회복하게 되지 않을까?

오피르는 비판하지도 않고, 강요하지도 않았다. 무겁고 설득력 있는 목소리로, 그는 아케나톤이 품었던 깊은 확신을, 그가 아톤 신을 위해서 직접 쓴 아름다운 시들을, 그리고 진리에 대한 아케나톤의 사랑을 환기시켰다. 사랑과 평화, 그것이 바로 박해당했던 왕과 그의 후손인 리타의 메시지가 아닌가? 그 메시지는 멋진 미래를, 이집트와 그 문명에 합당한 미래를 예고하고 있다.

돌렌테는 전 외무대신 메바에게 마법사를 소개하는 자신이 자랑스럽게 느껴졌다. 그녀는 자기가 평소의 무기력에서 벗어나 숭고한 목적에 봉사할 수 있게 되었다는 데 자부심을 느꼈다. 람세스는 그녀를 버렸지만, 마법사는 그녀의 존재에 의미를 부여해주었다.

넓고 편안한 얼굴에, 고상하고 당당한 풍모를 갖춘 전직 외교관은 불신을 숨기지 않았다.

―간곡히 부탁하시니 만나보기는 하겠습니다만, 이건 순전히 부인을 위해서일 뿐입니다.

―메바님, 감사합니다. 후회하시지 않을 겁니다.

돌렌테는 페르세아 나무 아래 앉아 있는 마법사에게 메바를 데려갔다. 그는 부적을 달아맬 끈을 만들기 위해 두 가닥의 아마실을 붙잡아매는 중이었다.

마법사가 일어나 허리를 굽혔다.

―대신을 뵙게 되다니, 무한한 영광입니다.

메바가 냉담한 목소리로 내뱉었다.

―난 이젠 아무것도 아닙니다.

―불의는 때를 가리지 않고 아무나 후려치지요.

―별로 위안이 되는 말이 아니군요.

람세스의 누이가 끼어들었다.

―제 친구인 메바님에게 모든 걸 다 설명해드렸어요. 어쩌면 우릴 도와주실지도 몰라요.

—환상에서 깨어나십시오, 부인! 람세스는 나를 겉만 멀쩡해 보이는 은퇴생활로 밀어넣었소.

—공께선 그에게 복수하고 싶어하십니다.

마법사가 나지막하고 침착한 목소리로 단언하듯이 말했다. 메바가 항의했다.

—우리 과장하지 맙시다. 나에겐 아직도 영향력 있는 친구들이 남아 있단 말요.

—그들은 자신의 영달에만 관심이 있을 뿐이죠. 공의 일까지 신경 써줄 리가 없죠. 전 다른 목표를 가지고 있습니다. 리타의 정통성을 증명하는 겁니다.

—그건 실현가능성이 없는 꿈이오. 람세스는 아주 예외적인 힘을 가진 사람이오. 그는 누구에게도 권력을 내주지 않을 거요. 게다가 그의 즉위 원년을 장식한 기적들이 그의 인기를 높여주었소. 내 말을 들으시오. 그는 건드릴 수 있는 사람이 아니오.

—그 정도의 적수와 싸워 이기기 위해선, 자기 영역 안에서만 싸워선 안 되죠.

—당신 계획은 어떤 거요?

—흥미 있으십니까?

메바가 망설이며 목에 걸고 있던 부적을 손으로 쓰다듬었다.

—글쎄······.

—지금 그 몸짓으로, 공께선 한 가지 대답을 하신 셈입니다. 제 방법은 다름 아닌 마법이라는 방법이죠. 저는 람세스를 둘러싸고 있는 보호막을 부술 수 있습니다. 그건 시간이 많이 걸리는 일입니다. 그러나 해내고 말 것입니다.

전직 외무대신은 깜짝 놀라서 한 걸음 뒤로 물러섰다.

—나에겐 당신에게 도움을 줄 능력이 없소.

—마법을 부리도록 도와달라는 게 아닙니다. 람세스를 공략할 수 있는 다른 영역이 있습니다. 즉 사상의 영역입니다.

—무슨 말인지 못 알아듣겠소.

—아톤 신의 지지자들은 존경받을 만한 지도자가 필요합니다. 아톤이 다른 신들을 제거해버리게 되면 전면에 나서서 중요한 역할을 수행하게 될 사람 말입니다. 그는 약해져서 항거할 수 없게 된 람세스를 거꾸러뜨릴 것입니다.

—그건…… 그건 너무나 위험한 일이오!

—박해를 받았던 건 아케나톤이지, 아톤 신은 아니었습니다. 아톤 신에게 예배를 드리지 못하게 하는 법은 없습니다. 아톤 신을 섬기는 자들은 아직도 많고, 아톤 신의 종교를 전파할 결심도 하고 있습니다. 아케나톤은 실패했지만, 우린 성공할 겁니다.

메바는 곤혹스러웠다. 그의 손이 덜덜 떨렸다.

—생각해봐야겠소.

왕의 누이가 메바에게 물었다.

—흥분되는 일이잖아요? 새로운 세계가 우리 앞에 펼쳐지는 거예요. 우리가 우리의 진정한 자리를 차지할 그런 세계 말이에요!

—그래요, 어쩌면…… 내 곰곰 생각해보리다.

오피르는 이 만남이 아주 흡족했다. 신중하고 겁 많은 메바는 한 무리의 우두머리가 될 도량을 가진 인물은 아니었다. 그러나 그는 람세스를 증오하고 자기의 지위를 되찾기를 원하고 있다. 독자적으로 행동할 주제가 못 되는 그는 어쨌든 그의 지도자요 친구인 셰나르를 찾아가 자문을 구함으로써 이 기회를 이용하려 할 것이다. 셰나르야말로 오피르가 조종하고자 하는 인물이었다. 돌렌테는 동생을 시기하는 새 외무대신에 대해서 오피르에게 긴 이야기를 늘어놓은 바 있다. 셰나르가 달라지지 않았다면, 그는 람세스를 무너뜨리겠다는 욕망을 그대로 품은 채 얼굴에 가면을 쓰고 있는 것이 분명하다. 오피르는 메바를 이용해서 결국 그 강력한 인물과 접촉하고 그를 자기의 중요한 동맹자로 만들고 말 것이다.

지루하고 피곤한 하루해를 보내고 나자, 관절염 때문에 모양이 변한 사리의 오른쪽 엄지발가락이 붉게 부풀었다. 그는 서 있는 것이 힘들어서 관용 수레를 힘겹게 몰고 다녔다. 히브리인들에게 벌을 주는 게 그의 유일한 기쁨이었다. 히브리인들은 그에 대한 반항이 소용 없다는 것을 결국 깨달았다. 그는 테베 경찰과 테베 시장과의 관계를 믿고 벽돌공들을 제멋대로 다루고 분풀이할 수 있었다.

사리에게는 마법사와 그의 조용한 여자의 존재가 점점 귀찮게 느껴지기 시작했다. 물론 그 두 사람은 별말 없이 조용히 지내긴 했지만, 돌렌테에게 좀 지나친 영향력을 행사하고 있었다. 돌렌테의 아톤 신에 대한 신앙심은 짜증스러울 지경에 이르렀다. 오피르의 신비주의에 정신을 잃고 빠져들어 그의 말에만 귀 기울이느라 부부의 의무마저 소홀히 할 정도였다.

키 큰 갈색머리 여자가 저택 문간에 앉아 그를 기다리고 있었다. 사리가 돌렌테에게 명령했다.

－가서 마사지용 연고를 찾아와요. 아파 죽겠어.

－너무 엄살 부리는 거 아녜요?

－내가 엄살을 부린다구? 당신은 내가 하루 종일 얼마나 힘들게 일하는지 몰라서 그래! 히브리놈들을 상대하다보면 진이 다 빠진다구.

돌렌테는 그의 팔을 붙잡고 방으로 부축해 갔다. 사리는 쿠션 위에 드러누웠다. 그녀는 그의 발을 씻긴 다음 향수를 발라주고, 부어

오른 엄지발가락에 연고를 발라주었다.

―당신의 마법사는 아직 있소?

―메바가 그를 만났어요.

―전 외무대신이?

―서로 생각이 잘 통하던데요.

―메바가 아톤 일당이라구? 그자는 겁쟁이요!

―그 사람은 아직도 꿈이 많다구요. 그를 존경하는 유력인사들이 많아요. 그 사람이 오피르와 리타를 돕는 데 찬성한다면, 우리 일은 상당히 진전될 수 있을 거예요.

―당신, 그 두 광신자를 너무 중요하게 생각하는 것 아니오?

―사리! 당신 어떻게 감히 그렇게 말할 수 있어요?

―됐소, 됐다구…… 나 아무 말도 안 했소.

―그 사람들은 우리에게 잃어버린 지위를 되찾게 해줄 유일한 기회예요. 그리고 아톤 신에 대한 신앙은 너무나 아름답고 순수해요 …… 오피르가 자기 신앙에 대해 말할 때 마음이 평온해진다는 느낌 안 들어요?

―당신 남편이 그 리비아인 마법사만도 못하단 얘기요?

―참, 당신도…… 그런 비교가 세상에 어디 있어요?

―그는 당신을 하루 종일 지켜보고, 난 게으름뱅이 히브리놈들이나 감시하고 있잖아. 오피르란 사내는 금발머리 여자랑 갈색머리 여자를 한 지붕 밑에 거느리고 사니 운도 좋군!

돌렌테는 남편의 발가락을 마사지하던 손을 멈추었다.

―당신, 지금 무슨 소리 하는 거예요? 오피르는 현자이고 기도하는 사람이에요. 그는 오래 전부터 다만 한 가지 생각만 하며……

―그럼 당신은? 당신도 기도만 생각하고 있소?

―아유, 꼴 보기 싫어.

―옷이나 벗기고 다시 마사지해줘요. 난 기도 따윈 관심없어.

―아, 참 깜빡 잊어버렸네!

―뭘 말요?

―당신 앞으로 왕실에서 보낸 편지가 와 있는데.

―가져와봐요.

돌렌테가 방에서 나갔다. 엄지발가락은 이제 좀 덜 아팠다. 행정 당국에서 그에게 무얼 원하는 걸까? 이번엔 좀더 나은 자리에 배치해줄지도 모르지. 그러면 히브리놈들은 그만 봐도 되겠지.

키 큰 갈색머리 여자가 편지를 들고 나타났다. 사리가 파피루스 두루마리를 뜯고, 그것을 펼쳐서 읽었다.

그의 얼굴이 찡그려졌다. 입술에서 핏기가 사라졌다.

―나쁜 소식이에요?

―벽돌공 분임조를 데리고 멤피스로 오라는 분부요.

―그거…… 그거 잘됐네요!

―편지에 왕실 공사장 총감독 모세의 서명이 있단 말요.

286

38

부름에 응하지 않은 히브리인은 한 사람도 없었다. 그들이 일하고 있는 공사장마다 모세의 편지가 전달되었고 히브리인들은 모두 열광했다. 모세가 카르낙에서 일하던 시절부터 그의 명성은 이집트 전역에 자자했다. 모두들 그가 자기의 동족을 지켜주고, 어떤 억압도 용납하지 않는다는 것을 알고 있었다. 람세스의 친구라는 것이 그에게 더더욱 유리하게 작용했다. 그런데 그런 그가 왕실 공사장의 총감독으로 임명되었다는 것이다! 많은 사람들의 마음에 커다란 희망이 생겨났다. 젊은 히브리인 모세가 급료와 노동조건을 개선시켜주지 않을까?

모세 자신도 그렇게 환영받으리라곤 기대하지 않았다. 어떤 지파의 우두머리들은 당황했지만, 파라오의 명령은 어차피 가타부타할

논의의 대상이 아니었다. 그래서 그들은 모세의 휘하에 들어갔다. 모세는 멤피스 북쪽에 세워진 막사촌을 돌아다니며, 안전과 위생상태를 점검했다.

사리가 모세 앞을 막아섰다.

─왜 날 부른 건가?

─곧 알게 될 거요.

─난 히브리인이 아니란 말야!

─여기엔 이집트인 조장들도 여러 명 있소.

─내 아내가 왕의 누이란 걸 잊어버린 건가?

─나는 왕의 공사장 총감독이오. 달리 말하면, 당신은 내 말을 들어야 한다는 얘기요.

사리는 입술을 깨물었다.

─내 분임조의 히브리인들은 도대체 말을 안 들어먹어. 나는 늘 상 막대기로 그들을 다스려왔고, 그걸 바꿀 생각이 없네.

─잘 쓰면 막대기는 잘 알아듣지 못하는 말귀를 뚫어주죠. 그러나 부당하게 쓰면, 막대기를 휘두른 사람이 얻어맞아야 합니다. 그 경우엔, 내가 직접 나서겠소.

─그렇게 건방지게 굴어도, 난 안 무섭네.

─조심하는 게 좋을 거요, 사리. 당신을 해임할 수 있는 권리가 나에게 있으니까.

─어디다 대고 감히…….

─왕이 나에게 전권을 주었소. 그걸 기억하시오.

모세가 사리에게서 멀어져갔다. 사리는 모세의 발자국에다가 침을 뱉었다.

돌렌테는 멤피스로 돌아오게 되었다고 좋아했지만 사리에게는 멤피스가 지옥으로 바뀔 판이었다. 람세스는 누이가 남편을 따라 멤피스에 왔다는 것을 알고 있으면서도 아무런 반응도 보이지 않았다.

사리 부부는 중간 크기의 저택에 자리잡고 그곳에 마법사 오피르와 리타를 숨겨두었다. 사람들에게는 하인들이라고 소개했다. 돌렌테와 오피르와 리타는, 사리의 반대에도 아랑곳없이 테베에서 하던 일을 멤피스에서도 계속 하기로 했다. 나라의 경제적 중심지인 이 도시에는 수많은 외국인들이 머물고 있었기 때문에 종교적 변화에 적대적인 남쪽지방에서보다도 아톤 신앙을 전하기가 훨씬 쉬울 것 같았다. 돌렌테는 바로 그런 점들 때문에 자기들의 계획이 성공할 거라고 믿었다.

사리는 여전히 회의적이었으며, 자신의 개인적인 운명에만 신경을 썼다. 그는 열광하는 수천 명의 히브리인들 앞에서 모세가 할 연설의 내용은 과연 어떤 것일지 궁금해했다.

외무성 입구에는 거대한 화강암에 새겨진 비비원숭이 모양의 토트 신상이 서 있다. 야수마저도 도망치게 할 만큼 무시무시한 모습으로 표현된 토트 신은 신성문자의 주인이요 서기관의 신으로서 인류가 창조될 때 각각 다른 언어를 주었다고 한다. 그의 예를 따라서, 외교관들은 여러 나라 말을 할 수 있어야 했다. 이집트인들은 바위 위에 새겨놓은 신성한 기호들을 다른 나라로 가져가서는 안 되기 때문이다. 사신과 전령들도 외국에 머물 때는 그 나라의 말만을 사용해야 했다.

외무성 내의 다른 고위관리들과 마찬가지로, 아샤는 건물 왼쪽에 있는 작은 사당에 들어가 묵상하고 토트의 제단 위에 수선화를 올려놓았다. 나라의 안보가 걸린 복잡한 서류들을 살펴보기 전에, 서기관의 신에게 가호를 비는 것이 좋기 때문이다.

제사를 마친 이 우아하고 명민한 외교관은 관리들이 일하는 몇 개의 방들을 지나, 셰나르의 접견을 요청했다. 셰나르는 2층에 널찍한 집무실을 가지고 있었다.

—아샤! 드디어 나타나셨군. 어디 가 있었나?

—어제 밤엔 좀 즐거운 시간을 가졌고 그래서 평소보다 좀 많이 잤습니다. 조금 늦었습니다. 폐가 되지는 않았는지요?

셰나르의 얼굴이 벌겋게 부풀었다. 람세스의 형은 격렬한 감정의 동요를 느끼는 것 같았다.

—중요한 사건이라도 생겼습니까?

—멤피스 북쪽에 히브리인 벽돌공들이 모여 있다는 얘기를 들었나?

—별로 신경을 쓰지 않았습니다.

—나 역시 그랬네. 우리 두 사람 다 잘못 생각한 거야.

—그 사람들이 무슨 일에 연관되어 있습니까?

표정의 변화가 없는 긴 얼굴에 매끄러운 목소리의 아샤는 인부들을 몹시 경멸했다. 그는 절대로 인부들을 만나지 않았다.

—그곳에다 히브리인들을 모아놓은 사람, 게다가 이제부터 왕실 공사장의 총감독이라는 직함을 가지게 된 사람이 누구인지 아나? 바로 모세야.

—놀라울 게 뭐 있습니까? 카르낙에서 공사장 감독을 맡은 적이 있으니 승진한 거겠지요.

—그것만이 아닐세. 어제 모세가 히브리인들을 모아놓고 람세스의 계획을 이야기했네. 델타 지방에 새로운 수도를 건설한다는 거야.

긴 침묵이 이어졌다. 평소에 그토록 자신감 넘치던 아샤도 당황한 기색을 숨기지 못하고 있었다.

―확실한 걸까요…….

―그래 아샤, 확실해! 모세는 내 동생의 명령을 수행하고 있는 거야.

―새로운 수도라니…… 불가능한 일입니다.

―람세스에겐 그렇지 않지!

―그저 계획에 불과한 것 아닐까요?

―파라오 스스로 설계하고 장소까지 물색해놓았다네. 세상에…… 아바리스라는군. 힉소스 족이 한때 점령해서 놈들을 쫓아내느라 한참 애먹었던 도시지.

갑자기, 거기까지 말하던 세나르의 보름달 같은 얼굴이 환해졌다.

―혹시…… 혹시 람세스 머리가 돌아버린 건 아닐까? 실패할 게 불 보듯 뻔한 계획이잖아. 그렇다면 당장 이성적인 사람들에게 도움을 청해야 할 것 같군.

―너무 낙관적인 생각은 버리십시오. 람세스가 엄청난 모험을 하고 있긴 하지만, 그의 본능은 그에게 더할 나위 없는 길잡이죠. 잘만 되면 그보다 더 나은 정책은 없습니다. 국경에서 가까운 곳에 수도를 건설함으로써 히타이트 족에게 분명한 경고를 보내는 것이지요. 몸을 움츠리는 대신, 이집트가 이미 위험을 감지하고 있다, 그러나 단 한 뼘의 땅도 내주지 않을 것이다 하고 선언하는 거지요. 또 왕이 적들의 움직임을 재빨리 읽어내어 지체없이 대응하려는 계획이기도 합니다.

세나르는 맥빠진 표정으로 주저앉았다.

―이건 재난이군. 우리의 전략은 무너졌어.

―너무 비관적으로 생각하지 마십시오. 람세스의 의도대로 되지 않을 수도 있는 것 아닙니까. 또 그렇게 된다고 하더라도 우리 계

획을 포기할 이유는 없지 않은가요?

　—내 동생이 국외 정치를 손바닥 들여다보듯 환히 들여다보게 될 게 확실하지 않은가?

　—충분히 그럴 수 있지요. 그러나 그렇게 되더라도 그는 여전히 자기에게 주어지는 정보에 의존할 것입니다. 그 정보를 기준으로 상황을 판단하고 말입니다. 그가 우리의 역할을 최소화하도록 내버려두세요. 그리고 공손하게 그에게 복종합시다.

　세나르는 자신을 되찾았다.

　—자네 말이 맞네, 아샤. 새로운 수도는 뛰어넘을 수 없는 요새는 아니야.

　대비 투야는 멤피스 궁전의 자기 정원을 다시 보자 너무나 기뻤다. 세티가 살아 있을 때에도 그와 함께 산책할 기회는 그다지 많지 않았다. 그의 곁에서 지낸 시간은 얼마나 짧았던가! 그녀는 그의 말, 그의 눈길 하나하나를 모두 기억했다. 그녀는 추억의 포도송이를 따며 평화로운 노년을 세티와 함께 보내게 되기를 꿈꾸었다. 그러나 세티는 아름다운 길을 따라 저 세상으로 가버리고 자기만 남아 석류나무와 타마리스 나무와 대추나무가 늘어선 이 멋진 정원을 홀로 걷고 있는 것이다. 오솔길 양 옆으로는 수레국화와 아네모네, 층층이접시꽃, 미나리아재비들이 자라고 있었다. 연꽃이 핀 연못가, 등나무 정자 아래 앉는 투야의 모습은 조금 피곤해 보였다.

　람세스가 다가오자, 그녀의 슬픔이 사라졌다.

　즉위한 지 일 년도 채 되지 않았지만 아들은 이미 확신에 가득 차 있었다. 의혹은 그의 정신으로부터 영영 쫓겨나버린 듯했다. 마치 내면에 고갈되지 않는 힘이 넘치는 사람처럼, 마치 선왕처럼, 원기왕성하게 나라를 다스리고 있었다.

람세스는 애정과 존경심을 다해 어머니를 껴안았다. 그는 어머니의 오른쪽에 앉았다.

—어머님께 상의드릴 것이 있어서요.

—내가 그래서 여기 있는 것 아니냐, 아들아.

—제가 조정을 구성한 관리들을 어떻게 보십니까?

—아버님의 충고를 기억하고 있느냐?

—저를 이끌어준 것은 아버님의 충고였습니다. 아버님께서는 '사람들의 영혼을 헤아리고, 복종의 서약을 배반하지 않으면서 공평한 판단을 내릴 수 있는 강직하고 올바른 성품을 지닌 고관들을 찾아라'고 말씀하셨습니다. 제가 사람들을 제대로 고른 걸까요? 몇 년 두고 봐야 드러나겠지요?

—벌써 반발을 걱정하는 거냐?

—제가 워낙 발빠르게 움직이고 있기 때문에 반발은 피할 수 없을 겁니다. 서로 감정들을 다치고, 이해관계가 어긋날 겁니다. 새로운 수도에 대한 생각은 마치 번개처럼 떠올랐습니다. 한 줄기 빛처럼 제 머리를 뚫고 들어와 마치 저항할 수 없는 진리처럼 저를 밀어붙였습니다.

—그게 '시아'라는 것이다. 추론할 수도, 분석할 수도 없는 직접적인 직관이지. 아버님께서도 시아 덕분에 많은 결정을 내리실 수 있었다. 아버님께서는 시아가 한 사람의 파라오에서 다른 파라오에게로 전수되는 것이라고 생각하셨단다.

—저의 도시 피-람세스의 건설을 승인해주시겠습니까?

—네 가슴속에서 시아가 말을 하는데, 무엇 때문에 내 생각이 필요하단 말이냐?

—왜냐하면 아버님께서 이 정원에 계시고, 어머님과 제가 그분의 목소리를 듣고 있으니까요.

—람세스야, 이미 많은 징조가 나타나지 않았느냐. 너의 즉위와 더불어 새로운 시대가 열린 것이다. 피-람세스는 너의 수도이다.

람세스가 어머니의 두 손을 꼭 쥐었다.

—어머님께선 그 도시를 보시게 될 겁니다. 그 도시는 어머님 마음에도 드실 겁니다.

—난 네 안전이 걱정이다.

—세라마나가 경계를 철저히 하고 있습니다.

—네 영혼의 보호를 말하는 것이다. 너의 영원의 신전을 지을 생각은 하고 있는 게냐?

—그 장소도 물색해두었습니다. 그러나 피-람세스가 먼저입니다.

—그 신전을 잊지 말아라. 어둠의 세력들이 너를 향해 덤벼들 때 너를 가장 든든히 지켜줄 것은 바로 그 신전이다.

39

아주 멋진 곳이었다.

기름진 땅, 넓은 벌판, 풍성한 목초지, 꽃들이 피어 있는 오솔길들, 탐스러운 사과가 열린 사과나무 숲, 튼튼하게 잘 자란 올리브 나무 숲, 물고기들이 가득 노니는 연못, 소금기 섞인 늪, 높고 빽빽하게 자란 파피루스 숲…… 그것이 아바리스의 주변 풍경이었다. 집 몇 채와 세트 신의 신전 하나로 축소된 증오의 도시 아바리스.

바로 그곳에서 세티는 람세스로 하여금 세트 신과 대면하게 했었다. 그리고 람세스는 그곳에 자신의 수도를 건설하려 하는 것이다.

모세는 아바리스의 아름다움과 풍요로움에 놀랐다. 람세스가 사자와 개를 거느리고 몸소 이끄는 원정대는 히브리인들과 이집트인 감독들로 구성되어 있었다. 세라마나와 열 명 정도의 척후병들은 원정대 선두에 서서 왕에게 어떤 위험도 발생하지 않도록 끊임없이 사방을 살피고 있었다.

도시 아바리스는 태양 아래서 졸고 있었다. 아바리스에는 미래가 없는 관리들과 굼뜬 농부들과 파피루스 채취꾼들만이 살고 있었다. 계절의 단순한 리듬과 망각에 바쳐진 도시였다.

멤피스를 떠난 원정대가 신성한 도시 헬리오폴리스에 잠시 머무르는 동안, 람세스는 자신의 수호신인 라에게 제사를 드렸다. 일행은 암고양이 머리를 한 우정과 사랑의 여신 바스테트의 도시, 부바스티스에도 들렀다. 부바스티스는 '라의 강'이라고 불리는 나일 강 지류 펠류즈*를 따라 발달된 도시였다. 멘잘레 호수에서 가까운 아바리스의 위치는 시나이 연안을 거쳐서 시리아-팔레스타인에 이르는 길인 '호루스의 길' 서쪽 끝이었다.

람세스의 지도를 들여다보며 모세가 확인했다.

—전략적으로 아주 중요한 요지로군.

—내가 왜 이곳을 선택했는지 알겠나? 운하를 건설해 '라의 강'을 연장하면 엘 칸타라 협곡에 이르는 큰 호수들과 닿을 수 있네. 위급한 경우에는 배를 타고 실레의 요새들과 국경지대의 여러 군소 보루까지 갈 수 있을 거야. 나는 델타 동부의 방어를 강화하고, 침투로를 통제할 거야. 그러면 우리의 보호령 안에서 일어나는 아주 작은 문제들까지도 빨리 알게 될 걸세. 이곳의 여름은 쾌적하지. 주둔 부대는 더위 때문에 고통당하지 않아도 되고. 따라서 언제라도 출동할 만반의 준비를 갖출 수 있지.

모세가 람세스의 말에 토를 달았다.

—자네는 넓고 크게 보는군.

---

* 델타의 3대 지류 가운데 하나인 펠류즈 지류는 델타의 동쪽 끝에 있는 도시 펠류즈까지 이어진다고 해서 그렇게 불렸다.

―자네 아랫사람들은 어떤 반응을 보이던가?

―내 휘하에서 일하게 되어 기쁜 모양이야. 그렇지만 가장 직접적인 동기야 자네가 약속한 급료 인상 아니겠나.

―관대하지 않으면, 승리를 얻을 수 없지. 난 멋진 도시를 원하니까.

모세는 설계도면을 다시 들여다보았다. 네 개의 중요한 신전을 세울 계획이었다. 서쪽에는 '숨어 있는 신' 아몬의 신전이, 남쪽에는 이 도시의 주인인 세트의 신전이, 동쪽에는 가나안의 여신 아스타르테의 신전이, 북쪽에는 이 도시의 번영을 약속해줄 '푸르름의 여신' 우아제트의 신전이 세워질 것이다. 세트 신의 신전 가까이에는 '라의 강물'과 '아바리스의 강물'을 연결할 거대한 수문이 건설될 예정이었다. 도시 전체를 둘러쌀 그 두 개의 대형 운하는 도시민에게 완벽한 상수원을 보장하게 된다. 항구 주위에는 보관 창고, 곡물 창고, 공장과 공방들이 건설될 것이다. 그곳보다 약간 북쪽의 도심에는 궁전과 행정관청들, 귀족들의 저택과 서민 거주지가 건설될 예정이다. 귀족과 백성들이 나란히 함께 살아가게 되는 것이다. 궁전에서부터 시작되는 중심 도로는 곧장 창조주인 프타 신의 신전으로 연결되고, 두 개의 주요 간선도로는 아몬 신전과 라의 신전을 이어줄 것이다. 세트 신의 신전은 좀더 떨어진 곳에, '라의 강물'과 '아바리스의 강물'을 연결하는 운하 저편에 지어질 것이다.

건설 예정인 병영은 모두 네 개였는데, 하나는 펠류즈 지류와 관청 건물들 사이에, 다른 세 개는 '아바리스의 강물'을 따라 각각 프타 신전 뒤와 서민 거주지, 라와 아스타르테 신전 근처에 배치될 것이다.

람세스가 자기의 계획을 밝혔다.

―내일 당장 유약을 발라 기와를 굽는 공장이 문을 열 거야. 가

장 평범한 집부터 궁전의 응접실에 이르기까지 찬란한 빛깔이 흘러 넘치게 만들 생각이네. 건물들이 살아 움직이게 만들어야 해. 모세, 그게 자네가 해야 할 일이야.

검지손가락 끝으로 모세는 규모까지 명시되어 있는 건물들을 하나하나 짚어나갔다.

─너무나 거대해 불가능해 보이는 작업이지만, 그만큼 가슴 뛰게 만드는 일이군. 그러나…….

─그러나?

─이 말에 노여워하지는 말게. 신전 하나가 빠져 있네. 빈 자리에 그 신전이 들어서는 걸 보고 싶네. 아몬 신전과 프타 신전 사이에 말야.

─어떤 신에게 바칠 신전 말인가?

─파라오의 직분을 창조하신 신이지. 그 신전에서 자네의 재생 제의를 올려야 하지 않겠는가?

─그 제의를 올리기 위해선 30년 동안 나라를 다스려야 하네. 벌써 그 신전을 짓는다는 건 운명을 모독하는 일일세.

─그렇지만 자리는 남겨두지 않았나.

─그 신전을 지을 생각조차 않는다면, 그것 또한 내 운에 대한 모독이 되겠지. 나의 즉위 30주년을 축하하는 연회에서 우리의 죽마고우들과 함께 자네가 고관들의 제일 앞자리에 서주기 바라네.

─30년이라…… 신께서 우리에게 어떤 운명을 마련해두셨을까?

─현재로서는, 이집트의 수도를 함께 건설하고 있다는 걸 기뻐하기로 하세.

─난 히브리인들을 두 조로 나누었네. 한 조는 이집트인 감독들의 지휘 하에 신전 공사장까지 바위 덩어리들을 나를 거야. 다른 한 조는 궁전과 여러 집들을 짓는 데 사용될 수천 장의 벽돌을 만

들어낼 거고. 두 생산조들을 조화시키기가 쉽지는 않을 것 같아. 내 인기가 조만간 사그러들지나 않을지 걱정일세. 자넨 히브리인들이 날 뭐라고 부르는지 아나? 그들은 나를 마샤, 즉 '물에서 건져진 자'라고 부른다네.

─자네도 기적을 행한 적이 있나보지?

─그건 그들이 좋아하는 오래 된 바빌로니아의 전설이라네. 그들은 '태어난 자'라는 뜻의 내 이름, 모세라는 발음을 가지고 마샤라고 말놀이를 하는 거야. 왜냐하면 그들은 히브리인인 내가 신들의 축복을 받았다고 생각하거든. 귀족들의 교육을 받은 데다 파라오 친구까지 있지 않은가? 신께서는 가난과 불운이라는 '물'에서 나를 구해주신 거지. 그 정도의 행운이 있는 사람이라면 따를 만하다 싶은 거야. 그래서 벽돌공들이 나를 신임하는 걸세.

─그들에게 부족한 것이 없게 해주게. 필요한 경우에는 왕실 곡식 창고를 사용할 권한을 주겠네.

─자네의 수도를 건설하겠네, 람세스.

짧은 까만 가발을 흰색 머리띠로 질끈 묶어 귀를 내놓고 콧수염과 짧은 턱수염 기르는 것을 좋아하는, 이마가 낮고 아랫입술이 두터운 히브리인 벽돌공들은 자기들의 기술을 남에게 좀처럼 알리지 않는 동업조합을 결성하고 있었다. 시리아인들과 이집트인들이 그들과 겨루었지만, 언제나 가장 빼어난 기술자들은 히브리인들이었다. 이집트인 감독들의 감독이 엄하고 일이 고되긴 했지만, 급료가 정확하게 지급되고 일하는 중간중간 쉬는 날도 있었다. 더구나 이집트에서는 맛있는 음식을 충분히 먹을 수 있었고 잠자리도 크게 불편하지 않았다. 대담한 사람들은 쓰다 버린 재료들을 활용해서 살 만한 집을 짓기도 했다.

모세는 피-람세스 현장에서의 일이 이제까지 해온 것보다 훨씬 힘들 거라는 사실을 숨기지 않았다. 그러나 일이 힘든 만큼 보상도 충분히 해주겠다는 이야기를 덧붙였다. 땀을 아끼지 않고 일한다면, 새로운 수도 건설 공사는 많은 히브리인들을 부자로 만들어줄 수 있을 것이다. 정상적인 리듬으로 일하면, 세 명의 인부가 작은 벽돌을 하루에 팔구백 개 정도 만들어낼 수 있었다. 피-람세스에서는 그런 벽돌들의 토대를 쌓을 더 큰 벽돌*들을 찍어내야 했다. 토대에 쓰이는 벽돌만큼은 벽돌공들이 아니라 작업 반장들과 석수들이 직접 만들도록 지시가 내려졌다.

히브리인들은 첫날에 이미, 모세의 감독이 결코 느슨하지 않으리라는 것을 알았다. 나무 밑에서 슬슬 낮잠을 자가면서 일하려던 사람들은 꿈에서 깨어나, 눈앞의 현실을 분명히 깨달아야 했다. 만만치 않은 하루하루가 수도가 완공될 때까지 계속될 모양이었다. 아브네도 동료들처럼 땀을 아끼지 않기로 결심했다. 나일 강의 진흙에 잘게 다진 짚을 넣고 손으로 잘 저으면, 좋은 반죽을 얻을 수 있을 것이다. 몇 개의 일터**가 인부들에게 배정되었다. 인부들은 운하에 연결된 구덩이에서 물을 퍼 진흙에 뿌렸다. 그들은 더욱 단단한 벽돌을 만들어내기 위해서 괭이와 곡괭이를 들고 노래를 불러가며 열심히 일했다.

아브네는 정력적이고 솜씨가 좋은 사람이었다. 진흙의 질이 충분하다 싶으면 그가 잡역부가 지고 온 바구니에 그것을 담아준다. 그러면 잡역부는 그 바구니를 공사장까지 지고 가서 나무로 만든 네모난 틀 안에 부어넣는다. 벽돌을 틀에서 빼내는 것은 아주 어려운 작업이어서 때로는 모세도 그 일에 참여했다. 건조한 바닥에서 사

---

* 38×18×12㎤
** 약 6천 ㎡ 정도

흙 간 말린 벽돌은 색깔이 제일 밝은 것부터 골라 차곡차곡 쌓아서 여러 군데의 공사장으로 실어나르게 된다.

값싼 재료를 사용했지만 정성 들여 만들어놓고 보니 나일 강의 진흙으로 만든 벽돌은 놀라울 정도로 단단했다. 제대로 잘 쌓기만 하면, 수백 년도 거뜬히 버틸 것이다.

히브리인들 사이에서는 참다운 경쟁심이 생겨났다. 인상된 급료도 급료지만, 엄청난 사업에 참여한다는 자부심, 그리고 자기들에게 주어진 일을 해내고야 말겠다는 의지도 한몫했다. 열성이 좀 시들해진다 싶으면, 모세가 기운을 북돋워주었다. 그러면 수천 개의 완벽한 벽돌들이 만들어져 나왔다.

피-람세스는 람세스의 꿈속에서 태어나 현실 속으로 걸어들어가고 있었다. 작업반장들과 석수들은 왕의 계획을 존중하여 토대로 쓰일 벽돌들을 단단하게 만들었다. 잡역부들은 히브리인들이 만들어놓은 벽돌들을 지치지 않고 실어날랐다.

태양 아래에서, 하나의 도시가 모습을 갖추어가고 있었다.

아브네는, 하루 일이 끝날 때마다 감탄의 눈길로 모세를 바라보았다. 히브리인들의 우두머리는 이 조와 저 조를 왔다갔다하며 식사의 질을 살피고, 너무 피로하거나 아픈 사람들은 쉬게 했다. 모세가 생각했던 것과는 달리, 그의 인기는 떨어지지 않았다.

그 동안 저축해온 돈 정도면 아브네도 이곳, 새 수도에서 자기 가족이 살 괜찮은 집을 한 채 마련할 수 있을 것이다.

—아브네, 어때, 만족스럽나?

사리의 마른 얼굴에 간교한 기쁨의 표정이 어른거렸다.

—나한테 뭘 바라는 거요?

—난 네 상관이다. 그걸 잊어버렸나?

—난 일하는 중이오.

―일을 망치고 있는 중이겠지.

―뭐요? 망친다구요?

―벽돌을 몇 개나 망쳐먹었잖아.

―거짓말 말아요!

―두 명의 감독이 네 실수를 확인하고 보고서를 작성했어. 내가 그걸 모세에게 제출하면, 넌 당장 해고당하고 벌을 받게 될걸?

―왜 이런 짓을 하는 겁니까? 왜 거짓말을 지어내는 거예요?

―남은 방법은 한 가지밖에 없어. 입을 다물어줄 테니까 네가 번 돈을 나에게 바쳐. 그럼 네 실수는 없던 걸로 할 테니까.

―사리, 당신은 자칼 같은 사람이오!

―아브네, 넌 선택의 여지가 없어.

―왜 날 미워하는 거요?

―넌 여러 히브리놈들 중의 하나야. 딴 놈들 대신 네가 내는 거지. 그뿐이야.

―당신에겐 그렇게 할 권리가 없어요.

―어떡할 거야? 당장 대답해.

아브네는 눈을 떨구었다. 사리가 더 힘있는 자였던 것이다.

40

오피르는 테베에 있을 때보다 멤피스에 있는 것이 더 편하게 느껴졌다. 이 거대한 도시에는 많은 외국인들이 살고 있었는데, 대부분은 이집트 주민과 완전히 동화된 사람들이었다. 그들 중에서도 아케나톤의 교리를 신봉하는 사람들이 있었다. 오피르는 그 교리를 믿으면 가까운 장래에 행복과 부를 누리게 될 거라고 약속함으로써, 그들의 약해진 신앙심에 다시 불을 붙였다.

여전히 아무 말도 없는 리타에게서 사람들은 깊은 인상을 받았다. 그녀의 핏속에 왕가의 혈통이 흐르고 있다는 것, 그녀가 저주받은 왕의 후손이라는 것을 의심하는 사람은 아무도 없었다. 끈기 있고 설득력 있는 마법사의 설교는 경이로운 내용을 담고 있었다. 멤피스에 있는 돌렌테의 저택은 풍성한 대화를 나누는 장소가 되었고 유일신의 신도는 점점 더 늘어났다.

오피르가 독특한 종교를 전파하는 첫번째 외국인은 아니었다. 그러나 아케나톤의 후계자들이 거부한 이교를 부활시키려고 시도하는 외국인은 오피르뿐이었다. 아케나톤의 도시와 무덤은 버림받았다. 아톤 신의 도시에서 가까운 공동묘지에는 단 한 명의 조신(朝臣)도 묻혀 있지 않았다. 더군다나 카르낙 고위 성직자들의 의지를 꺾은 적까지 있는 람세스가 어떤 종류의 종교적 환란도 용인하지 않을 사람이라는 것은 주지의 사실이었다. 이런 분위기를 알고 있는 오피르는 람세스를 대놓고 비난하지는 않았다. 왕과 왕의 정치에 대해 아주 약한 비판만을 가했을 뿐이다. 어쨌든 마법사의 계획에는 진전이 있는 셈이었다.

돌렌테가 그에게 캐롭 주스를 가져왔다.

―오피르, 피곤해 보이시는군요.

―우리의 임무는 매순간 열정을 요구하니까요. 남편 되시는 분은 어떻게 지내십니까?

―아주 불만스러워하고 있어요. 최근에 보내온 편지를 보니, 빈둥거리고 거짓말만 하는 히브리인들의 버르장머리를 고쳐놓느라고 여념이 없대요.

―그렇지만, 들리는 말로는 수도 건설이 빨리 진척되고 있다던데요.

―사람들이 그러는데, 아주 훌륭한 도시가 될 거래요!

―그렇지만 그 도시는 악과 어둠의 주인인 세트 신에게 바쳐진 도시가 아닙니까? 람세스는 빛을 없애고 태양을 숨겨버리려 하고 있어요. 우린 그가 성공하지 못하도록 막아야 합니다.

―저도 그렇게 생각해요, 오피르.

―아시다시피, 부인의 도움이 필요합니다. 람세스가 이집트를 파

괴하지 못하도록 제 지식을 활용하게 해주시지 않겠습니까?

갈색머리의 키 큰 여자가 입술을 깨물었다.

―람세스는 제 동생이에요.

오피르가 돌렌테의 손을 부드럽게 잡았다.

―그는 벌써 우리에게 많은 고통을 주었습니다. 물론, 저는 부인의 결정을 존중합니다. 그러나 왜 그렇게 오래 망설이십니까? 람세스는 앞으로 나아가고 있어요! 그가 앞으로 나아갈수록, 그를 지켜주는 마법의 힘도 강해집니다. 우리가 끝내 개입하지 못하고 이런식으로 지체한다면 과연 제가 그 마법의 힘을 이길 수 있을지 모르겠습니다.

―심각한 일이에요. 너무나 심각해요…….

―부인의 책임에 대해 생각해보십시오. 아직은 행동할 시간이 있습니다만, 그러나 곧, 더이상 행동할 수 없을 만큼 모든 게 늦어지게 됩니다.

왕의 누이는 결정을 망설였다. 오피르가 그녀의 손을 놓았다.

―어쩌면 다른 방법이 있을지도 모르지요.

―어떤 방법을 생각하고 계시는데요?

―들리는 소문으로는 네페르타리 왕비가 임신을 했다던데…….

―그건 소문이 아니에요. 벌써 표가 나던데요.

―그녀에게 무슨 애정이라도 가지고 계십니까?

―아니오, 전혀 그렇지 않아요.

―오늘밤 제 동포 하나가 필요한 것들을 가져올 것입니다.

―전 제 방에 틀어박혀 있겠어요!

돌렌테는 그렇게 소리를 지르고 방을 나갔다.

오피르가 말한 남자는 한밤중에 왔다. 저택은 조용했다. 돌렌테와 리타도 잠든 뒤였다. 문을 연 오피르는 상인이 내민 보따리를 받아들고 대신 돌렌테가 준 아마 침대 시트 두 장을 내주었다.

거래는 단 몇 초 사이에 이루어졌다.

오피르는 문을 닫고 작은 방안에 틀어박혔다. 빛이라곤 희미한 램프 불빛이 전부였다.

마법사는 나지막한 탁자 위에 보따리 속의 물건을 꺼내놓았다. 원숭이 조각, 상아로 만든 손, 조잡한 여인의 나신상, 조그마한 기둥, 그리고 몇 마리 뱀을 든 여인상…… 원숭이는 마법사에게 토트 신의 기술을, 상아로 만든 손은 행동할 수 있는 능력을 베풀어줄 것이고, 벌거벗은 여인상은 왕비의 생식기를 칠 때 쓰일 것이며, 기둥은 그의 공격이 지속적인 힘을 발휘하게 해줄 것이다. 뱀을 든 여인상은 네페르타리의 몸 속에 흑마술의 독을 흘려넣어줄 것이다.

저주의 마법이 성공하기 위해서는 적어도 사흘 밤낮은 필요할 것 같았다. 오피르는 직접 람세스를 공격할 수 없는 것이 아쉬웠지만, 아직은 람세스의 누이가 몸을 사리고 있으니 별 수 없었다. 돌렌테를 세뇌시키는 데 성공하고 나면, 좀더 야심만만한 목표에 착수할 수 있으리라. 당장은, 그의 적수를 약하게 만드는 일에 전념하자.

람세스는 평상적인 업무는 주로 아메니와 대신들에게 맡겨놓고 피-람세스의 공사 현장에 자주 들렀다. 모세의 독려와 엄격하게 잘 조직된 작업체계 덕분에, 작업은 성큼성큼 진행되었다.

인부들은 즐거워하고 있었다. 맛있는 음식이 풍성하게 제공되고 약속된 상여금이 각자의 노력에 따라 제때에 정확히 지급되었다. 일을 가장 열심히 한 인부들은, 새로운 수도에, 아니면 그 밖의 다른 곳에 땅을 사서 정착할 수도 있을 정도로 돈을 많이 모았다. 더군다나 잘 짜여진 의료반이 환자들을 무료로 진료해주었다. 다른 공사장에서와는 달리, 피-람세스의 공사장은 꾀병을 부리며 휴가를 얻으려고 잔꾀를 부리는 사람들로 골머리를 앓을 필요가 없었다.

왕은 안전이 가장 걱정이었다. 감독들은 감시를 게을리하지 않았다. 아몬 신전 공사장으로 화강암 덩어리를 나르다가 경상자가 몇 명 생기는 사고가 있었을 뿐 아직까지 이렇다 할 사고는 없었다. 분임조들을 세심하게 관리했기 때문에, 인부들은 무리해서 일할 필요가 없었다. 긴장을 풀고 힘을 회복할 수 있도록, 엿새를 일하고 나면 이틀의 휴가가 보장되었다.

모세만이 쉬지 않고 일했다. 그는 작업 상황을 끊임없이 점검하고, 싸움이 나지 않도록 조절하고, 긴급한 결정들을 내리고, 능률이 떨어진 분임조들을 다시 조직하고, 부족한 자재를 요청하고, 보고서를 작성했다. 그의 수면 시간은 매일 점심 시간 이후에 한 시간, 밤에 세 시간이 전부였다. 책임자가 그렇게 열심이었으므로 히브리인 벽돌공들은 그의 눈짓 한 번에도 착착 따라주었다. 그들은 일찍이 그처럼 자기들의 이익을 든든하게 보호해주는 사람 밑에서 일해본 적이 없었다.

아브네는 사리가 자기에게 한 부당한 짓에 대해 모세에게 이야기하고 싶었지만, 경찰들과 사이가 좋은 사리의 보복이 두려웠다. 만일 말썽꾼으로 찍히면 국외로 추방될 것이고, 그러면 다시는 아내와 아이들을 볼 수 없을 것이다. 돈을 받고 난 뒤부터 사리는 그를 더 이상 못살게 굴지 않았을 뿐 아니라 다정하게 굴기까지 했다. 가장 힘든 고비를 넘겼다고 생각한 아브네는 다시 마음을 다잡고 동료들처럼 열심히 벽돌을 찍어냈다.

그날 아침 람세스가 공사장을 방문했다. 충분한 물로 세수를 하고, 턱수염과 콧수염을 다듬고 축제용 가발을 흰 머리띠로 맨 히브리인들은 벽돌을 가지런히 쌓아놓았다.

공장 앞에 멈추어 선 첫번째 수레에서 갑옷을 입고 손에 무기를 든 거인이 내려섰다. 그의 거동이 사람들을 겁에 질리게 만들었다. 인부들 중 누군가가 징계조치를 받게 된 게 아닐까? 스무 명 정도의 궁수가 사방으로 둘러서자, 분위기는 더욱 무거워졌다.

세라마나는 말 한마디 없이, 불안한 표정으로 꼼짝 못 하고 줄지어 서 있는 히브리인들 사이를 돌아다녔다.

검사 결과에 만족한 사르디니아인이 한 병사에게 왕의 수레가 지나가도록 길을 열어드리라는 신호를 보냈다.

벽돌공들은 파라오 앞에서 절을 했고, 파라오는 그들 한 사람 한 사람의 이름을 부르며 그들의 수고를 치하했다. 왕이 새 가발을 지급하고 델타 산 백포도주를 나누어주겠다고 말하자, 기쁨의 환호성이 터져나왔다. 그러나 인부들이 가장 감동을 받은 것은, 왕이 방금 틀에서 빼낸 벽돌에 관심을 보였다는 사실이었다. 그는 벽돌 몇 개를 손에 들고 무게를 재어보았다. 왕이 말했다.

—완벽하군. 일 주일 동안 물품 배급을 배로 늘리고, 하루 휴가를 더 주도록 하라. 분임조장은 어디 있는가?

사리가 한 걸음 앞으로 나섰다.

왕의 옛 개인교사는 왕의 방문이 달갑지 않은 유일한 사람이었다. 왕년에 빼어난 선생이었고 야심만만한 조신이었던 그는 왕을 해치려고 자기가 꾸몄던 음모 때문에 왕을 다시 만나는 것이 두려웠다.

—사리, 새로운 일에 만족하고 있는가?

—제게 이 일을 맡겨주신 데 대해 폐하께 감사하고 있습니다.

—어머님과 네페르타리의 관대함이 아니었더라면, 그대는 더 엄한 벌을 받았을 거야.

—알고 있습니다, 폐하. 제 일을 통해 죄를 씻으려 노력하고 있

습니다.

—그대의 죄는 씻을 수 없어.

—제 가슴은 쓰린 회한으로 찢어질 듯합니다.

—그런 죄를 짓고도 그렇게 오래 살아남는 걸 보니 그 회한이라는 게 별로 쓰린 것 같진 않군.

—폐하의 용서를 바랄 수는 없겠습니까?

—난 용서라는 말이 무슨 뜻인지 모르네, 사리. 사람들은 규범 안에서 살아가는 이들과 그 바깥에 있는 이들, 그 두 부류로 나뉘지. 그대는 마아트 여신을 더럽혔어. 그렇게 해서 그대의 영혼이 영원히 천박해져버린 거야. 모세의 불신을 사지 않도록 하게. 까딱하다간 딴 사람을 괴롭힐 기회도 다시는 없게 될 테니까.

—폐하, 맹세코 저는……

—더이상 말하지 말게. 피-람세스 건설 현장에서 일할 수 있게 된 걸 다행으로 여기게.

왕이 다시 수레에 올라타자, 사람들은 진심으로 환호성을 질렀다. 사리도 다른 사람들과 함께 환호성을 지르는 수밖에 없었다.

41

예상했던 대로, 신전 건축은 일반 건축보다 훨씬 많은 시간이 걸렸다. 그럼에도 불구하고, 바위 덩어리들의 공급은 늦어지지 않았다. 밧줄을 이용해서 바위 덩어리들을 나르는 기술자들 중에도 히브리인들이 많았다. 기술자들은 제때에 바위들을 공사장으로 실어 날랐다.

벽돌공들이 부지런히 일한 덕택에 왕궁 건설은 상당히 진척되어, 수도 한가운데에 그 커다란 모습을 드러냈다. 돌로 지을 부분은 이제 전문가들의 손에 맡겨질 것이다. 돌을 운반해온 첫번째 배가 부두에 정박하자, 창고마다 문이 열리고, 가구 공방에서는 호사스러운 가구들이 만들어져나왔으며, 유약을 칠해 굽는 기와 공장들이 생산을 시작했다. 저택의 벽들이 땅위로 솟아올랐다. 도시 구석구석이 제 모습을 갖추어가기 시작한 것이다. 병영에도 곧 첫번째 군대가 주둔할 것이다.

모세가 말했다.

—왕궁 호수는 기가 막힐 거야. 다음달 중순이면 땅을 다 팔 수 있을 걸세. 람세스, 자네의 수도는 아름다울 게 틀림없어. 사랑으로 지어지고 있으니까.

—자네가 이 성공의 주역일세.

—겉으로만 그렇지. 설계는 자네가 했잖은가. 나야 그걸 실행에 옮긴 것뿐이지.

왕은 친구의 말 속에서 어쩐지 비난 섞인 어조를 느꼈다. 모세에게 그 이유를 물으려는데, 멤피스 궁전에서 보낸 전령이 말을 타고 달려오는 모습이 보였다. 왕에게서 약 10미터쯤 떨어진 곳까지 왔을 때 세라마나가 그에게 멈추라고 명령했다. 전령은 얼른 땅으로 뛰어내려 숨을 헐떡이며 말했다.

—폐하, 급히 멤피스로 돌아가셔야겠습니다. 왕비께서…… 왕비께서 편찮으십니다.

람세스는 의사 파리아마쿠와 부딪쳤다. 그는 수석 전의로서, 길고 가느다란 손가락을 가진 현학적이고 권위주의적인 40대 남자였다. 경험이 풍부한 외과의사로서 빼어난 전문의였지만, 환자들에게 엄격하게 굴었다.

람세스가 의사에게 요청했다.

—왕비를 보고 싶다.

—왕비께선 주무시고 계십니다, 폐하. 간호사들이 수면제를 섞은 기름으로 몸을 마사지해드렸습니다.

—무슨 일인가?

―조산이 될 것 같습니다.

―위험한 건 아니겠지?

―실은 대단히 위험합니다.

―네페르타리의 생명을 구하라고 명령한다.

―출산 가능성은 높습니다.

―그걸 어떻게 알 수 있나?

―제 의료 시술은 평소의 실험을 바탕으로 하고 있습니다. 두 개의 삼베자루 속에다 각각 보리와 밀을 넣어서 며칠 간 계속 왕비님의 소변을 뿌려보았습니다. 보리와 밀 양쪽 다 싹이 났으니, 생산하실 겁니다. 밀이 먼저 싹텄으므로 공주님을 출산하실 것입니다.

―내가 들은 얘기는 그 반대인데.

그 말에 파리아마쿠의 표정이 싸늘하게 변했다.

―폐하께서는 흙으로 덮은 귀리와 보리를 사용하는 다른 실험과 혼동하고 계십니다. 폐하의 가슴을 떠나서 왕비님의 가슴에 닿은 씨앗이 태아의 척추와 뼈에 잘 착상되기를 기다리는 일만 남았습니다. 질 좋은 정액은 완벽한 척수와 골수를 만들어내지요. 아버지는 뼈와 힘줄을 만들고 어머니는 살과 피를 만든다는 사실을 상기시켜드려야겠습니까?

파리아마쿠는 특별한 학생에게 의학강의를 할 수 있게 되어 기분이 좋았다.

―캅에서 배운 나의 생리학 지식을 의심하는 건가, 박사?

―폐하, 그럴 리가 있습니까?

―그대는 이런 사고를 예상하지 못했어.

―폐하, 제 학문에도 어떤 한계가 있습니다. 그리고…….

―내 힘에는 한계가 없어. 왕비의 순산을 명하는 바이네.

―폐하…….

―왜 그러나?

―폐하의 건강에 특히 유의하셔야 합니다. 하셔야 할 일이 폐하를 붙잡고 놓아주지 않아서 아직 폐하를 진찰할 영광을 누리지 못하였습니다만.

―그런 생각할 필요 없네. 난 병 같은 거 모르니까. 왕비가 깨어나면 나에게 알리도록 하라.

세라마나가 파리아마쿠에게 왕의 집무실에 들어가도록 허락한 것은 태양이 뉘엿뉘엿 질 무렵이었다.

의사는 불편한 기색이었다.

―폐하, 왕비께서 깨어나셨습니다.

람세스가 벌떡 일어났다.

―그런데…….

―왕비는 어떠신가?

그 순간, 자기가 아주 특별한 고객의 코를 납작하게 만들겠노라며 동료들에게 허풍을 떨었던 파리아마쿠는 차라리 세티가 그리울 지경이었다. 세티 역시 고집 세고 두려운 왕이었지만, 람세스는 숫제 폭풍이었다. 그의 화를 피하는 것이 상책이다.

―왕비께서는 지금 막 분만실로 들어가셨습니다.

―왕비를 꼭 봐야 한다고 말했잖아!

―산파들이 단 일 초도 허비할 수 없다고 우기는 바람에…….

조용히 마음을 가라앉히고 글을 쓰던 람세스는 결국 마음의 평정을 잃었다. 네페르타리가 죽으면, 과연 그에게 나라를 다스릴 힘이 남아 있을까?

긴 윗저고리를 입고, 넓은 터키석 목걸이를 한 여섯 명의 산파들이 네페르타리를 부축해서 분만실로 데려갔다. 공기가 잘 통하는 정자에 마련된 분만실은 꽃으로 장식되어 있었다. 이집트의 다른 여인들처럼 왕비도 알몸으로 상체를 곧추세우고 갈대자리로 덮어놓은 돌멩이들 위에 꿇어앉은 자세로 분만할 것이다. 그 돌멩이들은 태어날 때 이미 토트 신에 의해 수명이 결정되는 모든 갓난아이들의 운명을 상징한다.

첫번째 산파는 왕비의 몸을 양팔로 잡는다. 두번째 산파는 분만이 진행되는 것을 살펴보며 왕비를 돕는다. 세번째 산파는 아이를 받고, 네번째 산파는 필요한 최초의 처치를 한다. 다섯번째 산파는 아이의 유모이다. 여섯번째 산파는 갓난아이가 첫번째 울음을 터뜨릴 때까지 왕비가 들고 있어야 하는 두 개의 열쇠를 왕비에게 건네줄 것이다. 여섯 명의 산파들은 왕비의 분만이 위험하다는 걸 알고 있으면서도 아주 침착했다.

첫번째 산파는 네페르타리의 몸을 오랫동안 마사지하고 나서, 하복부를 찜질하고 붕대로 감았다. 고통이 만만치 않겠지만 그래도 분만을 앞당기는 것이 필요하다고 판단한 그녀는 테르펜틴 송진, 양파, 우유, 회향풀과 소금을 섞어 만든 반죽을 질 속에 삽입했다. 산파는 고통을 덜어주기 위해서 구운 진흙을 바스러뜨린 가루를 미지근한 기름에 섞어 산모의 생식기에 발라줄 것이다.

여섯 명의 산파들은 네페르타리가 언제 끝날지 알 수 없을 만큼 오랫동안 산고를 겪게 되리라는 것을 알고 있었다. 한 산파가 중얼거렸다.

─하토르 여신께 비나이다. 왕비님께 아기씨를 베풀어주시옵고, 아기씨가 병에 걸리지 않게 해주시옵소서. 얼굴을 뒤로 돌리고 슬그머니 어둠 속으로 들어가는 악마야, 사라져라. 아기씨를 껴안지 말아라, 아기씨를 재우지 말아라, 아기씨를 해하지 말아라, 아기씨

를 데려가지 말아라! 영혼이 아기씨에게 깃들어 생명을 주시기를. 어떤 저주도 아기씨에게 미치지 않기를. 별님들이 아기씨에게 은혜를 베풀어주시기를!

밤이 내리자, 진통이 시작되었다. 혀를 깨물지 않고 이를 악물수 있도록 누에콩가루를 넣어 만든 반죽이 왕비의 입에 물려졌다.

자신들의 기술에 확신이 있는 여섯 명의 산파들은 정신을 집중하고 고통을 물리치는 전통적인 주문을 외면서 왕비의 출산을 도왔다.

람세스는 더이상 참을 수가 없었다.

파리아마쿠는 왕이 자기의 멱살을 잡으려고 달려드는 줄 알고 기겁을 했다. 그는 오늘 하루 사이에 벌써 여러 차례 왕의 집무실을 드나들고 있었다.

―드디어 끝났나?

―예, 폐하.

―네페르타리는?

―왕비님께선 건강하십니다. 공주님을 생산하셨습니다.

―아이도 건강한가?

―그것이…… 좀 미묘해서.

람세스는 의사를 밀쳐내고 분만실로 달려갔다. 산파가 그를 씻겨주었다.

―왕비와 내 딸은 어디 있느냐?

―궁전의 침실에 계십니다, 폐하.

―진실을 말하라.

―공주님께선 아주 허약하십니다.

―왕비와 아이를 보고 싶다.

긴장이 풀려서 기쁜 얼굴로, 그러나 피곤한 모습으로 네페르타리는 잠들어 있었다. 수석 산파가 그녀에게 진통제를 먹였던 것이다.

예쁜 아이였다. 아기는, 호기심이 가득 담긴 놀란 눈으로 벌써 삶을 맛보고 있었다.

왕이 아기를 품안에 안았다.

―너무나 예쁘군! 그런데 뭘 걱정하는 거냐?

―공주님 목에 걸어드려야 할 부적의 끈이 끊어졌습니다. 폐하, 그건 아주 나쁜 징조입니다. 아주 나쁩니다.

―예언은 받았느냐?

―지금 예언 여사제를 기다리는 중입니다.

예언 여사제가 몇 분 뒤에 나타났다. 여섯 명의 산파들에 이어 그녀가 나타남으로써 갓난아이의 운명을 예언하는 책임을 맡은 일곱 명의 하토르 여사제단이 한자리에 모이게 되었다. 갓난아기 옆에 둥글게 모여 앉은 여사제단은 아기의 미래를 알아내기 위하여 그녀들의 생각을 한데 모았다.

그녀들의 명상은 평소보다 더 많은 시간이 걸렸다.

예언 여사제가 어두운 얼굴을 하고 무리에서 빠져나와 왕에게 다가왔다.

―적당한 시간이 아닙니다, 폐하. 저희는 예언을 할 수가……

―이실직고하라.

―저희들이 틀렸을 수도 있습니다.

―사실을 말해주기 바란다.

―이 아기씨의 운명은 앞으로 하루 안에 결정될 것입니다. 아기씨의 가슴을 갉아먹고 있는 악마들을 물리치지 못한다면, 아기씨께선 내일 밤을 넘기지 못하실 것입니다.

42

건강한 유모가 공주에게 젖을 먹이는 책임을 맡았다. 파리아마쿠가 직접 점검을 했다. 젖에서 향기로운 캐롭 열매 냄새가 나야 하는 것이다. 젖이 많이 나오게 하기 위해서, 유모는 무화과 즙을 마시고, 라테스 생선의 등뼈를 구워서 부순 가루를 기름에 섞어 먹었다.

그러나 아기는 젖을 빨지 않았다. 다른 유모를 대보았지만, 소용이 없었다. 마지막 방법으로, 하마처럼 생긴 병에 보관해둔 특별한 우유를 먹이려고 해보았지만, 마찬가지였다. 아기는 짐승의 젖꼭지에서 나오는 부드러운 액체를 받아먹지 않았다.

의사가 어린 환자의 입술을 적셔주고 젖은 속옷으로 아이를 감싸려고 하는데 람세스가 들어와 아이를 품에 안았다.

—폐하, 공주님에게 수분을 제공해야 합니다!

—그대의 과학은 소용 없어. 내 힘이 아이를 살릴 거야.

왕은 딸을 품안에 꼭 안고 네페르타리의 머리맡으로 갔다. 탈진해 있으면서도, 왕비는 환하게 웃고 있었다.

—전 행복해요…… 너무나 행복해요! 아기는 잘 있지요?

—기분이 어떻소?

—아무 걱정 말아요. 우리 딸 이름은 생각해두셨어요?

—그건 아이의 어머니가 할 일이오.

—메리타몬, 아몬의 총애를 받는 여자라는 뜻이지요. 이 아이는 당신의 영원의 신전을 보게 될 거예요. 해산하는 동안, 이상한 생각이 들었어요. 람세스, 그 신전을 지체없이 지어야 해요. 그 신전은 당신을 악으로부터 지켜줄 가장 훌륭한 요새가 될 거예요. 우리는 그곳에서 하나가 되어 적들을 물리치게 될 거예요.

—당신의 소원은 반드시 이루어질 거요.

—내 아이를 그렇게 꼭 안고 계셔요?

네페르타리의 눈길이 너무나 맑고 신뢰에 가득 차 있어서, 람세스는 그녀에게 사실을 숨길 수가 없었다.

—메리타몬이 아파요.

왕비가 몸을 일으키더니 왕의 손목을 잡았다.

—어디가 아파요?

—젖을 안 먹소. 하지만 내가 아이를 고치겠소.

왕비는 지쳐서, 싸울 힘을 잃어버렸다.

—난 벌써 아이를 하나 잃었어요. 그런데 어둠의 힘이 또 우리 딸을 데려가려고 해요…… 어둠이 날 갉아먹고 있어요.

네페르타리가 실신했다.

―그대의 결론은?

람세스가 물었다.

―왕비님은 아주 쇠약해지셨습니다.

―살릴 수 있겠소?

―모르겠습니다, 폐하. 살아나신다 해도, 더이상 아기는 가지실 수 없습니다. 다시 잉태하시는 건 치명적입니다.

―우리 딸은?

―무슨 일인지 모르겠습니다. 지금은 저렇게 평온하신데…… 산파들 말이 맞는 것 같긴 하지만, 제가 보기엔 우스꽝스럽습니다.

―무엇인지 말하라!

―산파들은 방자 때문이라고 생각합니다.

―방자라고? 여기, 내 궁정에서?

―바로 그 때문에 저도 그 추측이 틀렸다고 생각합니다. 그래도, 왕실 마법사들을 부르시는 게 어떠실지?

―그들 중의 하나가 저주를 건 자라면 어쩌겠느냐? 아니다. 나에 겐 단 한 가지 방법밖에는 없다.

메리타몬은 람세스 힘센 팔에 안겨 잠들어 있었다.

왕실에는 무서운 소문이 떠돌아다녔다. 네페르타리가 이번에도 아이를 사산하고 죽어가고 있다고 했다. 람세스는 절망한 나머지 미쳐버렸다는 소문도 있었다. 셰나르는 이 멋진 소문들을 다 믿을 수는 없겠지만 그 소문들이 조금이라도 근거가 있었으면 좋겠다고 생각했다.

누이 돌렌테와 함께 궁전으로 가면서, 셰나르는 짐짓 무겁고 침 통한 표정을 짓고 있었다. 그런데 돌렌테는 정말로 슬픈 표정이었 다.

―웬일이냐? 연기 실력이 많이 늘었구나.

―이 사건 때문에 마음이 어지러워요.

―하지만 넌 람세스도 네페르타리도 좋아하지 않잖아.

―그 아이…… 그 아이가 무슨 죄가 있어요.

―무슨 상관이냐! 갑자기 감상적인 여자가 되었구나. 근거 있는 얘기기만 하다면, 우리의 미래는 밝다.

돌렌테는 자기가 혼란스러워하고 있는 이유가 실은 오피르의 마법이 성공했다는 사실 때문이라는 것을 털어놓을 수가 없었다. 왕과 왕비의 운명을 흩뜨리는 데 성공한 것을 보면 이 리비아인은 어둠의 힘을 조종하는 흔치 않은 능력의 소유자임에 틀림없다.

평소보다 더 안색이 창백한 아메니가 돌렌테와 셰나르를 맞이했다.

셰나르가 방문 목적을 말했다.

―상황이 상황이니만큼, 왕께서 형과 누이와 함께 있고 싶어하실 것 같아서.

―죄송합니다. 혼자 계시고 싶어하십니다.

―왕비께서 좀 어떠신가?

―지금 쉬고 계십니다.

―그럼 아기는요?

돌렌테가 물었다.

―파리아마쿠 선생께서 머리맡을 지키고 계십니다.

―더 자세한 소식은 모르시나요?

―기다려봐야 합니다.

셰나르와 돌렌테는 궁전을 나오다가, 세라마나와 기묘한 남자가 함께 가는 것을 보았다. 그 남자는 가발도 쓰지 않고 주머니가 잔뜩 달린 영양가죽 옷을 입은 수염이 텁수룩한 사람이었다. 그들은 세라마나의 부하들에 에워싸여 급한 걸음걸이로 왕과 왕비의 처소 쪽으로 걸어가고 있었다.

 ─세타우! 자네가 나의 마지막 희망일세.

세타우는 왕에게로 다가가 왕이 안고 있는 아기를 들여다보았다.

 ─난 애기들은 좋아하지 않는데, 이놈은 정말 예쁘군. 네페르타리의 작품이니, 어련하겠어.

 ─내 딸 메리타몬일세. 세타우, 애가 죽어가네.

 ─무슨 얘길 하는 거야?

 ─방자일세.

 ─여기, 궁전에서?

 ─그건 모르네.

 ─증상이 어떤데?

 ─젖을 안 먹어.

 ─네페르타리는?

 ─아주 안 좋네.

 ─친애하는 파리아마쿠 선생께서는 두손 드셨겠군.

 ─그는 어쩔 줄 모르고 있어.

 ─그로서야 당연한 행동이지. 아이를 요람 위에 가만히 눕히게.

람세스는 세타우가 시키는 대로 했다. 메리타몬은 아버지의 품을 떠나자마자 숨을 잘 쉬지 못했다.

 ─자네 힘만이 아이의 생명을 유지시키고 있는 거야. 걱정하던 대로군…… 그런데 도대체 무슨 생각을 하고 있는 건가, 궁전에서는! 아이에게 액막이 부적도 걸어주지 않았잖은가!

세타우는 주머니들을 뒤지더니, 신성갑충 모양의 부적을 하나 꺼내서 일곱 개의 매듭이 지어진 끈에 매어 메리타몬의 목에 걸어주었다. 신성갑충 위에는 '죽음이 나를 이기지 못할 것이니, 신성한 빛이 나를 구하시리로다'라고 쓰여 있었다.

—아기를 다시 품에 안게. 그리고 실험실 문을 열어주게.

세타우가 람세스에게 지시했다.

—해낼 수 있을 것 같은가…….

—수다는 나중에 떨기로 하세. 시간이 얼마 남지 않았으니까.

궁전의 실험실은 몇 개의 방으로 나뉘어 있었다. 세타우는 그 중 하나에 들어갔다. 그 방에는 길이가 70센티미터에 지름이 10센티미터가 넘는 수놈 하마의 아랫송곳니들이 쌓여 있었다. 세타우는 그 중 하나를 집어들고 표면을 잘 다듬은 다음 끝부분을 길게 늘어난 초승달 모양으로 잘 깎았다. 그는 그 위에다 어둠으로부터 빠져나와 어머니와 아이를 죽이려는 사악한 힘들을 물리치기 위해 여러 가지 모양들을 새겨넣었다. 세타우는 사자의 몸뚱이에 매의 머리를 한 날개 달린 그리폰, 칼을 휘두르는 암놈 하마, 개구리, 빛나는 태양, 양쪽 손에 뱀을 든 털보 난쟁이 등 상황에 가장 적합한 그림들을 선택했다.

그는 큰 소리로 주문을 외어 그림에 힘을 불어넣은 뒤, 수컷 악마들과 암컷 악마들의 목을 베어 그것을 짓밟고 갈가리 찢어 쫓아버리라고, 그것들에게 명령을 내렸다. 그는 또 살모사의 독을 주성분으로 한 용액을 준비했다. 아기의 위장을 움직이게 하기 위한 것이었다. 아무리 적은 양이라도 갓난아기에게는 너무 독할 수 있으므로 조심해야 했다.

그가 방에서 나왔을 때 파리아마쿠가 겁에 질린 얼굴로 그를 향해 달려왔다.

—빨리 하십시오. 아이가 위험합니다.

지는 해를 마주 보고 선 채 람세스는 여전히 딸을 안고 있었다. 딸은 아버지를 믿고 자신을 그대로 내맡기고 있었다. 자기(磁氣) 치료를 시도해보았지만 아이의 호흡은 점점 더 불규칙해지고 있었다. 네페르타리의 아이, 그들이 세상에서 얻을 수 있는 유일한 아이 메리타몬이 죽는다면, 네페르타리도 살지 못할 것이다…… 분노가 왕의 가슴에 터질 듯 밀려왔다. 기어드는 어둠을 쳐부수고, 어둠의 저주로부터 딸을 구해내고 말겠다고 왕은 이를 악물었다.

세타우가 방안으로 들어왔다. 그의 손에는 조각된 하마 이빨이 들려 있었다. 그가 설명했다.

―이것이 방자의 마법을 막아줄 걸세. 그러나 이걸로는 충분치 않아. 마법으로 아이의 몸이 입은 해를 다스리고 기를 이끌어내려면 이 약을 먹여야 해.

약의 성분을 이야기해주자, 파리아마쿠가 펄쩍 뛰었다.

―전 반댑니다, 폐하.

―결과에 자신 있나, 세타우?

―위험은 있네. 자네가 결정하게.

―해보세.

43

세타우는 메리타몬의 작은 가슴에 하마 이빨을 올려놓았다. 요람
에 누운 아이는 무언가 묻는 듯한 커다란 눈을 깜빡였다. 호흡은
평화롭게 가라앉아 있었다.

람세스와 세타우, 그리고 파리아마쿠는 긴장한 채 침묵을 지키고
있었다. 부적은 효험이 있는 것 같았지만, 그러나 얼마나 더 버틸
수 있을지?

10분쯤 지났을까, 메리타몬이 몸을 흔들면서 울어댔다. 세타우가
지시를 내렸다.

─오페트 여신의 조상을 가져오라 이르게. 난 실험실로 돌아가겠
네. 박사님, 아기의 입술을 물로 적셔주시오. 그 외에는 아무 행동
도 하지 말아야 합니다!

암컷 하마의 모습을 한 오페트 여신은 산파와 유모들의 여주인이었다. 여신은 부활한 오시리스의 평화를 깨뜨리지 못하도록 세트의 기질을 가진 큰곰좌를 막아주는 성좌를 하늘에 만들어놓기도 한, 대단한 권능의 소유자였다. 안에는 어머니의 젖을 넣고, 생명의 집 마법사들의 양기를 채워넣은 오페트 여신의 조상이 요람의 머리맡에 놓여졌다.

여신을 놓아주자, 아이가 울음을 그쳤다. 메리타몬은 다시 잠들었다.

세타우가 양손에 거칠게 다듬어진 하마 이빨을 하나씩 들고 다시 나타났다.

—이건 약식 마법이지만, 효험이 있을 걸세.

그는 이빨 하나는 아이의 배 위에, 또다른 하나는 발치에 놓았다. 메리타몬은 아무런 반응도 보이지 않았다.

—이젠, 양기의 장이 아이를 보호해줄 거야. 방자의 마법이 풀리고, 저주는 힘을 발휘하지 못할 거야.

—그럼, 이제 살아난 건가?

왕이 물었다.

—젖을 먹여야만 아이를 죽음에서 빼낼 수 있네. 아이의 위가 입을 열지 않으면, 아이는 죽을 거야.

—아이에게 자네가 만든 용액을 먹이게.

—자네가 직접 주게.

람세스는 깊이 잠들어 있는 딸의 입을 부드럽게 벌리고 호박색 액체를 조그만 입에 흘려넣었다. 파리아마쿠는 고개를 돌리고 서 있었다.

몇 초 뒤, 메리타몬이 눈을 뜨더니 울기 시작했다. 세타우가 말했다.

—빨리, 여신상의 젖을 물리게!

람세스가 아이를 들어올렸다. 세타우가 여신상의 젖꼭지를 막고 있던 금속 마개를 빼내자, 왕이 구멍에다 아이의 입술을 갖다댔다.

메리타몬은 열심히 젖을 빨았다. 한참 뒤 아이는 숨이 찬지 여신상에서 입을 뗐다. 그리곤 편안하게 숨을 내쉬었다.

—세타우, 무얼 원하나?

—아무것도 없네, 람세스.

—자네를 내 궁전의 마법사로 임명하겠네.

—나 없이 해나가도록 하게! 네페르타리는 어떤가?

—놀라운 여잘세. 내일은 정원에서 산책을 하겠다는군.

—아기는?

—살아보겠다고 열심히 먹고 있네.

—일곱 여사제들은 뭘 보았다고 하던가?

—메리타몬의 운명을 덮고 있던 검은 휘장이 찢어져 있었다네. 그녀들은 여사제의 옷 한 벌과 고결한 여자, 그리고 신전의 돌들을 보았다네.

—엄숙한 인생이 될 모양이군.

—자넨 부자가 될 자격이 있어, 세타우.

—뱀과 전갈들, 그리고 로투스면 내겐 충분해.

—연구할 때 비용이 얼마나 들든 내가 대주겠네. 자네가 만들어내는 독은 궁전에서 가장 좋은 값으로 사들여 병원에 나누어주겠네.

—그런 특혜는 받을 수 없어.

—또 있네. 자네가 만들어내는 독은 질이 좋으니까, 자네가 받는 사례비를 올려주겠네. 그리고 자네의 연구를 독려해주겠네.

―감히 하나 청해도 될까?

―말해보게.

―세티 재위 3년 되던 해에 나온 파윰 산 적포도주가 아직 있나?

―내일 당장 암포르 몇 개를 보내주겠네.

―독을 상당히 여러 병 지불해야 하겠군!

―자네에게 선물하게 해주게.

―난 선물을 좋아하지 않아. 왕의 선물일 땐 더더욱 그렇지.

―이 선물을 받아달라고 부탁하는 건 자네 친구일세. 메리타몬의 목숨을 구한 과학은 어디에서 배웠나?

―뱀들이 거의 모든 걸 가르쳐주지. 나머지는 로투스에게서 배운 것이고. 누비아 여자 마법사들의 기술은 대단하지. 자네 딸아이의 목에 걸어준 부적은 많은 액을 물리쳐줄 거야. 그러나 매년 새로운 힘을 채워넣어야 하네.

―로투스와 자네가 일할 수 있도록 관사를 하나 지어줌세!

―도시 한복판에 말인가? 설마 진심은 아니겠지…… 뱀에 대한 연구를 어떻게 하라는 건가? 우리에겐 사막과 밤, 그리고 위험이 필요해! 위험이라는 말이 나왔으니 말인데…… 그 방자 마법은 예사롭지 않았네.

―무슨 말인지 설명해보게.

―난 아주 강력한 방법들을 사용해야 했네. 공격이 심각했거든. 이 사건에는 외국의 마법이 개입해 있어. 시리아나 리비아, 아니면 히브리인의 마법이야. 마법의 이빨 세 개를 사용하지 않았더라면, 사악한 힘을 부술 수 없었을 거야. 나는 아이를 굶겨 죽이려는 그 힘을 끝끝내 불러낼 수가 없었네…… 내 생각에는 특별히 사악한 귀신인 것 같아.

―궁전 마법사의 짓일까?

―그런 것 같지는 않아. 자네의 적은 악의 힘들과 아주 친하게 지내는 존재거든.

―그런 짓을 또 할 텐데…….

―그야, 틀림없는 일이지.

―어떻게 찾아내서 더이상은 해코지를 할 수 없도록 멀리 떼어놓을 수 없을까?

―나로서도 전혀 방법이 생각나질 않네. 이 정도 마귀라면 완벽하게 몸을 숨길 줄도 알 테니까. 자네에게 다정하고 전혀 해롭게 보이지 않는 사람일 수도 있어. 어쩌면 손이 닿지 않는 소굴에 몸을 웅크리고 있는지도 모르지.

―어떻게 해야 네페르타리와 메리타몬을 그놈으로부터 지킬 수 있을까?

―효험이 증명된 방법을 사용해야지. 부적을 쓰고 선한 힘들을 불러내는 제사를 드려야 하네.

―그걸로 충분치 않다면?

―흑마술보다 더 강한 에너지를 발휘해야지.

―그렇다면, 그 에너지를 만들어낼 힘의 근원을 만들어야겠군.

영원의 신전! 람세스는 돌의 육체와 영원의 물질로 이루어진 영혼의 그 위대한 동맹자를 생각했다.

피-람세스의 건설은 순조롭게 진행되고 있었다.

아직 도시라고 할 수는 없지만, 건물이며 집들이 제법 형태를 갖추어가고 있었다. 한가운데에 지어지고 있는 육중한 궁전은 주위의 건물들을 압도하고 있었다. 돌로 지어진 건물의 토대는 테베나 멤피스의 궁전 토대만큼 단단해 보였다. 열심히 일한 결과가 나타나고 있는 것이다. 모세는 지칠 줄 모르는 사람 같았다. 그는 시종일

관 귀감이 될 만한 태도로 일했다. 애써 일한 결과가 나타나는 것을 보고, 직공장으로부터 잡역부들에 이르기까지 건설에 관여한 사람들은 누구나 다 자기들의 작업이 완성되는 순간을 보고 싶어했다. 자기들 손으로 건설해놓은 이 도시에 정착하겠다고 생각하는 사람들도 있었다.

모세의 성공을 질투한 두 지파의 우두머리들이 모세의 권위에 도전하려는 시도를 했다. 그러나 모세가 나서서 어쩌고 저쩌고 할 필요도 없었다. 벽돌공들 전체가 모세를 우두머리로 세워야 한다고 강력하게 주장했던 것이다.

어느 순간부터, 모세 자신은 의식하지 못하고 있었지만, 모세는 점점 더 나라 없는 민족의 왕관 없는 왕처럼 여겨지기 시작했다. 도시를 건설한다는 것은 너무나 많은 에너지를 필요로 하는 일이었으므로 그는 근심할 새도 없었다. 더이상 유일신에 대한 질문을 던지지 않았고, 공사현장을 잘 지휘하는 일에만 신경을 썼다.

람세스가 도착했다는 소식이 모세를 기쁘게 했다. 흉조들이 나타났었기 때문에 모세는 혹시 네페르타리와 공주가 죽은 게 아닐까 걱정했던 것이다. 며칠 동안 공사장에는 불안한 기운이 감돌았다. 모세는 소문을 부정하면서 인부들에게 왕이 곧 건설현장을 방문할 것이라고 장담해왔다. 람세스가 모세의 체면을 세워준 셈이었다.

왕이 나타나자, 세라마나가 미처 말릴 틈도 없이 인부들이 기뻐하며 왕의 수레를 빙 둘러쌌다. 파라오의 마법을 조금이라도 자기 것으로 만들기 위해 그의 수레를 만져보고 싶어하는 것이다. 사르디니아인은 언제 어디서 자객의 칼이 날아올지 모르는데 아무런 안전조치도 취하지 않은 채 태연히 몸을 내놓고 돌아다니는 젊은 왕 때문에 골치가 아팠다.

람세스는 모세가 기거하고 있는 임시 저택으로 곧장 향해갔다.

파라오가 땅에 내려서자, 모세가 허리를 굽혀 인사했다. 사람들의 시선이 닿지 않는 집안으로 들어서자마자 두 친구는 서로 얼싸안았다.

─이렇게만 계속한다면, 자네의 정신 나간 내기가 이길 승산이 있네.

─기간을 앞당길 수 있을 것 같은가?

─물론이지.

─오늘, 난 전부 다 돌아보고 싶네!

─놀랄 일들뿐일걸. 네페르타리는 좀 어떠신가?

─왕비는 잘 있네. 내 딸도 그렇고, 메리타몬은 엄마만큼 예쁠 것 같아.

─가까스로 죽음을 모면했다는 소문이던데.

─세타우가 왕비와 공주를 구했어.

─독을 가지고?

─마법에 아주 통달했더군. 그가 내 아내와 딸에게 걸린 마법의 저주를 물리쳤어.

모세가 깜짝 놀랐다.

─누가 감히 그런 짓을 했나?

─아직 모르네.

─여자와 아이에게 그런 짓을 했다면 비열한 작자임에 틀림없을 거야. 게다가 파라오의 아내와 딸에게라니, 미친놈이군!

─난 그 끔찍한 공격이 피-람세스의 건설과 연관되어 있는 건 아닐까 생각했네. 이 새로운 수도의 건설을 못마땅해하는 유력인사들이 많거든.

─아냐, 그건 아닐 거야. 못마땅해한다는 것과 죄를 저지르는 것 사이에는 너무나 큰 차이가 있어.

—죄인이 히브리인이라면, 자넨 어쩔 셈인가?

　—민족과 상관없이 죄인은 죄인이지. 하지만 자네가 잘못 생각하고 있다고 생각하네.

　—무엇이든 알아내는 게 있으면, 나에게 숨기지 말게나.

　—날 못 믿겠다는 건가?

　—내가 자네에게 그렇게 말했나?

　—그런 가증스런 범죄를 꾸밀 히브리인은 아무도 없네.

　—난 몇 주 동안 여기에 올 수 없네. 내 대신 나의 수도를 맡아주게.

　—다시 올 땐, 아마 알아보지 못할 거야. 너무 늦지는 마시게. 완공식을 늦추고 싶지는 않으니까.

44

숨막히는 6월 초순이었다. 람세스는 치세 2년을 맞는 기념 축하연을 열었다. 세티가 별들의 왕국으로 떠난 지 벌써 1년이 지난 것이다.

두 개의 강이 만나는 곳, 게벨 실실레에 왕의 배가 서 있다. 전해 내려오는 말에 따르면, 나일 강의 정령은 그곳에 숨어 있다고 했다. 그 정령을 깨워 백성을 길러주는 아비 노릇을 하고 강을 범람하게 하는 것이 파라오의 역할이다.

왕과 왕비는 우유와 포도주를 바치고 기도문을 외운 뒤 바위 속에 파놓은 사당 안으로 들어갔다. 그 안은 선선해서 기분이 좋았다.

람세스가 네페르타리에게 물었다.

—파리아마쿠와 이야기를 나누어보았소?

—마지막으로 남아 있는 피로의 흔적을 지워버리기 위해서 새로운 처방을 해주었어요.

—그뿐이오?

—메리타몬에 대해 그가 나에게 숨기고 있는 게 있나요?

—아니, 그런 건 없소. 안심하구려.

—내가 알아야 할 얘기가 있군요.

—좋은 의사이긴 한데, 용기가 없어.

—그 사람이 무슨 비겁한 짓을 저질렀나요?

—당신은 난산 끝에 기적적으로 살아났소..

네페르타리의 얼굴이 어두워졌다.

—난 아이를 더 가질 수가 없군요. 그렇지요? 당신에게 아들을 낳아드릴 수가 없는 거예요.

—카와 메리타몬이 나의 합법적인 왕위 계승자가 될 거요.

—람세스에겐 다른 아이들이, 그리고 다른 아들들이 있어야 해요. 내가 신전으로 들어가 은둔해야 한다고 생각하신다면…….

왕은 아내를 꼭 끌어안았다.

—난 당신을 사랑하오, 네페르타리. 당신은 사랑이고 빛이오. 당신은 이집트의 왕비요. 우리의 영혼이 영원히 결합되었으니, 아무도 우릴 갈라놓을 수 없소.

—이제트가 아들들을 낳아드릴 거예요.

—네페르타리…….

—꼭 그래야 해요, 람세스. 그래야만 해요. 당신은 다른 사람들과 같은 사람이 아녜요. 당신은 파라오예요.

테베에서 돌아오는 길로 왕과 왕비는 람세스의 영원의 신전이 세워질 장소로 갔다. 서쪽에 있는 산과 기름진 평야의 정기로 가득 찬 광대한 터전이었다.

람세스가 말했다.

—수도를 건설하느라고 이 신전 건립을 소홀히 했던 건 나의 불찰이었소. 어머니의 당부도 있었고, 또 당신과 공주를 상대로 저질러진 악의에 찬 범죄를 보고 나니 정신이 번쩍 들었다오. 영원의 신전만이 어둠 속에 숨어 있는 악으로부터 우릴 지켜줄 거요.

고결한 아름다움으로 빛나는 네페르타리는 마치 불모의 땅처럼 보이는, 모래와 바위로 이루어진 그 너른 땅을 큰 걸음으로 성큼성큼 다녀보았다. 람세스처럼 그녀도 태양과 같은 기질의 소유자였다. 태양은 그녀의 살갗을 태우지 않으면서, 그녀의 피부 위로 미끄러지며 그녀를 빛나게 해주었다. 모든 것이 정지된 듯한 그 순간에, 그녀는 그곳에 세워질 신전들의 여신이었다. 그녀의 발걸음 하나하나가 선택된 장소를 신성하게 해주었다.

왕비는, 영원으로부터 솟아나와 이미 람세스의 인장이 찍힌, 태양으로 불타는 그 땅 위에 영원을 새겨놓은 것이다.

두 남자가 왕의 배 위로 올라가는 줄사다리 위에서 부딪쳤다. 그들은 서로 코를 맞대고 꿈쩍도 하지 않았다. 세타우는 세라마나보다 키가 작았지만, 대신 넓은 어깨를 가지고 있었다. 그들의 눈이 서로 부딪쳤다.

—세타우, 난 네놈이 다시는 왕 주변에서 얼쩡대는 걸 보고 싶지 않았는데.

—널 실망시키게 됐지만, 미안한 마음은 없다.

—사람들이 그러는데, 왕비님과 공주마마가 돌아가실 뻔했던 게 흑마술 때문이라면서?

—아직도 그걸 몰랐나? 이거, 람세스가 형편없는 놈들에게 둘러

싸여 있군그래.

　―주둥이를 바늘로 꿰매버릴까보다.

　―어디 한번 해봐. 하지만 내 뱀들은 조심하라구.

　―협박이냐?

　―네가 어떻게 생각하든지 난 관심 없어. 무슨 옷을 입었든, 해적은 해적이니까.

　―네가 저지른 짓이라고 털어놓으면, 시간이 절약될 텐데.

　―친위대장이라는 자가 영 정보에 어둡군. 내가 공주마마의 목숨을 구했다는 사실을 못 들었단 말이냐?

　―위선자 같은 놈! 넌 뱀 같은 놈이야, 세타우.

　―넌 속이 배배 꼬인 놈이구.

　―네놈이 왕을 해치려고 하면, 그 순간 내 주먹이 네놈 대갈통을 박살낼 거다.

　―그 따위 소리를 계속 지껄이다간 숨이 막혀 죽을 줄 알아.

　―한판 붙어볼까, 어때?

　―왕의 친구를 이유 없이 때렸다간 감옥에 끌려가지.

　―머지않아 네놈이 가게 될 곳 말이군.

　―네가 먼저 가게 될걸, 이 사르디니아놈아. 그 전에 우선 길을 좀 비켜주실까.

　―어디 가는데?

　―람세스 폐하 만나러 간다, 어쩔래? 왕명을 받아서 왕의 미래의 신전이 지어질 터에 뱀 청소 하러 간다. 뱀들이 거기 한살림 차리고 들어앉아 있을지도 모르거든.

　―쓸데없는 짓 할 생각은 꿈에도 하지 마, 이 마술사놈아.

　세타우가 세라마나를 밀쳤다.

　·―얼빠진 소리 작작 하고, 왕이나 잘 지켜드려.

람세스는 테베 서쪽 연안의 구르나 신전 안에 있었다. 그는 선왕의 제사가 모셔지고 있는 사당 안에서 벌써 몇 시간째 명상에 잠겨 있었다. 명상에 들어가기에 앞서, 왕은 제단 위에 포도, 무화과, 로간주나무 열매와 솔방울을 올려놓았다. 이 휴식의 공간에서 세티의 영혼은 제물의 오묘한 정수를 취하며 편히 쉬고 있는 것이다.

세티는 이곳에서 람세스가 자기의 뒤를 잇게 될 것이라고 말했었다. 젊은 왕자는 그 말씀의 무게를 가늠하지 못했었다. 그는 거인의 보호를 받으며 꿈속에서 사는 어린아이에 지나지 않았던 것이다. 그 거인의 생각은 하늘을 항해하는 배와도 같았다.

붉은 왕관과 흰 왕관이 자기 머리에 씌워지던 순간에 이미 그는 평화로운 왕위 계승을 포기했다. 자기 앞의 거친 세상과 맞서 싸우기 위해서였다. 이 신전 안에서는 신전의 벽에 새겨진 미소 짓는 위대한 신들이 삶을 신성한 것으로 만들어준다. 다시 태어난 파라오는 그들을 공경하고 보이지 않는 존재들과 교류한다. 바깥 세상에는 사람들이 있다. 용감하거나 비겁한 사람들, 정의롭거나 위선적인 사람들, 관대하거나 욕심 사나운 사람들…… 람세스는, 욕망을 가진 사람이든, 연약한 사람이든 모든 인간을 신들과 연결시켜주어야 하는 것이다.

그의 통치 기간은 이제 겨우 일 년이 지났을 뿐이지만, 그는 이미 오래 전부터 자신에게 속한 사람이 아니었다.

해가 질 무렵에야 람세스는 세라마나가 말고삐를 잡고 있는 마차에 올라탔다.

—어디로 모실까요, 폐하?

—왕들의 계곡으로 가자.

—함대를 구성하고 있는 배들을 몽땅 뒤지게 했습니다.

―수상한 건 없었나?

―없었습니다.

사르디니아인은 불안한 기색을 보였다.

―정말 나에게 아무것도 할 말이 없나?

―없습니다, 폐하.

―확실한가?

―증거도 없이 고발하는 건 큰 잘못이지요.

―흑마술사를 밝혀낸 건가?

―제 견해는 조금도 중요하지 않습니다. 사실만이 중요하지요.

―빨리 가자, 세라마나.

밤낮으로 병사들이 입구를 지키고 있는 계곡을 향해 말은 날듯이 달려갔다. 여름날 끝무렵에는 낮 동안 햇볕을 받았던 바위들이 복사열을 내뿜기 때문에, 흡사 용광로 속으로 들어가는 것 같았다. 숨막히는 더위였다.

분견대장이 땀을 뻘뻘 흘리고 숨을 헐떡거리며 파라오에게 다가와 허리를 굽혀 절을 했다. 그는 세티의 무덤에 들어온 도둑놈은 하나도 없었다고 보고했다.

람세스는 아버지의 영원의 집이 아니라 자기의 영원의 집으로 가는 길이었다. 하루 일을 끝낸 석수들이 연장을 씻어 바구니에 챙겨 넣고 있었다. 왕이 불시에 들이닥치자 그들은 주고받던 말을 중단했다. 장색들은 일일보고서를 작성하고 있는 달인의 뒤에 모여 서 있었다.

―마아트의 방에까지 이르는 긴 복도를 텄습니다. 보여드릴까요, 폐하?

―혼자 있게 해다오.

람세스는 자기 무덤의 문턱을 넘어 바위 속에 파놓은 짧은 계단을 내려갔다. 계단은 어둠 속으로 햇빛이 들어오는 방향과 일치하게 설계되어 있었다. 계단으로 이어진 복도 벽에는 신성문자들이 새겨져 있었다. 영원히 젊은 모습의 파라오가 빛의 비밀스러운 여러 이름을 부르며 빛의 권능을 찬미하는 기도문도 씌어 있었다. 그 옆으로는 늙은 태양이 새벽에 다시 태어나기 위하여 뛰어넘어야 하는 숨겨진 밤의 시련이 묘사되어 있었다.

그 어둠의 왕국을 지나치자, 이승과 저승에 계신 신들 앞에 공경을 바치는 람세스의 모습이 그려져 있었다. 왕의 모습은 생생한 색깔의 그 훌륭한 그림들로 영원히 살아 있을 것이다.

오른쪽에는, 네 개의 기둥이 받치고 있는 왕의 수레의 방이 있었다. 이곳에는 수레채, 수레의 몸채, 바퀴들과 그 밖에 람세스의 수레의 다른 부품들이 보관될 것이다. 그럼으로써 왕은 저 세상에서도 이 수레를 타고 빛의 적들을 밟고 다닐 수 있을 것이다.

그곳을 지나면, 복도는 더욱 좁아진다. 복도의 벽은 다른 모습으로 부활한 왕, 즉 왕의 조상(彫象)에 치를, 눈과 입을 여는 의식의 장면과 그 의식에 관한 글로 장식되어 있었다.

그 다음에는 다시 바위가 앞을 막아섰다. 석수들은 바위를 대충 다듬어놓았을 뿐이다. 마아트 여신의 방과, 왕의 석관이 놓일 황금의 방을 만들고 장식하려면 앞으로도 몇 달이 더 걸릴 것이다.

죽음이 람세스 앞에 그 고요하고 신비한 모습을 드러내고 있었다. 영원의 언어에 한마디도 부족함이 없게 하리라. 보이지 않는 것을 표현하는 데 단 한 장면도 부족함이 없게 하리라.

혼자 자기 무덤을 둘러보며 생각에 잠기던 파라오가 밖으로 나왔다. 어느새 고요한 어둠이 그의 조상들의 계곡 위에 군림하고 있었다.

45

아몬의 제2예언자 도키는 테베의 궁전으로 달려갔다. 방금 왕이 카르낙 신전의 고위 성직자들을 불러들인 것이다 작은 키, 삭발한 머리에 좁고 뾰족한 코, 턱이 악어처럼 생긴 도키는 제 시간에 도 착하지 못할까봐 걱정이 되었다. 멍청한 비서가 그에게 즉각 알려 주지 않았던 것이다. 그는 가축떼에 대한 서기관의 보고서를 검토 하고 있는 중이었다. 그 멍청한 놈을 신전 사무실의 편한 생활과는 거리가 먼 농장으로 내쫓아버려야지.

세라마나는 도키의 몸을 수색한 뒤, 파라오의 접견실로 들여보냈 다. 그의 앞에는, 팔걸이가 달린 의자 위에, 대사제이자 아몬의 제1 예언자인 늙은 네부가 앉아 있었다. 쭈글쭈글한 얼굴에 어깨가 축 처진 그는 아픈 왼쪽 발을 쿠션 위에 올려놓고, 꽃의 진액을 넣은 약병을 코에 대고 향기를 들이마시고 있었다.

─늦어서 황송합니다, 폐하. 제가 늦은 이유는…….

─됐다. 제3예언자는 어디 있는가?

─생명의 집의 정화의식에 임명되었는데, 그곳에서 은둔생활을 하고 싶어합니다.

─허락한다. 제4예언자 바크헨은?

─룩소르 공사현장에 가 있습니다.

─왜 여기 있지 않고?

─오벨리스크들을 세우는 힘든 작업을 감독하고 있습니다. 폐하께서 원하시면 즉각 대령하라 이르겠습니다.

─그럴 필요 없다.

담담한 어조로 도키와 대화하던 람세스는 네부를 바라보며 물었다.

─카르낙 대사제님의 건강은 좋으십니까?

네부가 피곤한 목소리로 대답했다.

─그렇지 못합니다. 겨우 움직이는 형편입니다. 소승은 서류보관실에서 거의 대부분의 시간을 보내고 있습니다. 선임 대사제께서 전통 제의들을 소홀히 하셨더군요. 그걸 제대로 잡아놓고 싶습니다.

─도키, 그대는 어떠하신가? 세속 일에 마음을 쓰고 있는가?

─마땅히 그래야 합니다, 폐하! 바크헨과 저는 공경하옵는 대사제님의 지도 하에 세속사를 잘 꾸려가고 있습니다.

도키의 말을 이어서 네부가 단호한 목소리로 말했다.

─저의 젊은 아랫사람들은 나쁜 발이 좋은 눈만 못하다는 걸 깨닫고 있습니다. 폐하께서 소승에게 맡겨주신 임무는 차질 없이 수행될 것입니다. 소승은 얼렁뚱땅 게으름 피우는 태도를 절대로 용

납하지 않습니다.

람세스는 네부의 단호한 말투에 놀랐다. 겉으로는 지쳐 보였지만, 늙은 네부는 단단하게 버티고 있는 것이다.

―이렇게 왕림해주셔서 감사합니다, 폐하. 덕분에 새로운 수도 건설이 테베를 저버리시겠다는 뜻이 아님을 알겠습니다.

―네부, 나는 테베를 버릴 생각은 꿈에도 없소. 자기 직분에 충실한 파라오라면, 어찌 승리의 신인 아몬의 도시를 소홀히 할 수 있겠소?

―어째서 그렇게 먼 곳에 새 수도를 지으십니까?

그의 말투에는 비난의 뜻이 가득 들어 있었다.

―이집트의 정사를 논하는 것은 아몬 대사제가 할 일이 아니오.

―인정합니다, 폐하. 하오나 자신의 신전을 걱정하는 것은 대사제의 일이 아니온지요?

―네부는 안심하시오. 카르낙의 대열주의 홀은 지금까지 한번도 건설된 적이 없는 가장 아름답고 넓은 방이 아닙니까?

―은혜를 받으십시오, 폐하. 그러나 이 야심 없는 늙은이가 한마디 여쭙겠습니다. 이곳에 행차하신 진정한 이유가 무엇인지요?

람세스가 빙긋이 웃었다.

―우리 두 사람 중 누가 더 참을성이 없는 걸까? 그대요, 아니면 나요?

―폐하의 안에서는 젊음의 불길이 타고 있지만, 제 안에서는 죽음의 왕국이 큰소리를 치고 있습니다. 저는 시간이 얼마 남지 않은 몸인지라 쓸데없는 말이나 하고 있을 새가 없습니다.

뼈 있는 말들을 주고받는 람세스와 네부 옆에서 도키는 아무 말도 못 하고 가만히 있었다. 저렇게 계속 왕을 물고 늘어지다간 결국 왕의 분노를 사고 말 것이다.

파라오가 허심탄회하게 말했다.

─내 가족이 위험에 처해 있소. 가족을 보호해줄 힘을 찾아서 이곳 테베로 온 것이오.

─어떻게 하실 생각이신지요?

─나의 영원의 신전을 건립할 예정이오.

네부가 지팡이를 꽉 쥐었다.

─폐하의 생각에 저도 찬성입니다. 그러나 그에 앞서 폐하께서는 폐하의 힘인 카를 더욱 키우셔야 합니다.

─어떤 방법으로?

─룩소르 신전 건립을 끝내셔야 합니다. 특히 카의 사당을 지으셔야 합니다.

─왜 그대의 신전을 위해선 아무 말도 하지 않소, 네부 대사제?

─다른 경우였다면, 조금이라도 폐하께 영향력을 행사해보려고 했겠지요. 그러나 말씀하시는 투가 진지하신 걸로 보아 포기했습니다. 신에게 영광을 돌리기 위해서 카르낙에 필요한 힘은 모두 룩소르에 모여 있습니다. 폐하께서 나라를 다스리실 때 필요한 힘은 바로 그 힘입니다.

─대사제님의 고견을 참작하리다. 그러나 그대에게 명하거니와, 서쪽 연안에 세워질 나의 영원의 신전 신축을 위한 제의를 준비해주시오.

도키는 너무나 흥분한 나머지, 마음을 가라앉히기 위해 독한 맥주를 몇 잔씩이나 마셨다. 손은 덜덜 떨리고, 식은 땀이 등줄기를 따라 흘러내렸다. 그 동안 여러 부당한 일을 겪어온 그에게 드디어 행운이 미소를 보내준 것이다!

아몬의 제2사제인 그가, 늙어 죽을 때까지 이렇게 두번째 자리에

만 머물 줄 알았던 그가 가장 중요한 국가 기밀을 알게 된 것이다. 그 이야기를 털어놓음으로써, 람세스는 실수를 저지른 것이다. 도키는 대사제가 되려는 야망을 실현하기 위해, 그 비밀을 이용할 것이다.

영원의 신전…… 생각지도 않았던 기회, 그에게 결코 주어지지 않을 것 같았던 기회가 눈앞에 나타났다! 그러나 그는 마음을 진정시켜야 했다. 급하게 행동하지 말고, 단 일 초도 허비하지 말 것. 필요한 말만 하고, 입을 다물 것.

제2예언자라는 자리란, 목록에서 몇 줄 지워버리고 신전으로 들어오는 물건들을 슬쩍 빼내서 돈 몇 푼 쥐는 게 전부인 그런 자리였다. 물론 물품관리 담당 서기관들의 감독관인 그에게 그런 일은 아무것도 아니었다.

그는 잘못 생각하고 있는 건 아닐까? 정말 그런 계획을 끝까지 추진해서 좋은 결과를 얻을 수 있는 능력이 그에게 있을까? 대사제도, 왕도 순진한 어린아이들이 아니다. 한 걸음이라도 잘못 디뎠다간 들통나버릴지도 모른다. 그러나 이런 기회는 다시 오지 않는 법이다. 한 명의 파라오는 영원의 신전을 하나밖에 지을 수 없으니까 말이다.

카르낙에서 걸어서 30분 거리에 있는 룩소르 신전은, 오솔길로 카르낙 신전과 연결되어 있다. 오솔길 양쪽에는 수호신인 스핑크스가 늘어서 있다. 생명의 집에서 하늘과 땅의 비밀이 씌어 있는 고문서들과 토트의 책들을 읽고 난 바크헨은 룩소르 신전의 증축 설계를 구상했다. 람세스는 룩소르 신전을 증축하겠다는 의지를 즉위 원년에 밝힌 바 있다.

내부의 지원을 받아서 공사는 빨리 진척되었다. 아멘호텝 3세의 사당 옆에는 너비 52미터, 길이 48미터의 큰 정원이 딸려 있는데, 그곳에 람세스의 조상들이 놓이게 된다. 너비 65미터에 이르는 우아한 탑문 앞에는 파라오를 상징하는 거대한 여섯 개의 기둥을 세워 사악한 힘들이 이 카의 신전에 접근하는 것을 막고, 또 25미터 높이의 오벨리스크 두 개로 그 힘들을 물리칠 것이다.

사암으로 만들어진 아름다운 벽은 호박금으로 덮일 것이고, 포도에는 은을 깔 것이다. 룩소르 신전은 람세스 치세에 만들어진 최고의 걸작품이 될 것이다. 신의 현존을 확인시켜주는 깃대는 하늘을 찌를 듯 높이 솟을 것이다.

그러나 생명의 집을 나서서 오벨리스크가 도착하기로 한 나일 강변에 선 바크헨의 눈앞에 전개되는 광경은 그를 절망 속에 빠뜨렸다. 아스완에서 두 개의 오벨리스크 중 하나를 싣고 오던, 길이 70미터의 거룻배가 항해지도에도 나와 있지 않은 소용돌이에 휘말려 나일 강 한가운데에서 빙빙 돌고 있었다. 단풍나무로 만든 무거운 배 앞머리에 서서 배가 사주(砂洲) 위에 좌초하지 않도록 긴 장대로 수심을 재어보던 수부는 너무 늦게야 위험을 발견했다. 그가 놀라서 발을 헛딛어 물 위에 떨어지는 바람에 두 개의 키 중 하나가 부러져버리고 다른 하나는 고장이 나서 못쓰게 되고 말았다.

배가 기우뚱거리자, 배에 실려 있던 오벨리스크가 균형을 잃고 흔들거렸다. 200톤짜리 바위가 이리저리 흔들리자 그것의 균형을 잡아주던 밧줄들이 끊어졌다. 그 거대한 화강암 덩어리가 곧 물 속으로 빠져버릴 참이었다.

바크헨은 주먹을 쥐고 울었다.

이 좌초가 그에게는 돌이킬 수 없는 과오로 기록될 것이다. 여러 사람이 죽고 오벨리스크를 잃은 책임을 모두들 그에게 물을 것이다. 강물이 불기를 기다리지 않고 서둘러서 배를 출발시키라고 지시한 것은 바로 자신이 아니었던가? 그는 선원들이 겪게 될 위험은 생각지도 않고 자기가 자연의 법칙 위에 군림하는 자인 양 행동했던 것이다.

이 재난을 막을 수만 있다면 아몬의 제4예언자는 목숨이라도 기꺼이 던졌을 것이다. 그러나 배는 점점 더 심하게 흔들렸고 삐걱거리는 소리도 심상치 않았다. 곧 선체마저 부서질 것 같았다. 저 오벨리스크는 완전한 성공작이었다. 금박으로 덮여 햇빛을 받아 반짝이게 될 맨 윗부분만 빠져 있을 뿐이었다. 나일 강 바닥으로 사라질 운명의 오벨리스크…….

그때 맞은편 강가에서, 어떤 남자 하나가 손짓발짓을 하며 법석을 떨고 있는 모습이 눈에 들어왔다. 투구를 쓰고 무장한 콧수염이 달린 거인이었다. 그의 목소리는 거센 바람에 묻혀 잘 들리지 않았다.

바크헨은 그 거인이 강에서 헤엄을 치고 있는 어떤 사람에게 돌아오라고 애걸하는 중이라는 걸 알아차렸다. 그러나 강에 뛰어든 사람은 술에 취했는지 기우뚱거리고 있는 배를 향해 전속력으로 헤엄쳐 갔다. 그는 익사하거나 흔들리는 노에 부딪칠지도 모르는 위험을 무릅쓰고 거룻배 뱃머리까지 헤엄쳐 가는 데 성공했다. 그는 밧줄을 이용해서 선체 가장자리로 기어올라갔다.

그 사람은 두 손으로 고장난 키를 움켜쥐고 그것을 다시 움직여 보려 했지만, 성공하지 못했다. 그는 발꿈치로 바닥을 단단히 딛고 서서 팔과 가슴의 근육을 터질 정도로 긴장시키고는, 믿을 수 없는 힘으로 기어이 그 무거운 나무 조각들을 움직였다.

빙빙 돌던 배가 멈추어 섰다. 잠깐 동안 배는 강변과 나란한 방향으로 서서 꼼짝도 하지 않았다. 배 위의 남자는 막대기 하나를 들고 섰다가 마침 불어오는 순풍을 이용해서 배가 소용돌이를 빠져

나오게 하는 데 성공했다. 사공들은 다시 힘을 내어 노를 젓기 시작했다.

거룻배가 강기슭에 닿자, 수십 명의 석수들과 잡역부들이 곧 오벨리스크를 옮기는 일에 착수했다.

구원자가 사닥다리 꼭대기에 모습을 나타냈을 때, 바크헨은 그의 얼굴을 알아보았다. 이집트의 파라오 람세스였다. 그가 목숨을 걸고, 하늘을 찌르고 설 바위 바늘을 구해낸 것이다.

46

셰나르는 하루에 여섯 끼씩 먹고, 눈에 띄게 살이 쪄갔다. 언젠가 권력을 빼앗아, 람세스에게 복수할 수 있으리라는 믿음을 잃은 뒤부터 그 지경이 되어버렸다. 허기가 차라리 그를 안심시켰다. 퍼먹다보면, 앞으로 탄생할 새 수도니, 왕의 이해할 수 없는 인기 따위를 잊을 수 있었다. 아샤도 그의 마음을 달래주지는 못했다. 물론 그가 하는 이야기들은 설득력이 있었다.

시간이 지나면 권력도 약해진다, 통치 초반의 열광도 옷감의 올이 풀리듯 사라질 것이다, 온갖 종류의 난관이 람세스의 앞날에 산적해 있다……그러나 말들뿐이었지, 그 듣기 좋은 말들을 보장하는 구체적인 사실은 아무것도 없었다. 오히려 젊은 왕이 이룩한 기적에 대해 멀리서 전해듣고, 히타이트놈들마저 겁을 집어먹은 것 같았다.

요컨대, 모든 상황이 점점 더 나빠지고 있는 것이다.

집사가 메바의 방문을 알렸을 때, 셰나르는 구운 오리다리를 열심히 뜯어먹는 중이었다. 그가 자리를 빼앗은 전직 외무대신⋯⋯ 셰나르의 생각대로 그자는, 자기가 외무대신 자리에서 쫓겨난 것이 람세스 때문이라고 생각하고 있다.

─만나고 싶지 않다.

─꼭 뵈어야 한다고 고집을 부리고 있습니다.

─돌아가라고 해.

─나리께 꼭 알려드려야 할 정보가 있답니다.

전직 외무대신은 허풍쟁이도 아니고 또 거짓말쟁이도 아니다. 그는 신중함 위에다 경력을 쌓아올린 행정가이다.

─그렇다면, 드시라 해라.

메바는 변하지 않았다. 넓적한 얼굴, 잘난 체하는 태도, 특징 없는 목소리. 자기의 안일과 습관에 길이 든 이 전직 고위관리는 자신이 영락한 진정한 이유를 이해할 능력은 없는 사람이었다.

─만나주셔서 감사합니다.

─오랜 친구를 만나는 건 즐거운 일이지요. 뭘 좀 드시겠소?

─시원한 물 한 잔이면 충분합니다.

─포도주나 맥주는 끊으셨나요?

─자리를 잃고 난 다음부터 끔찍한 두통에 시달리고 있습니다.

─뜻하지 않게 그런 부당한 일로 이익을 얻게 되어 민망스럽습니다. 시간이 지나면 제가 명예직이라도 하나 얻어드릴 수 있지 않겠소?

─람세스는 뒤를 돌아보는 왕이 아닙니다. 몇 달 안 되는 동안에 눈부신 성공을 이룩한 걸 보십시오.

셰나르는 오리 날갯죽지에다 이빨을 박아넣었다.

전직 외무대신이 솔직하게 털어놓았다.

―전 포기했었습니다. 나리의 누이 되시는 돌렌테님으로부터 이상한 사람을 하나 소개받기 전까지는 그랬습니다.

―이상한 사람이라니, 누굴 말하는 거요?

―오피르라고, 리비아 사람입니다.

―그런 이름은 한번도 들어본 적이 없는데…….

―숨어 지내니까요.

―무슨 이유 때문에요?

―리타라는 젊은 여자 하나를 보호하고 있거든요.

세나르는 짜증스런 표정으로 메바를 바라보았다.

―거기 앉아서 지금 무슨 답답한 얘길 늘어놓고 있는 거요?

―오피르 말에 따르면, 리타는 아케나톤의 후예랍니다.

―그의 후손들은 다 죽었어요!

―그런데 사실은 그렇지 않다면요?

―람세스가 당장 나라 밖으로 내쫓겠지요.

―누이께서는 리타와 유일신인 아톤을 섬기는 자들을 옹호하고 계십니다. 아톤 신이 다른 신들을 내쫓을 거랍니다. 테베에도 도당이 하나 결성되었다는군요.

―거기 끼어들지 않으셨으면 좋겠군요. 그런 미친 짓은 끝이 안 좋은 법이오. 람세스가 아케나톤의 시도를 저주하는 왕조에 속해 있다는 걸 잊으셨소?

―분명히 기억하고 있습니다. 그래서 그 오피르라는 사람을 만날 때 겁이 났었습니다. 그런데 잘 생각해보니, 이 사람은 람세스와 싸울 때 아주 귀중한 동지가 될 수도 있다는 생각이 들었습니다.

어처구니가 없다는 표정으로 세나르가 말했다.

―숨어 지내야 하는 리비아 사람이 말이오?

―그 오피르라는 사람은 특별한 능력이 있습니다. 마법사지요.

―마법사는 지천으로 널려 있어요.

―그렇지만 그자는 네페르타리와 그녀의 딸을 위험에 빠뜨린 장본인입니다.

―그게 무슨 소리요?

―누이 되시는 돌렌테님께서는 오피르는 현자이며, 리타는 이집트의 왕좌에 오를 것이라고 확신하고 있습니다. 돌렌테님께서는 제가 아톤 신의 신봉자들을 모을 수 있을 거라고 기대하시기 때문에 저에게 그런 비밀 이야기를 들려주신 겁니다. 오피르는 무서운 마법사입니다. 그는 왕과 왕비를 보호하고 있는 마법의 힘을 파괴하겠다고 벼르고 있어요.

오리고기를 밀어놓으며 입을 닦던 셰나르가 흥미 있다는 표정으로 메바에게 물었다.

―확실한 얘기요?

―그 사람을 보고 나면, 제 이야기를 이해하게 되실 겁니다. 그리고 그게 전부가 아닙니다. 나리, 모세에 대해 생각해보셨습니까?

―모세라…… 왜 갑자기 모세요?

―아케나톤의 생각은 히브리인들이 가지고 있는 생각과 크게 다르지 않습니다. 사람들이 수군대는 이야기를 듣지 못하셨습니까? 모세가 유일신 문제 때문에 혼란스러워하고 있고, 우리의 문명에 대한 믿음이 흔들리고 있다고들 하던데요.

―그래서, 내가 어떻게 해주기를 바라는 거요?

―오피르가 그의 흑마술을 계속할 수 있도록 격려해주시고, 모세를 한번 만나보시라는 겁니다.

―아케나톤의 후손이라는 여자가 마음에 걸려서…….

―저 역시 그렇습니다만, 그게 뭐 대수겠습니까? 일단은 우리가 아톤 신과 리타의 등극을 열망하고 있다고 오피르가 생각하게 만드

는 겁니다. 마법사가 람세스의 힘을 약화시키고, 모세를 조종해서 왕에 맞서게 한 다음, 그 수상한 인물과 리타를 제거해버리면 되죠.

세나르가 진지한 표정으로 고개를 끄덕였다.

─흥미로운 계획이오.

─나리께서 그 계획을 좀더 다듬어주셨으면 좋겠습니다.

─어떤 보상을 원하시오?

─옛날 자리를 되찾고 싶습니다. 외교는 제 인생의 전부입니다. 저는 사신들을 영접하고, 사교적인 만찬을 주재하고, 외국의 유력 인사들과 외교적 표현으로 토론하고, 관계를 증진시키고, 함정을 파고, 의전절차를 즐기고…… 그런 일들을 좋아합니다. 이 분야에 들어와보지 않으면, 이해할 수 없습니다. 왕이 되시면, 저를 외무대신으로 임명해주십시오.

─공의 제안을 마땅히 들어드리겠소.

메바는 기뻐서 어쩔 줄 몰랐다.

─괜찮으시다면, 포도주를 약간 마시겠습니다. 두통이 사라졌거든요.

아몬의 제4사제인 바크헨은 람세스 앞에 끓어 엎드렸다.

─아무런 핑계도 댈 수 없습니다, 폐하. 이 사건의 책임은 전부 저에게 있습니다.

─어떤 사건 말인가?

─오벨리스크는 잃어버리고, 선원들도 죽을 뻔했습니다.

─바크헨, 그대의 악몽은 아무 의미도 없다. 현실이 중요하다.

─그래도 제가 저지른 잘못을 지울 순 없습니다.

─왜 그런 부주의를 저질렀는가?

─룩소르가 폐하 치세의 최고 보물이 되게 하고 싶었습니다.

―내가 단 하나의 걸작으로 만족할 줄 알았더냐? 일어나라, 바크헨.

옛 교관의 탄탄한 체격은 조금도 변함이 없었다. 그는 금욕적인 사제라기보다는 육상선수처럼 보였다.

―바크헨, 그대는 운이 좋다. 나는 운명이 도와주는 사람들을 좋아한다. 한 사람이 가지고 있는 마술적 능력이란 것도 결국은 운명의 공격을 따돌리는 데 있지 않던가?

―폐하께서 도와주지 않으셨더라면…….

―그러니까 그대는 파라오가 직접 도와줄 만큼 운좋은 사람이라는 거지! 아주 잘됐다. 실록에 기록해두는 것이 마땅할 터이다.

바크헨은 이 역설적인 말에 이어 엄벌이 내려질 것이라고 생각하자 두려워졌다. 그러나 람세스의 날카로운 눈길은 바크헨을 떠나 거룻배가 있는 쪽으로 향하고 있었다. 오벨리스크를 내리는 일은 순조롭게 진행되고 있었다.

―이 오벨리스크는 아주 아름답구나. 두번째 것은 언제 준비되는가?

―9월 말쯤이 될 것 같습니다.

―신성문자를 빨리 새겨넣도록 하라!

―아스완 채석장의 날씨는 벌써 대단히 뜨겁습니다.

―바크헨, 그대는 집을 짓는 사람인가, 아니면 불평쟁이인가? 그곳에 가서 일이 끝나는 것을 감독하도록 하라. 기둥들은 어찌 되어가고 있나?

―석수들이 게벨 실실레에 멋진 사암을 골라두었습니다.

―그들도 지체 없이 일을 시작하도록 하라! 오늘 당장 밀사를 파견하고, 그대가 가서 조각가들이 한시도 시간을 허비하지 않도록 독려하라.

―폐하, 이보다 더 빨리 할 수는 없습니다!

―그렇지 않다, 바크헨. 카의 사당, 즉 영원히 우주를 창조하는 힘에 바치는 건물을 짓기 위해서는, 앞으로 무슨 일을 해야 할까 망설이고 자재 따위로 소심하게 구는 신통찮은 감독처럼 굴어선 안 된다. 번갯불이 그대의 생각을 후려쳐서 돌에 투영되어야 하고, 그렇게 신전을 만들어내야 한다. 그대는 느리고 게으르다. 그것이 그대의 진짜 잘못이다.

기가 질린 바크헨은 한마디 항의도 할 수 없었다.

―룩소르 신전이 완성되면, 그것이 카를 만들어낼 것이다. 내게는 그 기가 급히 필요하다. 가장 빼어난 장인들을 동원하도록 하라.

―그 중 어떤 사람들은 왕들의 계곡에서 폐하의 영원의 집을 짓는 일에 관여하고 있습니다.

―그들을 이리로 오게 하라. 내 무덤은 기다려줄 것이다. 그대가 관여해야 할 또다른 급한 일이 있다. 서쪽 연안에 나의 영원의 신전을 짓는 일이다. 그 신전을 지으면 많은 불행으로부터 왕국을 지킬 수 있을 것이다.

―폐하께선……

―거대한 힘이 될 것이다. 그 마법의 힘으로 적들을 물리칠 수 있을 만큼 강력한 신전이 될 것이다. 내일 당장 공사를 시작하도록 하라.

―룩소르 공사가 있지 않습니까, 폐하…….

―피-람세스 공사도 있지. 도시 전체를 짓는 일이다. 전국 방방곡곡의 조각가들을 불러모으도록 하라. 그 중에서 손재주가 있는 자들만 골라내라.

―폐하, 시간은 마음대로 늘어나는 것이 아닙니다!

―바크헨, 시간이 모자란다면, 그걸 창조하라.

47

도키는 테베의 술집에서 한 조각가를 만났다. 두 사람 다 처음 가보는 술집이었다. 그들은 가장 어둡고 구석진 자리에 앉았다. 옆 자리에서는 리비아인 인부들이 시끄럽게 떠들어대고 있었다. 조각 가가 먼저 말을 꺼냈다.

─사제님의 전갈을 받고 왔습니다. 그런데 왜 그렇게 쉬쉬하시는 겁니까?

도키는 귀를 다 덮고 눈에까지 내려오는 가발을 쓰고 있어서 얼 굴을 알아볼 수가 없었다.

─내 편지에 대해 누구에게 얘기한 일 있소?

─없습니다.

─부인에게도 말하지 않았소?

―전 총각입니다.

―애인에게도 말 안 했소?

―내일 저녁에나 만나볼 건데요.

―그 편지를 내게 주시오.

조각가는 둘둘 만 파피루스를 도키에게 돌려주었다. 도키는 그것을 박박 찢어버렸다. 그리곤 그 이유를 설명했다.

―만일 우리 생각이 다르다면, 우리가 만났던 흔적은 일체 없어야 하오. 그렇다면 나는 당신에게 앞으로는 절대 편지를 쓰지 않을 것이고, 그리고 서로 만나는 일도 없을 것이오.

어깨가 딱 벌어진 다부진 체격의 조각가는 도키가 그렇게 까탈을 부리는 이유를 이해할 수 없었다.

―저는 카르낙에서 일했던 적이 있고, 불만도 없습니다. 이렇게 술집으로 불러내서 앞뒤 안 맞는 소리를 늘어놓은 사람은 아무도 없었단 말요.

―분명히 말합시다. 부자가 되고 싶소?

―부자가 되고 싶지 않은 사람이 어디 있겠습니까?

―돈을 아주 빨리 벌 수 있소. 하지만 위험을 감수해야 합니다.

―어떤 위험인데요?

―그걸 밝히기 전에, 우선 약속부터 합시다.

―무슨 약속입니까?

―거절하면, 테베를 떠나야 하오.

―싫다면 어쩌시겠소?

―이쯤에서 그만두는 게 낫겠소.

도키가 자리에서 일어났다.

―알았습니다. 앉으시오.

―파라오의 목숨을 걸고 맹세해야 하오. 침묵의 여신이 지켜보고

계시다가 맹세를 어기면 벼락을 치실 거요.

조각가가 잠시 생각하더니 진지한 표정으로 말했다.

―맹세하겠소.

맹세한다는 것은 존재 전체를 거는 마술적인 행위였다. 맹세를 어기면, 그 사람의 카가 영혼에서 없어져버리는 것이다. 도키가 말했다.

―한 가지만 요구하겠소. 비석에 신성문자를 새겨달라는 거요.

―그건 제 직업인데요! 뭘 그렇게 쉬쉬하시죠?

―때가 오면 알게 될 거요.

―그럼…… 그 대가는?

―젖소 서른 마리, 양 백 마리, 살찐 황소 열 마리, 가벼운 배 한 척, 샌들 열 켤레, 살림 도구들과 말 한 마리요.

조각가가 기겁을 했다.

―그 모든 걸 비석 하나 때문에 준다는 거요?

―그렇소. 하지만 이 모든 일을 비밀에 부쳐야 하오.

―그걸 거절한다면 미친놈이지. 좋소이다.

두 남자는 서로 손바닥을 마주쳤다.

―언제부터 일하면 됩니까?

―내일 아침, 테베의 서쪽 연안에서 하게 될 거요.

메바는 멤피스에서 북쪽으로 약 20킬로미터쯤 떨어진 곳에 있는 옛 부하의 집으로 셰나르를 초대했다. 전 외무대신과 람세스의 형은 서로 다른 길을 통해서, 두 시간 간격을 두고 그 집에 도착했다. 셰나르는 이번 일은 아샤에게 알리지 않는 것이 좋겠다고 판단했다. 셰나르가 메바에게 불평을 늘어놓았다.

―그대의 마법사가 늦는구려.

―온다고 약속했습니다.

―난 기다리는 데 익숙하지 않아요. 한 시간내로 도착하지 않으면, 가버리겠소.

그때 오피르가 리타와 함께 들어섰다.

셰나르의 언짢은 기분은 순식간에 사라졌다. 셰나르는 어느새 그 불길해 보이는 인물에게 매혹당했다. 마른 체격에 광대뼈는 툭 튀어나오고, 코가 높고 입술이 얇은 그 리비아인의 두상은 막 먹이를 집어삼키려는 매를 닮아 있었다. 그런 반면, 패배자처럼 머리를 푹 수그린 젊은 여자는 아무 특징이 없는 평범한 인물 같았다. 오피르가 말했다.

―이렇게 뵙게 되어 영광입니다. 이런 은혜를 누리게 될 줄은 꿈에도 몰랐습니다.

깊은 동굴에서 울려나오는 듯한 오피르의 목소리에 셰나르는 전율했다.

―나의 친구 메바 공께서 그대 얘기를 하셨소.

―아톤 신께서 그분에게 축복을 내리실 것입니다.

―그 신의 이름은 발설하지 않는 것이 좋겠소.

―리타에게 왕이 될 권리가 있다는 것을 알리기 위해서 저는 일생을 바쳤습니다. 람세스의 형님께서 저를 만나주시는 것은 제 뜻을 인정하시기 때문이 아닌지요?

―그대의 말이 맞소, 오피르. 그러나 가장 중요한 장애물을 잊은 건 아니오? 람세스 말이오.

―그렇지 않습니다. 이집트를 다스리는 파라오는 막강한 인물이며 특별한 힘을 가진 존재입니다. 그만큼 힘겨운 상대지요. 그를 보호하고 있는 힘을 부수기란 어려운 일일 겁니다. 하지만 제겐 몇 가지 무기가 있습니다. 효과가 있을 겁니다.

—흑마술을 사용하는 사람은 사형당하게 되어 있소.

　—람세스와 그의 조상들은 아케나톤 왕께서 이루어놓으신 일을 파괴하였습니다. 그와 나의 싸움은 무자비한 것이 될 것입니다.

　—따라서 절제해달라는 부탁은 아무 소용도 없겠군요.

　—그렇습니다.

　—나는 내 동생을 잘 알지. 그는 고집이 세고 격정적인 사람이오. 자기의 권위가 훼손되는 건 절대로 못 견디지. 자기가 나아가는 길에서 유일신을 섬기는 자들을 만나면, 가차없이 으깨어버릴 거요.

　—그러니까 등뒤에서 쳐야 하는 겁니다.

　—훌륭한 계획이오. 그러나 실행에 옮기기는 쉽지 않을 것이오.

　—저의 흑마술이 산(酸)처럼 그를 갉아먹을 겁니다.

　—그의 성채 내부에서 동지를 하나 찾아내는 건 어떻겠소?

　마법사의 눈동자가 고양이처럼 오므라들었다. 가느다란 균열처럼 찢어진 그의 두 눈동자가 감당키 힘든 강렬한 빛을 내뿜었다.

　그의 표정을 바라보며 셰나르는 저으기 만족스러웠다. 제대로 짚은 것이다.

　—그의 이름은?

　—모세요. 람세스의 죽마고우지. 히브리인인데 람세스가 피-람세스 건설현장의 감독을 맡겼소. 그를 설득해보시오. 우리가 동지가 되는 건 그 뒤로 미룹시다.

　엘레판티네 숲에서 이집트 주둔군을 지휘하는 장군은 하루하루가 행복했다. 세티가 직접 군대를 이끌고 기습공격을 한 이후로, 이집트에 부속되어 있는 누비아 지방들은 평화를 유지하면서, 정기적으로 이집트에 공물을 실어보냈다.

남쪽 국경은 잘 지켜지고 있었다. 지난 수십 년 동안, 그 국경을 공격한 누비아 부족은 하나도 없었다. 그 국경을 문제삼는 부족조차 없었다. 누비아는 영원히 이집트의 영토였다. 부족장의 아들들은 이집트에서 교육받았고, 누비아로 돌아온 뒤에는 누비아 총독의 통제하에 파라오의 문화를 전파했다. 누비아 총독은 파라오가 임명하는 고위관리였다. 외국에서 지내는 것을 싫어하는 이집트인들도 누비아 총독 자리는 탐을 냈다. 그만큼 많은 특권을 누릴 수 있기 때문이다.

그러나 장군은 총독이 부럽지 않았다. 자기가 태어난 엘레판티네의 날씨와 고요에 비길 만한 것은 아무것도 없었기 때문이다. 새벽 훈련을 마친 수비대는 채석장으로 가서 북쪽으로 가는 거룻배에 화강암 싣는 일을 감독한다. 처음 병사들이 원정왔던 때로부터 얼마나 많은 세월이 흘렀는지. 그렇게 긴 세월을 지나왔다는 것이 얼마나 다행인지.

임명된 날부터, 장군은 세관원으로 변신했다. 그의 부하들은 남부지방으로부터 오는 물품을 검토하고, 두 개의 하얀 집 ─경제성과 재무성─이 요구하는 기준에 따라 세금을 매겼다. 사령부는 잡다한 서류들로 어지러웠지만, 장군에게는 무시무시한 누비아 전사들과 싸우는 것보다는 서류들을 붙잡고 씨름하는 편이 더 나았다.

몇 분 뒤면, 그는 빠른 배를 타고 나일 강에서부터 시작되는 성채들을 둘러보러 갈 것이다. 여느 때처럼, 그는 부드러운 미풍을 느끼고, 아름다운 강과 적벽들을 눈 속에 하나 가득 담아올 것이다. 그러고 나면, 남편을 잃은 슬픔을 점점 잊어가고 있는 젊은 과부와의 저녁식사가 기다리고 있지 않은가.

심상찮은 발걸음소리가 장군을 불안하게 했다.

당번병이 숨을 헐떡이며 그의 앞에 나타났다.

─장군님, 긴급한 전갈입니다.

─어디서 온 거야?

─누비아 사막의 감시 순찰대에서 온 겁니다.

─황금 광산 말야?

─예, 장군님.

─무슨 내용인가?

─사태가 심각하답니다.

장군은 봉인을 뜯고, 서류를 펴들고 읽다가 기겁을 했다.

─이건…… 이건 뭔가 잘못된 거야!

─아니오, 장군님. 전령이 분명히 장군님께 전해드리랬습니다.

─이런 일이 어떻게 일어날 수 있단 말야…… 반란을 일으킨 누비아인들이 이집트에 금을 가져가는 호송부대를 공격한 모양이야!

48

신월이 떠올랐다.

고대 왕조의 파라오들처럼 람세스는 윗몸에는 아무것도 걸치지 않고 로인클로스만 두르고, 머리에는 가발을 쓰고 있었다. 왕비는 길고 헐렁한 하얀 드레스를 입고, 머리에는 왕관 대신 까끄락쐐기가 일곱 개인 세샤트 여신의 별을 얹고 있었다.

람세스의 영원의 신전인 라메세움 신축 제사를 치를 때 네페르타리는 세샤트 여신의 역할을 하게 된다. 람세스는 게벨 실실레의 채석장에서 석수들 사이에 끼어 망치와 끌을 들고 일하던 때를 떠올렸다. 그때 그는 석수 동업조합의 일원이 되어 살아가고 싶다는 생각을 했었다. 그의 아버지가 그를 그 꿈에서 끌어내었지만.

왕과 왕비는 카르낙 신전에서 온 30여 명의 제관들과 함께 앉아 있었다. 제관들 맨 앞에는 대사제 네부, 제2예언자 도키와 제4예언자 바크헨이 앉아 있었다. 내일부터 두 명의 건축가와 그 밑의 일꾼들이 신전 건축을 맡게 될 것이다.

무려 5헥타르였다! 람세스가 구상하고 있는 영원의 신전 총면적은 자그마치 5헥타르에 달했다. 여기에는 신전말고도 궁전과 도서관, 창고를 비롯한 수많은 부속건물과 마당이 포함된다. 경제적으로 독립하여 운영을 해나가게 될 이 신성한 도시는, 파라오의 존재 안에 숨은 초자연적인 힘을 위한 예배에 바쳐질 것이다.

바크헨은 엄청난 규모의 공사 계획에 질린 나머지 앞으로 어떤 난관을 겪게 될지 아예 생각조차 하지 않기로 했다. 그저, 왕과 왕비가 하고 있는 제의적 행동에 정신을 집중하고 바라보기만 했다.

왕과 왕비는 몸짓으로 앞으로 지어질 건물의 모서리가 될 부분을 정하고 긴 망치를 써서 기초공사용 말뚝을 박아넣은 뒤, 최초의 피라미드를 만든 자로서 건축가들의 스승으로 여겨지는 임호텝을 환기시키기 위해 말뚝에 끈을 매달아놓았다.

파라오는 또, 곡괭이로 구덩이를 파고 그 안에 금과 은 덩어리, 조그만 연장과 부적들을 넣은 다음 사람들이 알아볼 수 있게끔 모래로 덮어두었다. 람세스는 망설임 없이 지렛대를 사용해서 머릿돌을 놓고, 틀에서 벽돌을 하나 떼어냈다. 그의 행동으로부터 이제 신전의 벽과 바닥과 천장이 태어날 것이다.

마침내 정화의식을 치를 순간이 왔다. 람세스는 신성한 공간을 한 바퀴 돌면서 곳곳에 향료 알갱이를 던졌다. '신성하게 만들어주는 것'이라는 뜻을 가진 손테르라는 향료였다.

바크헨이 건물의 상징적인 입구 역할을 하게 될 나무로 만든 문의 모형을 세웠다. 그 문을 축성함으로써 왕은 자신의 영원의 신전의 입구를 여는 것이다. 왕은 흰색 곤봉으로 그 문을 열두 번 두드렸다. 그 곤봉은 신들을 불러내는 '일깨우는 자'의 역할을 한다. 람세스는 불 밝힌 등잔을 들고 신전을 비추었다. 이제 이곳에 보이지 않는 분이 거하시게 될 것이다.

마지막으로 왕은, 그 건물은 자신을 위해 짓는 것이 아니며 모든 이집트 신전들의 근원이자 끝인, 자신의 진정한 주인이신 규범에 바치는 것이라는 내용의 주문을 외었다.

바크헨은 진정한 기적을 경험하고 있다는 느낌이 들었다. 그 자리에 모인 선택받은 사람들의 눈앞에서 이루어지고 있는 그 모든 일은 다 인간의 이해를 벗어나는 것이었다. 지금은 아무것도 없는 이 땅은 이제 신의 소유가 되었으며, 이곳으로부터 벌써 카의 힘이 솟아나오기 시작한 것이다.

도키가 왕에게 알렸다.

─비석이 준비되었습니다.

─자리에 가져다놓으라.

왕이 명령했다.

도키에게 매수된 조각가가 신성문자로 뒤덮인 작은 비석을 가져왔다. 비석에 쓰인 글은 라메세움의 땅을 영원히 신성한 땅으로 만들어 다시는 속세로 돌아가지 못하게 하는 것이다. 기원의 마술적인 힘이 땅을 하늘로 변형시키는 것이다.

세타우가 새 파피루스 한 장, 그리고 새 잉크가 가득 든 그릇을 들고 앞으로 나왔다. 도키가 움찔했다. 이 거친 사내의 개입은 미처 예상하지 못한 일이었다.

세타우는 파피루스에다 위에서 아래로, 그리고 오른쪽에서 왼쪽으로 글을 써넣은 뒤, 큰 소리로 읽었다.

─파라오를 비방할 목적으로 나쁜 말을 하려는 자들의 살아 있는

입을 밤으로 낮으로 봉해주소서. 이 영원의 신전이 왕을 지키고 악을 물리치는 마법의 울타리가 되게 하소서.

도키는 굵은 땀을 뚝뚝 흘렸다. 아무도 이런 마술의식이 있을 거라는 얘기를 해준 적이 없다. 자기 계획에 차질이 없으려면 운이 따라주어야 한다.

세타우는 둘둘 만 두루마리를 람세스에게 내밀었다. 왕은 그것을 봉인하여 비석의 발치에 놓았다. 파피루스를 묻을 자리인 것이다. 이제 왕이 비석에 새겨진 신성문자들을 읽어나가면서 그 글자 하나하나에 생명을 불어넣을 차례였다.

신성문자들을 엄숙히 읽던 왕이 갑자기 몸을 돌렸다.

─누가 이 문자들을 새겼는가?

왕의 목소리에 분노가 담겨 있었다.

조각가가 앞으로 나왔다.

─저올습니다, 폐하.

─이 비석에 새긴 글을 누가 내어주었느냐?

─아몬의 대사제께서 직접 주셨습니다요, 폐하.

조각가는 땅바닥에 엎드려 있었다. 왕에 대한 공경의 표시로, 그리고 진노한 람세스의 눈길을 피하기 위해서였다. 영원의 신전 건축에 대한 전통적인 기록이 바뀌고 왜곡되어 있었다. 그렇게 되면 신전을 지켜주는 힘이 사라지고 만다.

늙은 네부가 파라오의 원수들에게 넘어가 어둠의 세력과 결탁하고 람세스를 배반했다는 말인가! 왕은 그의 머리를 망치로 부숴버리고 싶었다. 그러나 축성된 땅으로부터 신비한 기운이 올라와, 생명의 나무인 그의 척추에 은혜로운 따스함을 흘려넣었다. 그의 가슴에서 문이 하나 열리면서 그의 생각을 바꿔놓았다. 아니다, 폭력을 사용해선 안 된다. 그 순간 네부의 어떤 은밀한 행동이 왕의 눈에 띄었다. 자신의 생각이 맞았음을 확신한 왕이 조각가에게 명령했다.

─일어나라.

남자는 시키는 대로 했다.

─가서 대사제를 나에게 모시고 오라.

도키는 승리했다. 그의 계획이 완전무결하게 진행되고 있는 것이다. 늙은이가 항변해보아야 묵살되고 말 것이다. 왕은 무서운 벌을 내릴 것이고, 대사제의 자리는 공석이 될 것이다. 그렇게 되면 경험이 풍부하고 성직자 사회에 대해 잘 알고 있는 사람에게 도움을 청하겠지. 그건 바로 나, 도키다!

─이 사람이 정녕 비석에 새길 글을 내어준 그 사람이냐?

람세스가 물었다.

─그렇습니다.

─그렇다면 너는 거짓말쟁이다.

─아닙니다, 폐하! 맹세코 대사제께서 몸소 저에게…….

─너는 그를 한번도 본 적이 없어.

네부는 조각가가 자기를 모함할 때 그에게서 등을 돌리고 나이든 한 제관에게 자기의 지팡이와 반지를 넘겨주었던 것이다.

겁에 질린 조각가가 비틀거렸다.

─도키…… 도키 사제님, 어디 있어요? 도와주세요. 난 죄가 없단 말예요! 당신이 시키는 대로 했을 뿐이라구요. 아몬 대사제가 신전의 마법을 파괴하려 한다고 말하랬잖아요.

도키는 당황하여 재빨리 도망쳤다.

미친 듯이 화가 난 조각가는 곧장 도키를 쫓아가 그를 주먹으로 두들겨팼다.

도키는 얻어맞은 상처 때문에 죽었다. 도키에게 넘어가 신성문자를 훼손하고 대사제를 모함하는 중죄를 저지른 조각가는 총리대신의 법정에서 자살형이나 오아시스 도형장에서의 강제노동을 선고받게 될 것이다.

다음날 저녁 석양 무렵, 람세스는 올바른 기록이 새겨진 비석을 몸소 세웠다.

라메세움이 태어난 것이다.

람세스가 네부에게 물었다.

—대사제께서는 도키를 의심해본 적이 있었습니까?

대사제가 대답했다.

—인간의 본성이라는 것이 본디 그런 것입니다. 다른 사람을 시기하지 않고 그저 제 길에 만족하는 사람은 드물지요. 현자들께서 옳게 기록하셨으니, 시기심이란 어떤 의사도 고칠 수 없는 병이라 하셨습니다.

—도키의 자리를 채워야겠소.

—바크헨을 생각하고 계십니까, 폐하?

—물론이오.

—폐하의 결정에 반대하는 것은 아닙니다만, 너무 이르다는 생각은 듭니다. 폐하께선 바크헨에게 룩소르와 영원의 신전 공사 감독을 맡기셨지요. 너무 무거운 짐을 지워 짓눌리게 하지는 마십시오. 또 너무 많은 일에다 정신을 분산시키게 하지 마십시오. 때가 되면 그의 서열은 자연스럽게 올라갈 겁니다.

—어떤 제안을 하시겠소?

—도키의 자리에는 저처럼 명상과 제의에만 마음을 쓰는 늙은이를 앉히십시오. 그렇게 하시면, 카르낙의 아몬 신전은 폐하께 아무런 근심도 끼쳐드리지 않을 것입니다.

—대사제께서 직접 인선을 해주십시오. 그런데, 라메세움의 설계도는 살펴보셨습니까?

　—제 인생은 행복하고 평온한 나날의 연속이었습니다만, 그만 한 가지 아쉬움이 남게 생겼습니다. 폐하의 영원의 신전이 완공되는 것을 살아 생전에 보지 못하리라는 것이 그것이지요.

　—그걸 누가 자신 있게 말할 수 있겠습니까?

　—폐하, 뼈가 쑤신답니다. 잘 보이지도 않고 들리지도 않습니다. 자꾸 잠만 늘죠. 끝이 다가오고 있는 거지요. 그게 느껴집니다.

　—현자들은 백열 살까지 살지 않습니까?

　—저는 행복한 늙은이에 불과합니다. 죽음이 제가 누리던 행운을 빼앗아 다른 사람에게 준다고 해서 어떻게 죽음을 원망하겠습니까?

　—대사제의 눈썰미는 제가 보기엔 아직도 놀랍습니다. 대사제님께서 지팡이와 반지를 제관에게 주지 않았다면 어떻게 됐겠습니까?

　—폐하, 일어난 일은 일어난 일입니다. 마아트의 규범이 우리를 지켜주신 거지요.

　람세스는 자신의 영원의 신전이 세워질 광대한 터를 바라보았다.

　—네부 대사제, 난 지금 웅장한 건물을 보고 있소. 화강암과 사암과 현무암으로 지어진 신전이 내 눈에 보입니다. 탑문은 높이 서서 하늘을 찌를 것이고 신전의 문들은 도금한 청동으로 만들어질 것이며, 맑은 물이 가득 찬 연못들 위로 나무들이 그늘을 드리울 것이오. 곡식 창고에는 밀이 그득할 것이고, 보물 창고는 금은보화들과 진귀한 항아리로 채워질 것이오. 또 살아 움직이는 듯한 조각들이 마당과 신전에 세워지게 될 것이오. 높은 벽을 쌓아 그 모든 보물들을 지키겠소. 동틀 무렵과 해질녘이면 우리는 함께 테라스에 나가 바위에 새겨진 영원에 경배 드릴 겁니다. 세 사람이 이 신전에서 영원히 살 것이오. 아버님 세티와 어머님 투야, 내 아내 네페

르타리가 그들이지요.

　—네번째 존재를 잊으셨습니다. 그리고 그분은 첫번째 존재이기도 하지요. 바로 람세스 폐하십니다.

　왕비가 어린 아카시아 나무를 들고 왕에게 다가왔다.

　왕이 무릎을 꿇고 앉아 땅에 나무를 심자, 네페르타리가 조심조심 물을 주었다.

　—네부 대사제, 이 나무를 잘 보살펴주시오. 이 나무는 내 신전과 함께 자랄 것이오. 신들께서, 훗날 세상과 사람들을 잊고 이 나무의 자비로운 그늘에 누워 쉴 날을 내게 허락하실 겁니다. 나는 그 그늘에서 나뭇잎과 나무줄기에 현현하시는 서방정토의 여신을 만나겠지요. 그리고 여신의 손에 이끌려 저 세상으로 떠날 겁니다.

49

모세는 단풍나무 침대에 드러누웠다.

피곤한 하루였다. 50여 건의 사소한 안전사고가 있었고, 궁전 공사장에서 두 명의 중상자가 발생했고, 제3병영의 보급품 공급이 늦어지고 있다. 또 잘못 만들어진 벽돌을 천 개쯤 폐기해야 했다…… 새삼스러운 일은 아니었다. 그러나 조금씩 쌓여가는 근심이 그의 힘을 약화시키고 있었다.

막연한 의구심이 또다시 그의 정신을 사로잡기 시작했다. 그는 이 도시를 건설하게 된 것이 기뻤다. 그러나 사악한 신 세트를 비롯한 여러 신들에게 바칠 신전들을 건축하는 것은 유일신에 대한 모독이 아닐까? 모세는 피-람세스 건설현장의 감독으로서 고대 신앙을 이어가는 파라오의 영광을 드높이는 데 한몫하고 있는 것이 아닐까?

방 한구석, 창문 가까이에서, 누군가가 움직였다.

─누구시오?

─친구요.

맹금 같은 얼굴의 비쩍 마른 남자가 어둠 속에서 기름 등잔의 흔들리는 불빛 속으로 걸어나왔다.

─오피르!

─자네와 이야기를 나누고 싶어서…….

모세는 침대 위에 걸터앉았다.

─난 피곤해서 자고 싶소. 내일 공사현장에서 만납시다. 내가 시간을 낼 수 있다면 말이오.

─친구, 난 위험에 처해 있네.

─무엇 때문에요?

─자네가 잘 알잖는가! 인류를 구원하실 유일신을 믿기 때문이지. 그분은 자네의 민족이 몰래 숨어서 경배하는 신이고, 모든 우상들을 물리치고 장차 세계에 군림하실 분이지. 그분은 이집트부터 정복하실 걸세.

─람세스가 파라오라는 걸 잊으셨소?

─람세스는 폭군이야. 그는 진정한 신을 조롱하고 자기 자신의 힘만을 생각하네.

─그 힘을 존중하시오. 그러는 편이 나을 테니까. 람세스는 내친구요. 그리고 나는 그의 수도를 건설하고 있소.

─나는 자네의 숭고한 감정과, 그에 대한 충성심을 높이 사네. 그러나 모세, 자네는 분열된 인간이야. 자네 자신도 그걸 알고 있어. 자네는 마음속으로 이 통치를 거부하고, 진정한 신께서 다스리기를 원하고 있네.

―횡설수설하지 마시오, 오피르.

리비아인의 눈빛이 집요해졌다.

―모세, 진실해지게. 스스로에게 거짓말하지 말고.

―당신이 나 자신을 나보다 더 잘 안다는 거요?

―그럴 수 없다고 생각하나? 우리는 같은 잘못을 거부하고, 같은 이상을 공유하고 있네. 우리의 힘을 한데 합친다면 이 나라와, 이 나라 백성들의 미래를 바꾸어놓을 수 있을 걸세. 자네가 원하든 원하지 않든 상관없이, 모세, 자네는 히브리인들의 우두머리가 된 거야. 자네가 앞장서면, 히브리인들은 자기들끼리의 싸움을 멈추지. 자네도 모르는 사이에 하나의 민족이 생겨난 거라구.

―히브리인들은 파라오의 권위에 복종하는 거요. 나의 권위에 복종하는 것이 아니오.

―난 그런 독재를 부정하네. 자네 역시 부정하고 있어.

―당신 생각은 틀렸어요. 사람마다 자기 역할이 있는 거요.

―자네 말이 옳네. 자네의 역할은 자네의 백성을 진리로 이끌어가는 것이고, 내 역할은 아케나톤의 합법적 계승인인 리타를 이집트의 옥좌에 앉힘으로써 유일신을 예배하는 것일세.

―오피르, 헛소리 그만하시오. 파라오에게 반항하라고 설교하고 다녀봐야 재난만 불러일으킬 뿐이오.

―유일신께서 다스리시게 할 다른 방법을 알고 있는가? 진리를 알고 있을 땐, 그것을 밀어붙이기 위해 싸울 줄 알아야 하네.

―리타와 당신…… 깨달음을 얻은 두 사람이라! 이건 정말 조롱거리요.

―자넨 아직도 우리가 두 사람뿐이라고 생각하나?

모세의 표정이 흔들렸다.

―그건 분명한 사실이……

오피르가 모세의 말을 자르며 확신에 찬 어조로 말했다.

―우리가 처음 만났던 그날과는 상황이 많이 다르지. 유일신을 섬기는 사람들이 많아졌고, 그들의 믿음은 자네가 생각하는 것보다 훨씬 더 확고하다네. 람세스의 힘은 환상에 불과해. 람세스 자신도 그 환상의 덫에 걸려든 거야. 모세, 자네가 길을 열어준다면, 이집트 지도층 중에서도 많은 사람들이 자네를 따를 걸세.

―나라니…… 하필 왜 나란 말요?

―왜냐하면 자네는 우리를 이끌어줄 수 있고, 진정한 신앙을 가진 사람들의 지도자가 될 능력이 있기 때문이지. 왕위에 오를 때까지, 리타는 숨어 있어야 해. 나는 기도하는 사람이어서, 대중에게 영향력을 행사하지 못하네.

―오피르, 당신은 정녕 누구요?

―아케나톤처럼, 유일신께서 이집트의 등뼈를 휘게 하신 뒤 만국 위에 군림하실 것을 믿는 한 신자에 불과하지.

모세는 처음부터 이 미치광이를 거부해야 했는지도 모른다. 그러나 모세는 그의 이야기에 끌렸다. 오피르는 모세의 마음 깊은 곳에 숨어 있던 생각들을 명확한 말로 표현하고 있었다. 오피르의 생각들이 너무나 전복적이어서 그를 신뢰하려 들지 않았던 것이다.

―당신의 계획은 무분별해요. 성공 가능성이 전혀 없어요.

―모세, 시간의 물결은 우리의 감각 안에서 흘러가고 있네. 시간은 그렇게 모든 것을 휩쓸어가지. 히브리인들의 선두에 서게. 그들에게 나라를 주게. 그래서 그들로 하여금 유일신을 경배하며 그분의 전능을 깨닫게 해주게. 리타는 이집트를 다스릴 걸세. 우리 서로 동맹을 맺음세. 그 동맹이 샘물이 되어 만국 백성을 위한 진리가 용솟음칠 걸세.

―그건 꿈이오.

―자네도 나도 몽상가가 아닐세.

―다시 말하지만, 람세스는 내 친구요. 또 그는 어떤 혼란도 용납하지 않을 거요.

―아닐세, 모세. 그는 자네의 친구가 아니라, 가장 사나운 적이야. 진리의 숨통을 막는 적이지.

―내 집에서 나가주시오, 오피르.

―내 말을 잘 생각해보고 행동할 준비를 하게. 우리는 곧 다시 만나게 될 걸세.

―기대하지 마시오.

―곧 만나세, 모세.

모세는 밤을 하얗게 밝혔다.

오피르가 했던 말 한마디 한마디가 마치 파도처럼 그의 머릿속으로 몰려들었다. 그 파도는 아니라고 부정하는 그의 마음과 그의 두려움을 휩쓸어버렸다. 모세는 아직 인정하지 않고 있지만 그 만남은 그가 기다려왔던, 그의 내면의 불길이 오래 전부터 꿈꾸던 만남인지도 모른다.

사자와 개는 서로 나란히 붙어 앉아서, 닭 몇 마리를 먹어치웠다. 람세스와 네페르타리는 야자나무 그늘 아래 꼭 껴안고 앉아서 테베의 시골 풍경을 감상하고 있었다. 왕은 학살자와 감시자가 자기의 가장 좋은 경호원이 아니냐고 세라마나를 설득한 끝에 겨우 밀행을 나올 수 있었다.

멤피스에서 들려오는 소식들은 모두 마음을 기쁘게 하는 것들이었다. 어린 메리타몬은 유모의 젖을 잘 먹고 있고, 농무대신 네드젬의 지도를 받고 있는 카가 누이동생을 보러 들렀다고 했다. 이제트는 왕과 왕비에게서 공주가 태어난 것을 축하하며 네페르타리에게 다정한 안부를 전해왔다.

해질 무렵의 애무하는 듯한 부드러운 햇빛이 네페르타리의 비단결 같은 피부를 금빛으로 물들였다. 피리소리가 가벼운 공기에 실려 날아올랐다. 목동들은 외양간에 소들을 몰아넣으며 노래부르고, 짐을 잔뜩 실은 당나귀들이 농가를 향해 종종걸음을 했다. 오렌지빛으로 물든 태양이 서쪽으로 기울며 테베의 산을 장밋빛으로 물들였다.

여름 낮의 무더위가 꺾이고 부드러운 저녁이 이어졌다. 황금빛과 초록색으로, 나일 강의 은빛과, 석양의 불타는 빛으로 단장한 이집트는 얼마나 아름다운가! 하늘하늘한 아마 드레스를 입은 네페르타리는 또 얼마나 아름다운가! 람세스에게 몸을 내맡긴 그녀의 부드러운 몸에서 황홀한 향기가 풍겨나왔다. 진지하면서도 평온한 그녀의 얼굴에는 빛나는 영혼의 고결함이 드러나 있었다. 람세스가 네테르타리에게 물었다.

─내가 당신에게 합당한 사람이오?

─무슨 그런 엉뚱한 질문을…….

─때로 당신은 이 세상과 이 세상의 비열함 속에서, 궁전과 궁전의 천박함에서, 우리가 어쩔 수 없이 수행해야 하는 세속적인 의무에서 너무 멀리 떨어져 있는 사람처럼 느껴지오.

─제가 제 일을 게을리하던가요?

─정반대요. 당신은 언제나 이집트의 왕비였던 것처럼, 아주 작은 실수도 저지르는 법이 없소. 네페르타리, 난 당신을 사랑하고, 당신에게 경탄하고 있소.

그들의 입술이 한데 포개졌다. 뜨겁고 떨리는 입술이었다.

네페르타리가 람세스에게 고백했다.

─전 결혼하지 않을 생각이었지요. 신전에서 은둔생활을 하고 싶

었어요. 남자들에게 관심이 없거나, 남자들을 싫어하진 않았어요. 하지만 모두들 조금은 야심의 노예처럼 보였어요. 결국 야심 때문에 왜소하고 약한 사람들이 되어버리더군요. 그런데 당신은 야심을 넘어서 있어요. 운명이 당신의 길을 선택했으니까요. 람세스, 난 당신에게 경탄하고 있고, 당신을 사랑해요.

두 사람은 알고 있었다. 그들의 생각은 하나이며, 어떤 시련이 닥친다 해도 두 사람을 갈라놓을 수 없다는 것을. 영원의 신전을 함께 창건함으로써, 그들은 왕과 왕비로서의 첫번째 마술적인 행위를 완수했다. 그것은 그들이 함께 해나갈 모험의 시작이었다. 그 모험을 외형적으로나마 멈추게 할 수 있는 것은 죽음뿐이다.

네페르타리가 람세스에게 환기시켰다.

―당신의 의무를 잊지 말아요.

―어떤 의무 말이오?

―아들을 생산하는 의무 말예요.

―내겐 벌써 아들이 하나 있잖소.

―당신에겐 아들이 많이 필요해요. 당신이 오래 산다면, 어떤 아들들은 당신보다 먼저 죽을 수도 있어요.

―어째서 딸이 내 뒤를 이어선 안 되지?

―점성술가들에 의하면, 그애는 명상적인 성격이래요. 어린 카도 그렇구요.

―왕이 되기엔 적합한 성격 아니오?

―모든 것은 우리를 둘러싼 상황과 세상에 달려 있어요. 지금은 세상이 평온해 보이지만, 내일 어떤 일이 일어날지 어찌 알겠어요?

갑자기 달려오는 말발굽소리가 저녁의 평화를 깨뜨렸다.

먼지를 일으키며, 세라마나가 땅으로 뛰어내렸다.

―폐하, 귀찮게 해서 죄송합니다만, 긴급한 일이라 어쩔 수 없습

니다.

람세스는 사르디니아인이 내준 파피루스를 급하게 읽어내렸다. 그가 네페르타리에게 말했다.

—엘레판티네의 사령관에게서 온 보고서요. 신전으로 금을 운반하던 수송대가 누비아 반도들에게 습격당했다는군.

—희생자도 있나요?

—스무 명이 넘는 모양이오. 부상자도 많이 생겼고…….

—도둑들의 소행인가요, 아니면 반란의 시작인가요?

—아직 모르겠소.

흥분한 람세스가 몇 발짝 움직이자 주인이 당황하고 있다는 것을 알아차린 사자와 개가 그에게 다가와 손을 핥았다.

왕이 말했다. 왕비는 두려워하며 그 말을 들었다.

—난 당장 떠나겠소. 질서를 바로잡는 것은 파라오가 해야 할 일이니까. 내가 없는 동안 당신이 이집트를 다스려야 하오.

50

파라오의 함대는 선박 20여 척으로 이루어져 있었다. 초승달처럼 생긴 그 배들은 배의 이물도 고물도 물에 닿지 않았다. 어떤 비바람에도 버티어내는 견고한 돛대에는 커다란 돛이 수많은 밧줄로 고정되어 있었다. 선원들과 병사들이 사용하는 넓은 선실이 가운데 있었고, 배의 앞쪽에는 선장이 기거하는 작은 선실이 있었다.

람세스는 제독의 배에 올라 좌현과 우현에 하나씩 달린 키를 꼼꼼히 점검했다. 왕의 사자와 개를 위한 우리도 마련되어 있었다. 우리 안에서 개는 사자의 앞발 사이에 웅크리고 앉아 먹이가 오면 언제라도 달려들 준비를 하고 있었다.

예전에 여행했을 때처럼, 사막의 언덕들과 푸르른 섬들, 어떤 빛깔과도 비교할 수 없는 푸르른 하늘, 사막의 공격에 저항하는 가느다란 초록의 띠는 람세스를 매혹했다. 격렬하면서도 동시에 모든 갈등 너머에 있는 이 불의 나라는 그의 영혼을 닮아 있었다.

제비, 왕관두루미, 분홍색 홍학들이 함대 위로 날아다녔다. 야자 수 꼭대기에 올라앉은 비비원숭이들이 킬킬거리며 함대에 인사를 보냈다. 병사들은 원정의 목적을 잊은 채 도박을 하거나 야자수를 마시고 햇빛을 피해 잠을 청하기도 했다.

제2폭포를 넘어서 쿠슈 지방으로 들어섰을 때 그들은 비로소 자 신들이 유람여행에 초대받은 것이 아님을 기억해냈다. 배가 황폐한 연안에 정박하자 병사들은 말없이 배에서 내렸다. 그들은 천막을 치고, 야영지 주위에 방책을 치고, 파라오의 명령을 기다렸다.

몇 시간 뒤, 누비아 총독과 그의 호위대가 왕 앞에 나타났다. 왕 은 서양삼나무로 만든 금칠한 휴대용 의자에 앉아 있었다.

람세스가 총독에게 물었다.

―상황은 어떤가?

―우리 손에 달려 있습니다, 폐하.

―구체적으로 설명해보라.

누비아 총독은 많이 뚱뚱해져 있었다. 그는 흰색 헝겊으로 이마 의 땀을 닦아냈다.

―유감스러운 사건이긴 합니다만 사태를 과장할 필요는 없습니 다.

―수송대가 금을 도둑맞았고, 병사들과 광부들이 살해당했는데, 파라오가 원정대를 끌고 올 필요가 없었다는 건가?

―폐하께 전달된 보고 내용이 아마 좀 과장된 모양입니다. 그러 나 폐하의 왕림을 제가 어찌 기뻐하지 않을 수 있겠습니까?

―선왕께서는 누비아를 평정하셨고, 그 평화를 유지할 책임을 그 대에게 맡기셨다. 그대의 소홀함과 뒤늦은 대응 때문에 그 평화가

깨진 것은 아닌가?

—폐하, 어쩔 수 없는 일이었습니다. 어떻게 해볼 도리가 없는 일이었을 뿐입니다.

—그대는 누비아 총독이며, 왕의 오른쪽에 있는 기수요 남부 사막지대의 물자조달 총책임자요 전차부대 대장이다. 그런 자가 감히 어쩔 수 없는 일 운운하다니…… 감히 누구를 조롱하려드느냐?

—확실히 말씀드릴 수 있습니다. 저는 비난받을 행동은 하지 않았습니다. 업무가 과도하긴 합니다. 마을 수령들을 통제하고, 곡식 창고가 차 있는지 확인해야 하고…….

—그러면 금은?

—저는 열성적으로 금 생산과 수송을 감독하고 있습니다, 폐하.

—그런데 수송대를 보호하는 일은 잊어버렸나?

—정신나간 자들이 기습을 감행하리라는 걸 어떻게 예견할 수 있었겠습니까?

—그걸 예견하는 것이 바로 그대의 임무 아닌가?

—어쩔 수 없는 일이었습니다, 폐하…….

—사고가 난 장소로 안내하라.

—금 광산으로 가는 길에 있습니다. 외지고 황폐한 곳입니다. 가셔도 아무것도 발견하실 수 없을 것입니다.

—범인들은 어떤 자들인가?

—가난한 부족입니다. 이 한심한 일을 저질러놓고 의기양양해 있습니다.

—수색하라는 지시를 내렸나?

—폐하, 누비아는 넓습니다. 제 부하는 한정되어 있구요.

—그러니까 본격적인 수사는 전혀 안 했다는 얘기로군.

—군의 개입을 결정하실 수 있는 분은 폐하뿐이십니다.

―됐다, 이제 그대의 도움은 필요없다.

―범인들을 추적하실 때 제가 폐하를 수행해야 할까요?

―총독, 진실을 말하라. 누비아가 그들을 지지하고 반란을 도모할 거라 보는가?

―글쎄요…… 개연성은 희박합니다만, 그러나…….

―반란이 이미 시작된 것인가?

―아니오, 그렇지 않습니다. 하지만 강도들의 숫자가 늘어난 것처럼 보이긴 합니다. 따라서 폐하께서 이렇게 직접 개입하시는 것이 바람직할 것입니다.

―마시게!

세타우가 람세스에게 말했다.

―꼭 필요한 일인가?

―그렇진 않아. 그래도 조심하는 편이 더 나으니까. 세라마나가 자네를 뱀들로부터 지켜줄 순 없잖아.

왕은 쐐기풀과 증류시킨 코브라 피가 주성분인 용액을 마시는 데 동의했다. 세타우는 람세스를 위해서 그 용액을 주기적으로 준비해 주었다. 이미 면역이 된 왕은 금 광산으로 가는 길에 모험을 해도 위험하지 않을 것이다.

―누비아를 여행할 기회를 줘서 고맙네. 로투스 역시 자기 나라를 다시 볼 수 있게 되어 기뻐하고 있지. 잘생긴 뱀들도 잔뜩 잡을 수 있을 테고!

―세타우, 이건 유람이 아냐. 어쩌면 한판 접전을 벌여야 할지도 몰라.

―그 불쌍한 녀석들이 금덩어리를 베고 자게 놔두면 안 되나?

―그들은 도둑질을 하고 사람을 죽였어. 마아트의 법을 어긴 자

를 벌하지 않고 내버려두어선 안 돼.

　—자네 생각을 바꾸게 할 수 있는 건 아무것도 없나?

　—아무것도.

　—자네의 안전은 생각해보았나?

　—아랫사람에게 시키기엔 너무 중대한 일일세.

　—부하들에게 특별히 조심하라고 이르게. 아싸포에티다를 몸에 바르라고 하게. 페르시아 산 회향풀 진액인데, 냄새가 지독해서 웬만한 뱀들은 도망치지. 뱀에 물린 병사가 생기면 당장 내게 알리고. 자, 이제 나는 짐수레로 가서, 로투스 옆에 누워 한숨 자겠네.

　원정대는 돌투성이 길을 따라 앞으로 나아갔다. 맨 앞에 정찰병이 서고, 잘생긴 말을 탄 세라마나와 왕이 그 뒤를 따랐다. 짐수레를 끄는 황소들과 물부대를 실은 당나귀의 행렬에 이어 맨 끝에 보병들이 따랐다.

　누비아인 정찰병은 수송대가 습격당한 지점에서 강도들이 그리 멀리 가지 않았을 거라고 확신했다. 그곳에서 몇 킬로미터쯤 떨어진 곳에, 금을 살 사람과 흥정하기 전에 우선 금을 숨겨둘 만한 오아시스가 있었던 것이다.

　왕은 지도를 믿고 두려움 없이 사막 한가운데로 나아갈 수 있었다. 지도에 따르면, 길을 따라 우물들이 있었기 때문이다. 누비아 행정당국의 보고서에 의하면, 물이 없어서 고통당한 광부는 한 사람도 없었다. 그러나 정찰병은 길에서 당나귀 시체 한 구를 발견하고 깜짝 놀랐다. 금 캐는 광부들은 힘든 일을 견디어낼 수 있는, 아주 건강한 짐승들만을 사용하지 않던가.

　첫번째 우물이 가까워오자, 원정대원들은 평정을 되찾았다. 갈증이 가실 때까지 실컷 물을 마시고 물부대를 가득 채우고 나서, 말뚝 네 개를 박아 천막을 치기만 하면 그늘에서 한잠 잘 수 있다. 장군으로부터 사병에 이르기까지 그들의 꿈은 똑같았다. 날이 저물려면 세 시간도 안 남았으니 왕은 틀림없이 여기서 멈추자고 할 것이다.

정찰병이 가장 먼저 우물에 도착했다. 찌는 듯한 더위에도 불구하고 그가 발견한 광경은 그의 피를 얼어붙게 만들었다. 그가 람세스에게 달려갔다.

─폐하…… 우물이 말랐습니다!

─수면이 낮아진 건지도 모른다. 안으로 내려가보라.

세라마나가 정찰병이 타고 내려갈 수 있게끔 밧줄 끝을 붙잡았다. 우물 안으로 내려갔다가 다시 바깥으로 나온 정찰병의 얼굴은 그새 몇 년은 늙어 보였다.

─말랐습니다, 폐하.

되돌아가기에는 원정대에게 남아 있는 물이 충분하지 않았다. 가장 끈질긴 사람들이나 살아남을 것이다. 그렇다면 다음번 우물을 만날 희망을 안고 더 앞으로 가보는 수밖에 없다. 그러나 누비아 행정당국의 보고서며 지도들이 다 이런 식이라면 두번째 우물이 온전하리란 보장이 어디 있겠는가?

정찰병이 한 가지 제안을 했다.

─주도로를 벗어나서 오른쪽으로 방향을 틀어 누비아 반도들의 오아시스 쪽으로 가는 방법을 생각해볼 수 있습니다. 이곳과 그곳 사이에 우물이 하나 있는데, 반도들은 습격할 때 그 우물을 사용하지요.

람세스가 명령을 내렸다.

─밤이 될 때까지 쉰다. 그 다음엔 다시 행군이다.

─밤에 행군하는 건 위험합니다, 폐하! 뱀에 물릴 염려도 있고, 복병이 있을 수도 있구요.

─우리에겐 선택의 여지가 없다.

얼마나 기막힌 상황인가! 람세스는 아버지를 따라서 처음으로 누비아 원정을 나왔던 때를 생각했다. 그때에도, 반란을 일으킨 부족들이 우물에 독을 푸는 바람에 병사들이 지금과 같은 고통을 겪었었다. 왕은 마음속으로 자신이 위험을 과소평가했음을 인정했다. 질서를 바로잡겠다는 단순한 생각으로 벌였던 일이 자칫하다간 재난으로 바뀔지도 모르게 된 것이다.

람세스는 병사들을 모아놓고 사실대로 이야기했다. 병사들의 사기가 저하되었다. 그러나 경험이 많은 병사들은 희망을 잃지 않고, 자신들은 지금 기적을 만들어내는 파라오의 지휘를 받고 있지 않느냐며 동료들을 안심시켰다. 보병들은, 위험하기는 했지만, 밤에 행군하는 것이 더 낫겠다고 생각했다. 경계태세가 완벽한 후위부대가 기습으로부터 그들을 지켜줄 것이고 앞에서는 정찰병이 조심조심 앞으로 나아가고 있었다. 마침 보름이어서, 멀리까지 볼 수 있었다.

람세스는 네페르타리 생각을 했다. 만일 그가 돌아갈 수 없다면, 네페르타리는 이집트라는 무거운 짐을 짊어져야만 할 것이다. 카와 메리타몬이 왕이 되기엔 너무나 어리므로 많은 야심가들이 꿈틀거릴 것이다. 그들은 억압되어 있었던 것만큼 더욱더 공격적으로 덤벼들 것이다.

갑자기, 세라마나의 말이 앞발을 쳐들고 일어섰다. 사르디니아인은 말에서 떨어져 돌투성이 바닥에 나뒹굴었다. 그는 모래 언덕을 굴러내려가 어떤 구덩이에 처박혔다. 길에서 멀리 떨어져 있어서 눈에 띄지 않는 곳이었다.

억지로 내쉬는 듯한 이상한 소리가 그의 경계심을 자극했다.

그에게서 두 발짝쯤 떨어진 곳에 살모사 한 마리가 있었다. 놈이 내는 쉿소리는 허파 속에 들어 있는 공기를 갑자기 내쉴 때 나는 소리였다. 낯선 적의 존재를 느끼고 사나워진 뱀이 공격할 태세를 하고 있었다.

세라마나는 떨어지면서 칼을 잃어버렸다. 무기가 없으므로, 살금 살금 뒤로 후퇴하는 수밖에 없었다. 그러나 살모사가 옆쪽으로 움직여 세라마나의 후퇴를 막았다.

사르디니아인은 오른쪽 발목이 아파서 서 있기도 힘들었다. 도망갈 수도 없으니 꼼짝없이 뱀에게 당할 판이었다.

—이 더러운 짐승 같으니! 네놈이 전장에서 장렬하게 전사할 기회를 내게서 앗아가는구나!

살모사가 다가왔다. 세라마나는 뱀의 대가리에 모래를 던졌지만, 뱀의 화만 돋우었을 뿐이다. 뱀이 자기와 적 사이를 갈라놓고 있는 짧은 거리를 뛰어넘기 위해 몸을 던지는 순간, 두 갈래로 갈라진 막대기가 날아와 그놈을 땅에 꽂아버렸다.

세타우였다. 그가 자축하며 말했다.

—멋지지! 열 번에 한 번 성공할까말깐데.

그가 뱀의 모가지를 잡았다. 뱀이 미친 듯이 퍼덕거렸다.

—이 풍구 뱀이란 놈 말야, 얼마나 매력적인지 몰라. 이 색깔 좀 보라고. 엷은 파란색과 어두운 파란색, 그리고 초록색, 아주 우아한 아가씨 같잖아. 그렇게 생각 안 해? 이놈 쉭쉭대는 소리는 멀리서도 잘 들리지. 자네한텐 천만다행 아닌가. 그래서 어디 있는지 쉽게 알아낼 수 있다구.

안도의 한숨을 내쉰 세라마나가 툴툴거리며 말했다.

—고맙다는 얘길 해야 하나, 젠장.

—이놈한테 물리면 물린 부위가 조금 부어오르고 출혈이 생기지. 독의 양이 많지 않기 때문이야. 하지만 독성은 아주 강해. 마음만 굳게 먹으면 살 수 있어. 솔직하게 말하면, 풍구 뱀은 겉보기만큼 무서운 뱀은 아냐.

51

　세타우는 세라마나의 뻰 상처를 약초로 치료해주었다. 그리고 진통제 역할을 하는 방향성 수지를 바른 아마로 그의 발목을 감아주었다. 몇 시간만 지나면, 언제 아팠나 싶게 말끔해질 것이다. 의심이 많은 사르디니아인은 이 땅꾼이 일부러 뱀 사건을 꾸며 은인인 체하고 나타난 것이 아닐까 하고 생각해보았다. 그렇게 해서 자기가 람세스를 해칠 생각이 전혀 없는 람세스의 진짜 친구라는 걸 세라마나에 증명해 보이려고 말이다. 그러나 자기가 도와준 일로 생색을 내는 법도 없이 무심하게 행동하는 세타우에게 세라마나는 결국 호의를 품게 되었다.

　원정대는 새벽부터 오후 중반까지 쉬고 나서 행군을 계속했다. 아직까지는 사람들과 짐승들이 먹을 물이 충분했지만, 곧 제한배급을 해야 할 것이다. 몸도 피곤하고 정신적으로도 힘들었지만 람세스는 병사들을 빨리 움직이도록 격려하고 후위부대에 경계를 늦추지 말라고 단단히 일렀다. 반도들은 정면공격 대신 불시의 습격으로 원정대의 힘을 빼려 할 것이다.

병사들은 더이상 농담도 하지 않고, 계곡으로 돌아가자는 얘기도 하지 않았다. 그들은 그저 묵묵히 걷기만 했다.

정찰병이 앞으로 팔을 뻗으며 말했다.

—저기 있습니다.

무성한 잡초더미, 둥근 모양으로 쌓여 있는 마른 돌들, 무거운 물부대를 매달 수 있게 만든 나무 장치.

우물이었다.

살아남을 수 있는 유일한 희망이었다.

정찰병과 세라마나는 구원의 물을 향해 달려갔다. 그들은 우물가에 한참 동안 쭈그리고 앉았다가 천천히 몸을 일으켰다.

사르디니아인이 고개를 절레절레 흔들었다.

—이 나라는 태초부터 물이 없는 나랍니다. 우린 여기서 목말라 죽을 거예요. 이 나라에서 물이 계속 나오는 우물을 팔 수는 없을 겁니다. 저 세상에나 가야 우물을 찾을 수 있을 것 같습니다.

람세스는 병사들을 불러모아놓고, 상황의 심각성을 솔직하게 털어놓았다. 내일이면, 물의 재고량이 바닥날 것이다. 앞으로 나아갈 수도 뒤로 물러설 수도 없었다.

병사 몇 명이 발 밑에 무기를 던졌다. 람세스가 병사들에게 명령했다.

—무기를 들라.

장군 하나가 왕에게 말했다.

—무슨 소용이 있습니까. 태양 아래서 목말라 죽을 텐데요.

─우리는 질서를 바로 세우기 위해서 이 사막까지 왔다. 우리는 질서를 바로 세울 것이다.

─우리의 시체가 어떻게 누비아인들과 싸울 수 있겠습니까?

람세스가 병사들에게 세티와 함께 왔을 때의 일을 상기시켰다.

─선왕께서 예전에 지금과 흡사한 처지에 빠지셨던 적이 있다. 선왕께서는 그의 병사들을 구하셨다.

─그럼 우리도 구해주십시오!

─햇볕을 피해 쉬어라. 그리고 짐승들에게 물을 먹여라.

왕은 군대에게서 몸을 돌려 사막을 향해 섰다. 세타우가 그에게 다가왔다.

─어쩌려고 이러나?

─걷겠네. 물을 발견할 때까지 걷겠어.

─무모한 짓이야.

─아버님께서 가르쳐주셨으니까, 그대로 행동할 걸세.

─우리와 함께 있게.

─파라오는 패배자처럼 앉아서 죽음을 기다리진 않네.

세라마나가 다가왔다.

─폐하……

─병사들이 겁먹지 않도록 하고, 계속 보초를 세우도록 하라. 공격당할지도 모른다는 것을 끊임없이 환기시켜라.

─이렇게 광활한 곳에서 폐하 혼자 떠나시게 할 권리가 제게는 없습니다. 폐하께 무슨 일이 닥칠지 어떻게 압니까.

람세스가 사르디니아인의 어깨에 손을 올려놓았다.

─내 군대의 안전을 네게 맡긴다.

─곧 돌아오십시오. 대장이 없으면 병사들은 돌아버리고 말 겁니다.

공포에 질린 보병들이 지켜보는 가운데 왕은 말라버린 우물을 떠나 붉은 사막으로 떠났다. 그는 구름이 낮게 깔린 바위 언덕 쪽으로 방향을 잡았다. 그는 차분한 걸음으로 구릉을 걸어올랐다. 꼭대기에 올라서자, 황폐한 지대가 눈앞에 나타났다.

아버지처럼, 그도 땅 밑의 비밀을 알아볼 수 있어야 한다. 땅의 핏줄을, 에너지의 대양으로부터 태어나 바위틈을 비집고 흘러가며 산의 가슴을 가득 채우고 있는 물, 물을 찾아내야 한다. 왕의 신경망이 고통을 느끼고 있었다. 눈도 잘 보이지 않았고, 마치 심한 열병에 걸린 것처럼 몸뚱어리가 뜨거워졌다.

람세스는 수맥을 찾는 사람들이 사용하는 아카시아 막대기를 허리춤에 차고 있었다. 그의 아버지가 투시력을 확대하기 위해 사용했던 바로 그 막대기였다. 그 막대기에 스며들어 있는 마법의 능력은 고스란히 남아 있었다. 그러나 이 광대무변한 곳 어디에 가서 물을 찾는단 말인가?

왕의 몸속 어딘가에서 어떤 목소리가 들려왔다. 저 세상에서 온 목소리였다. 세티의 목소리처럼 우렁우렁 울리는 목소리였다. 신경망이 너무나 고통스러워서 람세스는 가만히 서 있을 수가 없었다. 그는 떠다밀리듯 구릉을 따라 내려갔다. 무자비한 열기였다. 어떤 사람도 그런 열기를 견디어낼 수는 없었을 것이다. 그러나 람세스는 이제 그 열기를 느낄 수가 없었다. 그의 심장 박동은 큰영양의 그것처럼 느려졌다.

모래와 바위의 색깔이 달라지고 있었다. 람세스의 시선은 정점의 사막 깊숙이 파고들어갔고, 람세스의 손은 끝부분이 아마실로 연결된 부드러운 아카시아 가지 두 개를 꽉 움켜쥐고 있었다.

나뭇가지는 위로 올라갔다가 주춤거리더니 다시 아래로 떨어졌다. 왕은 계속해서 걸어갔다. 안에서 들려오던 목소리가 멀어졌다.

그는 원래 있던 자리로 되돌아와서 다시 죽음의 방향인 왼쪽으로 걸어가보았다. 그러자 목소리가 다시 커지고, 나뭇가지가 흔들리기 시작했다. 람세스는 거대한 분홍색 화강암 덩어리에 부딪쳤다.

땅의 힘이 람세스의 손에서 막대기를 확 낚아챘다.

물을 발견한 것이다.

혓바닥은 말라붙고, 피부는 햇볕에 데고, 근육이 당겨 고통스러웠지만, 그래도 병사들은 바위 덩어리를 옮겨놓고, 왕이 지정해준 자리를 파기 시작했다. 5미터쯤 파자, 거대한 지하수층이 나타났다. 병사들은 하늘을 찌를 듯이 환호성을 질렀다.

람세스는 구멍을 여러 개 뚫게 했다. 지하수로를 통해서 여러 개의 우물이 서로 연결될 것이다. 광부들이 곧잘 사용하는 방법이었다. 왕은 자신의 군대를 끔찍한 죽음으로부터 구해낸 것에 만족하지 않고 넓은 지역에 걸친 관개까지 계획하고 있는 것이다.

─푸르른 정원을 상상하고 있는 건가?

세타우가 물었다.

─풍요와 번영은 우리가 남길 수 있는 가장 훌륭한 흔적들이 아닌가?

세라마나가 불쑥 끼어들었다.

─누비아인 반란자들을 잊어버리신 건 아니겠지요?

─한시도 잊은 적 없네.

─하지만 병사들이 토목인부들로 바뀌어버리지 않았습니까?

─우리 관습에 따르면 이런 일도 종종 병사들의 일이 된다네.

─해적들은 일을 뒤섞지 않죠. 이러다가 야만인들의 공격을 받게 되면 방어할 수 있을까요?

─우리의 안전을 지키라고 네게 이르지 않았더냐?

병사들이 우물과 지하수로를 만들고 있는 동안, 세타우와 로투스는 굵은 뱀들을 잡아 귀한 독을 채취했다.

세라마나는 주변 순찰을 더욱더 강화하고, 병영에서처럼 병사들을 훈련시켰다. 병사들은 어느새 금 수송대원들이 살해당했다는 사실을 까맣게 잊고, 기적을 만들어내는 파라오의 지휘를 받아 나일강 골짜기로 돌아갈 궁리만 했다.

—소인배들 같으니.

왕년의 해적은 그런 병사들을 보며 혼자서 뇌까렸다.

—이 이집트 부대는 잡역부나 농부들을 급하게 훈련시킨 임시 부대에 불과해. 이들은 전투 경험이나 피흘리는 육박전, 그리고 목숨을 건 싸움은 해본 적도 없는 놈들이야. 해적들의 훈련만한 훈련은 없지. 언제나 경계태세로 있어야 하고 무기가 있건 없건 적의 목을 벨 준비를 하고 있어야 하니까.

세라마나는 분통이 터져서, 속임수를 쓰는 공격법이라든지 임기응변 따위를 가르치려는 시도조차 하지 않았다. 이 보병들은 절대로 싸울 수 없을 것이라 생각했다.

그러나 사르디니아인은 누비아의 반도들이 멀지 않은 곳에 있다는 것을, 적어도 이틀 전부터 가까이 접근해 이집트 군대의 야영지를 엿보고 있다는 것을 직감적으로 알아차렸다. 람세스의 사자와 개도 적들의 낌새를 눈치채고 안절부절못했다. 녀석들은 잠을 덜자고, 주둥이를 하늘로 쳐든 채 급하고 불안한 걸음걸이로 여기저기 돌아다녔다.

그 누비아인들이 진짜 도둑놈들이라면, 원정대는 몰살당하고 말 터였다.

이집트의 새 수도 건설은 빠른 속도로 진전되고 있었지만, 모세는 그 일에 관심을 잃었다. 이제 피-람세스는 그에게 낯선 이방의 도시에 불과했다. 가짜 신들과 무의미한 신앙 속에서 길을 잃고 헤매는 사람들로 가득 차게 될⋯⋯.

그러나 예전의 열정은 잃었으되 그는 임무를 성실하게 수행했다. 여전히 공사현장 곳곳을 돌아다니며 작업을 격려하고 공사 리듬을 유지시켰다. 그러나 모두들 그가 점점 더 거칠어지고 있다는 것을 눈치챘다. 이집트인 감독들을 대할 때는 특히 더 그랬다. 모세는 이집트인 감독들이 규율을 지나치게 따진다고 비난하곤 했는데, 대부분의 경우에는 이유없는 비난이었다.

모세는 점점 더 많은 시간을 히브리인들과 보냈고, 매일 저녁 작은 모임들과 민족의 미래에 대해 토론하곤 했다. 대부분의 사람들은 그들의 조건에 만족했고, 한 나라로 독립하기 위해서 상황을 바꾸고 싶은 마음이 전혀 없었다. 그들에게 그런 짓은 너무나 위험한 모험처럼 보였다.

그러나 모세의 주장은 강력했다. 그는 유일신에 대한 그들의 신앙을, 그들의 문화의 독창성을, 이집트인들의 굴레에서 벗어나야 할 필연성을, 그리고 우상을 멀리해야 할 필연성을 환기시켰다. 어떤 사람들은 흔들리기 시작했고, 또 어떤 사람들은 요지부동이었다. 그러나 모두들 모세가 지도자의 품격을 갖춘 사람이며, 그의 행동이 히브리인들을 위한 것임을, 그래서 그들 중의 누구도 그의 이야기를 소홀히 흘려들을 수 없다는 것을 인정했다.

람세스의 죽마고우는 점점 더 잠을 이루지 못했다. 그는 자기 가슴속에 있는 신이 다스릴 기름진 땅을, 히브리인들 스스로 다스릴 나라를 꿈꾸었다. 그런 나라를 세울 수만 있다면, 그 나라의 국경을 그들은 가장 소중한 재산으로 지키게 될 것이다.

드디어 모세는 그토록 오래 전부터 그의 영혼을 집어삼킨 불이 어떤 것이었는지 알게 되었다. 그는 그 욕망에 '꺼지지 않는 불'이라고 이름 붙였다. 그는 한 민족의 선두에 서서 그들을 진리에로 이끌어갈 것이다. 그러나 고뇌가 그의 목을 조였다. 람세스가 과연 그러한 반란을, 왕의 권위에 대한 부정을 용납할까? 모세는 자신의 이상을 받아들이도록 람세스를 설득해야 할 것이다.

추억들이 스쳐지나갔다. 람세스는 단순한 놀이친구가 아니었다. 그는 진정한 친구였다. 그의 가슴에도 모세의 가슴에서처럼 뜨거운 불길이 타오르고 있었다. 그들의 불은 너무나 다른 불이었다. 모세는 람세스를 해치려는 음모 따위는 꾸미지 않을 것이다. 그런 식으로 람세스를 배반하지는 않을 것이다. 람세스와 일대일로 정면대결하여 그를 굴복시킬 것이다. 승리가 불가능해 보일지라도, 그는 승리를 쟁취하고야 말 것이다.

오직 한 분뿐인 그의 신께서 함께 하시지 않는가!

52

앞쪽 머리털을 밀어버린 머리, 둥근 귀고리, 넓적한 코, 문신을
새긴 두 뺨, 알록달록한 구슬을 꿰어 만든 목걸이, 표범 가죽으로
만든 통자루옷. 한눈에 누비아인들임을 알아볼 수 있는 사람들이
오후가 시작될 무렵 이집트군 야영지를 포위했다. 이집트 병사들은
대부분 낮잠을 자고 있는 중이었다. 누비아 반도들은 아카시아 나
무로 만든 활을 겨누어 수많은 이집트 병사들을 죽였다. 원정대는
미처 반격해볼 틈조차 없었다. 막 잠에서 깨어난 이집트 병사들은
우왕좌왕하며 혼란에 빠졌다.

그러나 파죽지세로 몰아붙이려던 누비아 반도들의 두목은 선뜻 진
격 명령을 내리지 못했다. 야자수 가지로 엮은 엄폐물 뒤에서 자기들
처럼 튼튼한 활과 방패로 무장한 채 몸을 숨기고 있는 몇십 명 안 되

는 이집트 병사들 때문이었다. 진작부터 이런 공격을 예상한 세라마나가 그들을 거느리고 있었다. 숫자는 얼마 안 되지만 저 콧수염 달린 거인이 버티고 서 있는 걸 보면 함정이 있을 것 같았다. 누비아인들이 당할 수도 있는 일이었다. 겉으로는 다 이긴 싸움처럼 보였지만 반도들의 두목은 본능적으로 그런 위험을 느끼고 있었다.

시간이 멈춘 것 같았다. 이제는 아무도 움직이지 않았다.

누비아 두목의 작전 고문은 되도록 활을 많이 사용하여 가능한 한 많은 적들을 쏘아죽이고 그 틈을 타 발 빠른 전사 몇 명이 엄폐물에 덤벼드는 방법을 제안했다. 그러나 전투 경험이 많은 두목은 세라마나의 얼굴을 본 순간부터 불길한 느낌을 떨쳐버릴 수가 없었다. 두목이 지닌 전사로서의 본능은 그에게, 그 거인이 그 동안 자기가 해치운 이집트인들과는 전혀 다른 종자라는 사실을 일깨우고 조심해야 한다고 경고했다.

람세스가 자기 막사에서 나오자, 모든 시선이 그를 향해 몰려들었다. 머리에 꼭 맞는 나팔꽃 모양의 푸른 관을 쓰고, 주름진 아마 천으로 만든 반팔 셔츠와 금빛 로인클로스를 두르고, 허리춤에 황소 꼬리를 달고 나타난 파라오는 오른손에 목동의 지팡이처럼 생긴, 끝이 둘둘 말린 마법의 홀(笏)을 들고 있었다. 람세스는 그 홀 끝을 가슴에 대고 있었다.

왕의 하얀 샌들을 들고 세타우가 왕의 뒤를 따랐다. 이 심각한 상황 속에서도 세타우는 파라오의 신발 운반 담당관인 아메니를 생각했다. 아메니가 면도를 하고 가발을 쓰고 로인클로스를 입은 자기의 모습을 보면 얼마나 놀랄까. 그렇게 차려입으니 세타우도 왕실의 여느 고관 나리처럼 보였다. 등에 진 이상한 자루 하나만 뺀다면 말이다.

이집트 병사들이 불안한 눈길로 지켜보는 가운데 야영지의 끝쪽으로 걸어가던 파라오와 세타우는 누비아인들이 있는 곳을 30미터쯤 남겨두고 걸음을 멈췄다. 람세스는 적진을 한 차례 훑어보고 큰 목소리로 말했다.

─나는 이집트의 파라오 람세스다. 너희들의 우두머리가 누구냐?

누비아인 하나가 앞으로 한 발짝 나서며 말했다.

─나다.

빨간색 머리띠를 하고 머리 뒤쪽에 깃털 두 개를 꽂은 남자는 우람한 근육을 가지고 있었다. 그가 타조의 깃털로 장식된 가느다란 투창을 잡고 흔들자 누비아 반도들이 함성을 질렀다. 함성소리가 잦아들기를 기다려 람세스가 말했다.

─겁쟁이가 아니라면, 이리 오라.

누비아 작전 고문은 두목에게 그러지 말라는 눈짓을 했다. 그렇지만 람세스도 그의 신발 운반 담당관도 무장하고 있지 않다. 오히려 자기는 투창을 들고 있고, 작전 고문도 양날이 날카로운 단검을 가지고 있었다. 두목은 불길한 눈길로 세라마나 쪽을 바라보았다. 그가 작전 고문에게 명령을 내렸다.

─와서 내 왼쪽에 서.

행여 저 거인이 활을 쏘라는 명령을 내리면 인간 방패로 활용할 생각이었다.

─두려운가?

람세스가 두목에게 물었다.

두 명의 누비아인이 무리에서 떨어져나와 왕과 세타우 쪽으로 걸어왔다. 서로 채 3미터도 되지 않는 곳에 버티고 섰다.

─그러니까, 내 백성을 압제하는 파라오가 너로구나.

─누비아인들과 이집트인들은 평화롭게 살아왔다. 금 수송대원들을 죽이고, 이집트의 신전으로 가는 금을 훔침으로써 네가 그 조화

를 깨뜨렸다.

—그 금은 우리 누비아 땅에서 나왔으니 마땅히 우리 것이지, 너희들 것이 아니다. 도둑놈은 너다.

—누비아는 이집트령이고 따라서 마아트의 법에 복종해야 한다. 도둑질한 자는 엄벌에 처해져야 한다.

—파라오! 난 너의 법 따위는 아랑곳하지 않는다. 이곳에서, 나는 나의 법을 만든다. 다른 부족들도 나와 합류할 준비가 되어 있다. 널 죽이면, 난 영웅이 된다! 모든 전사들이 내 휘하에 들어올 것이며, 우리는 이집트인들을 영원히 우리 땅으로부터 내쫓을 것이다!

왕이 두목에게 명령을 내렸다.

—무릎을 꿇어라.

두목과 고문이 이게 웬 정신 나간 소리냐는 듯이 어리둥절한 표정으로 서로 마주 보았다.

—무기를 내려놓고, 무릎을 꿇고 규범에 복종하라.

누비아 두목의 얼굴이 일그러지더니 비아냥거리며 물었다.

—내가 허리를 굽히면, 나를 용서해준다는 말이냐?

—너는 스스로 규범의 바깥으로 나갔다. 너를 용서하는 것은 규범을 부정하는 일이 될 터이다.

—그러니까 너는 관용이라는 걸 모르는 자로구나.

—그렇다.

—그렇다면 내가 왜 너에게 복종해야 하느냐?

—왜냐하면, 너는 반도이며, 너의 유일한 자유란 파라오 앞에서 허리를 굽히는 것이기 때문이다.

누비아 두목의 고문관이 앞으로 나서더니 단도를 휘둘렀다.

—파라오는 죽고, 우리는 이집트로부터 해방될 것이다.

두 누비아인들에게서 눈을 떼지 않고 있던 세타우가 자루를 열어 그 속에 가두어놓았던 살모사를 풀어놓았다. 뱀은 덮쳐드는 죽음처럼 빠르게 불타는 모래 위를 요리조리 미끄러지며 나아가 미처 살필 틈도 없이 누비아인의 발을 깨물었다.

겁에 질린 누비아인은 땅바닥에 쭈그리고 앉아 단도로 피가 흘러나오도록 상처를 쨌다.

세타우가 두목의 눈을 똑바로 들여다보며 말했다.

─그는 벌써 물보다도 더 차갑고, 불꽃보다도 더 뜨겁다. 몸이 땀으로 뒤덮이고, 눈은 이제 하늘을 보지 못하며, 침이 입에서 흘러나온다. 눈과 눈썹이 뒤틀리고, 얼굴이 퉁퉁 붓는다. 견딜 수 없이 목이 마르니, 그는 죽을 것이다. 더이상 일어설 수 없다. 피부는 보랏빛으로 변했다가, 시커멓게 된다. 몸이 사시나무 떨듯 덜덜 떨리게 될 것이다.

세타우는 살모사가 가득 들어 있는 자루를 흔들었다. 누비아 전사들이 몇 걸음 뒤로 물러섰다. 파라오가 다시 명령을 내렸다.

─무릎을 꿇어라. 그러지 않으면 무시무시한 죽음이 너희를 칠 것이다.

─죽는 건 너야!

두목이 격분하여 머리 위로 투창을 들어올렸다. 그러나 바로 그때 어디선가 들려오는 포효에 그의 몸은 석상처럼 굳어버렸다. 모든 것이 순식간에 일어났다. 그는 옆으로 몸을 돌려, 아가리를 벌리고 그에게 달려드는 람세스의 사자를 겨우 알아보았을 뿐이다. 사자는 발톱으로 누비아인의 심장을 갈기갈기 찢어놓고 그 불행한 사나이의 머리통을 물어뜯었다.

세라마나가 신호를 보내자, 이집트인 궁수들이 갈팡질팡하고 있는 누비아인들을 향해 일제히 화살을 날렸다. 보병들은 적들에게 달려들어 일대 난전이 벌어졌다. 숫자는 누비아 반도들도 만만치 않았지만, 대장을 잃은 그들은 곧 전의를 상실했다. 상당수의 반도들이 죽어 넘어지고 일부는 무릎을 꿇었다.

세라마나가 명령했다.

─놈들의 손을 등뒤로 묶어!

람세스가 승리했다는 소식이 전해지자, 수백 명의 누비아인들이 은신처와 마을에서 나와 람세스를 경배했다. 왕은 머리가 허옇게 센 추장을 한 명 선택해서 우물 주변의 비옥한 새 땅을 주었다. 포로들은 그 추장에게 맡겨져 군대의 감시하에 농사일을 하게 될 것이다. 달아나거나 또다시 반란을 도모하는 자는 사형에 처해질 것이다.

원정대는 반도들의 사령부가 있는 오아시스로 진격했다. 그러나 이미 소식을 접한 반도들의 저항은 미약하기만 했다. 원정대는 금은 세공사들이 조상들과 신전의 문을 장식하는 데 사용할 금을 되찾을 수 있었다.

땅거미가 내릴 무렵, 세라마나는 잘 마른 야자수잎 두 장을 주워다가, 그것을 무릎 사이에 끼고 죽은 나뭇가지를 그 사이에 넣어 빠른 속도로 비벼댔다. 불이 붙었다. 순찰을 돌 때, 병사들은 불을 들고 다녔다. 코브라나 하이에나 따위의 반갑지 않은 짐승들을 막기 위해서였다.

─뱀 사냥은 좀 했나?

람세스가 세타우에게 물었다.

─로투스가 너무나 기뻐한다네. 오늘 저녁엔 좀 쉴 거야.

─이 지방은 숭고해, 그렇지 않은가?

─자네도 이곳을 우리만큼 좋아하는 모양이야.

─이곳이 나를 시련에 던져넣었고, 그리고 나 자신을 극복하게 만들었어. 이곳의 힘은 곧 내 힘이야.

―내 뱀이 아니었다면, 반도들이 자넬 죽였을 거야.

―그런 일은 없어, 세타우.

―하지만 자네의 작전은 위험했어.

―피해를 최소화할 수 있었잖은가.

―자네가 무모한 사람이라는 걸 여전히 알고 있지?

―그래서?

―난 말야, 난 세타우에 불과해. 독사들을 가지고 장난을 칠 뿐이지. 하지만 자넨 말야, 자넨 두 땅의 주인이라구. 자네가 죽으면, 나라 전체가 혼란에 빠져.

―네페르타리가 지혜롭게 다스릴 거야.

―자넨 이제 스물다섯 살밖에 안 먹었어. 하지만 더이상 젊을 권리가 없지. 전사의 혈기일랑 딴 사람에게 주어버리게.

―파라오가 겁쟁이가 될 수 있나?

―그 과격한 성격이 언제나 좀 누그러지려나? 그저 좀 조심하라는 말밖에는 할 수가 없군.

―난 사방에서 보호받고 있잖은가? 왕비의 신비한 능력, 자네와 자네의 뱀들, 세라마나와 그의 용병들, 충성스러운 개와 사자…… 나처럼 운이 좋은 사람은 없네.

―그 운을 낭비하지 말게.

―내 운은 무한정이야.

―자네하고 이치를 따져봐야 아무 소용도 없으니, 난 잠이나 자겠네.

세타우는 왕에게서 등을 돌리고 로투스 곁에 누웠다. 그녀가 격정의 한숨을 내쉬는 소리를 듣고 왕은 자리를 비켜주어야겠다고 생각했다. 땅꾼의 휴식은 또 한 차례의 격전 뒤에나 가능할 것 같았다.

어떻게 해야 그가 위대한 대신의 자질을 가진 인물이라는 걸 그에게 일깨울 수 있을까? 람세스는 세타우에게서 자기의 어렸을 때 모습을 발견했다. 세타우는 너무나 열심히 자기 길을 가느라 공적인 생활을 거부하고 있다. 그가 자유롭게 선택하도록 내버려둬야 할까? 아니면, 억지로라도 왕국의 중책을 맡겨야 하나?

람세스는 별이 총총한 하늘을 바라보면서 밤을 지샜다. 아버지의 영혼과 그에 앞서 살았던 파라오들의 영혼이 살고 있는 곳. 그는 세티처럼 자기가 사막에서 물을 발견하고, 반란자들을 토벌했다는 것이 자랑스러웠다. 그러나 그는 이 승리에 만족하지 않았다. 세티가 나서서 진압했음에도 불구하고 또다시 한 부족이 반란을 일으켰다. 평화로운 시기가 지나고 나면, 똑같은 상황이 다시 벌어질 것이다. 악의 뿌리를 제거해야만 이러한 반란들을 끝낼 수 있다. 하지만 어떻게 그 뿌리를 찾아낸단 말인가?

새벽녘에 람세스는 등뒤에서 어떤 기척을 느꼈다. 그는 천천히 몸을 돌렸다.

거대한 코끼리 한 마리가 오아시스 안에 들어와 있었다. 바람의 신발을 신은 놈인지, 람세스는 그때까지도 땅바닥에 흩어진 종려나무 잎사귀들이 바스락거리는 소리조차 듣지 못했다. 사자와 개는 잠에서 깨어 있었지만, 그러나 끼어들지 않고 가만히 있었다. 주인의 안전을 확신한다는 투였다.

그 코끼리였다. 몇 년 전 람세스가 코에 박힌 화살을 빼내 생명을 구해주었던, 커다란 귀와 긴 상아를 가진 바로 그놈이었다.

이집트의 왕은 대초원의 주인의 코를 쓰다듬었다. 거대한 짐승이 지르는 기쁨의 소리는 야영지 전체를 잠에서 깨웠다.

코끼리는 조용한 걸음걸이로 얼마간 걷다가 머리를 돌리고 왕을 바라보았다. 코끼리의 몸짓을 보고, 람세스는 뭔가를 감지했다.

─저놈을 따라가야 한다.

53

람세스와 세라마나, 그리고 세타우와 노련한 보병 몇 명이 코끼리를 따라 나섰다. 코끼리는 좁고 황량한 초원을 가로질러 가다가, 가시가 돋은 식물들이 양쪽으로 늘어선 좁은 오솔길로 접어들었다. 그 오솔길을 따라 올라가자 고원이 나타났다. 그곳에는 백 년도 더 돼 보이는 아카시아 나무 한 그루가 서 있었다.

코끼리가 멈추어 섰다. 람세스가 코끼리가 서 있는 곳으로 다가갔다.

코끼리의 시선을 따라가니 거기엔 장엄하고 숭고한 광경이 펼쳐져 있었다. 고원에서 튀어나와 항해의 기준점 역할을 해주는 웅장한 바위가 나일 강의 광대한 흐름을 내려다보고 있었다. 이집트의 지아비인 람세스는 창조의 물결이 흘러가는 신비한 광경을 바라보왔다. 신성한 강물이 완전한 위용을 드러내고 있었다. 암벽 위에 새겨진 신성문자들은 이곳이 별과 항해자들의 여신인 하토르의 보호를 받는 곳임을 알려주고 있었다. 항해자들은 기꺼이 이 장소에서 멈추어 서곤 했다.

오른쪽 앞발로 코끼리가 사암 덩어리 하나를 굴려 떨어뜨렸다. 바위 덩어리는 절벽을 따라 내려가, 두 개의 갑(岬) 사이에 나 있는 모래펄로 굴러 떨어졌다. 북쪽에서는 강물까지 수직으로 깎아지른 절벽의 형태를 띠던 산줄기가 남쪽으로 갈수록 완만해지면서 동쪽으로 넓고 평평한 평야를 펼쳐놓고 있었다.

어린 소년 하나가 야자수 줄기를 따서 만든 배를 강가에 대고 그 안에서 잠을 자고 있었다. 왕이 병사 두 명에게 지시를 내렸다.

―가서 아이를 데려와라.

병사들이 다가오는 것을 보자, 누비아인 소년은 걸음아 날 살려라 하고 도망쳤다. 달아나던 아이는 모래밭 위로 튀어나온 돌부리에 걸려 넘어졌다. 이집트 병사들이 아이의 팔을 잡아 왕에게 데려왔다.

붙잡혀서 코가 베이게 될까봐 겁을 집어먹은 아이는 눈동자를 이리저리 굴렸다.

―난 도둑놈이 아녜요! 이 배는 내 거예요. 맹세할 수 있어요. 그리고…….

람세스가 아이에게 물었다.

―내가 묻는 말에 대답하라. 그러면 놓아주겠다. 이곳의 이름이 무엇이냐?

―아부 심벨이라고 합니다.

―이제 가봐도 된다.

소년은 작은 배가 있는 곳까지 뛰어가더니, 그가 낼 수 있는 가

402

장 빠른 속도로 노를 저었다.

세라마나가 왕에게 권고했다.

―여길 떠납시다. 안전해 보이는 곳이 아닙니다.

세타우가 세라마나의 말을 반박했다.

―뱀도 한 마리 안 보이는데, 뭘. 이상한 일이로다. 하토르 여신이 무서워서 다 도망갔나?

왕이 강한 어조로 말했다.

―나를 따라오지 말라.

세라마나가 앞으로 나섰다.

―폐하!

―내가 되풀이해 말해야겠는가?

―하지만 폐하의 안전이⋯⋯.

람세스가 강을 향해 내려가기 시작했다. 세타우가 사르디니아인을 가로막았다.

―명령에 복종해. 그게 나아.

세라마나가 투덜거리면서 왕의 뒷모습에 대고 절을 했다. 왕이 혼자서, 이 적지에서, 저 외진 곳으로 간다니, 말이나 되는가 말이다! 명령을 받기는 했지만, 조금이라도 위험이 발생하면 즉각 나서리라.

강가에 다다르자, 람세스는 몸을 돌려 사암 절벽을 바라보았다.

누비아의 중심지는 이곳이다. 그러나 누비아는 아직 그것을 모르고 있다. 나, 람세스가 아부 심벨을, 시간의 도전을 버텨낼 경이로운 곳으로 바꾸어놓으리라. 그렇게 해서 이집트와 누비아의 평화를 확고한 것으로 만들리라.

파라오는 그를 감싸도는 하늘의 순수함과 나일 강의 반짝임, 그리고 바위의 강건함이 스며들어 있는 아부 심벨에 대해서 몇 시간

동안이나 명상에 잠겼다. 이곳에 누비아의 가장 중요한 신전을 지으리라. 그 신전으로 신의 기운을 끌어모아 강력한 보호망을 구축하면 누비아에서 무기를 들고 싸우는 일은 영원히 사라질 것이다.

람세스는 태양을 바라보았다. 태양 광선은 절벽을 때리는 것으로 만족하지 않고, 바위의 가슴속을 뚫고 들어가, 바위를 안으로부터 빛나게 만들었다. 이곳에 신전을 짓는 건축가들에게 이 기적을 보존케 해야 하리라.

왕이 다시 절벽 꼭대기로 올라왔을 때, 신경이 곤두설 대로 곤두서 있던 세라마나는 친위대장직을 사임하겠다는 말이 목구멍까지 넘어오는 것을 꾹 눌러 참았다. 평화로운 코끼리의 모습을 보자, 그런 생각이 싹 가셨던 것이다. 짐승만큼도 참을성이 없다니. 아무리 덩치가 크다고 해도 짐승은 짐승이 아닌가.

왕이 선언했다.

─이집트로 돌아간다.

천연 탄산소다로 입을 헹구어낸 셰나르는 면도사에게 얼굴을 맡겼다. 면도사의 손놀림은 빠르고 부드러웠다. 그는 향유를 바르는 것을 좋아했다. 그 자그마한 기쁨이 삶을 즐겁게 해주었다. 람세스만큼 잘생기지도 못했고, 그만큼 단단한 체격도 아니었지만, 우아함만은 그에 못지않다는 자신감을 얻을 수 있었으니까.

값나가는 물시계를 보니 어느덧 약속시간이 다 되어 있었다.

편안하고 널찍한 그의 가마 의자는 멤피스에서 가장 아름다운 것이었다. 파라오가 된 다음에나 그것보다 더 좋은 걸 마련할 수 있을 것이다. 그는 가마꾼들에게 대운하 가장자리로 가자고 일렀다. 그곳은 멤피스 주항에서 짐을 내릴 커다란 거룻배들이 통과하는 운하였다.

마법사 오피르는 버드나무 아래 앉아서 더위를 식히고 있었다. 셰나르는 나무 줄기에 등을 기대고 고기잡이배가 지나가는 것을 바라보았다.

―진전이 있었소, 오피르?

―모세는 길들이기 힘든 성격을 가진 특이한 사람입니다.

―달리 말하면, 실패했다는 얘기군요.

―그렇게 생각지 않습니다.

―오피르, 느낌만으로는 충분하지 않소. 나에겐 사실이 필요하오.

―성공으로 가는 길은 종종 길고 험하지요.

―당신의 개똥철학 따위는 집어치우시오. 성공한 거요, 아니요?

―모세는 나의 제안을 거절하지는 않았습니다. 그만하면 괜찮은 결과가 아닌가요?

―흥미롭군요. 인정하겠소. 우리 계획이 그에게 먹혀들 것 같습니까?

―아케나톤의 사상은 그에게 친숙하지요. 그는 아케나톤의 사상이 히브리인들의 믿음을 형성하는 데 공헌했다는 것을 알고 있습니다. 또 우리가 서로 도우면 많은 열매를 맺게 될 것이라는 것도요.

―그가 히브리인들 사이에서 얻고 있는 인기는 어떻소?

―점점 더 높아지고 있습니다. 모세는 진정한 지도자의 품성을 갖춘 사람입니다. 여러 지파들 사이에서 그의 존재가 먹혀들고 있지요. 피-람세스가 완성되면 그는 대단한 위치에 올라서게 될 겁니다.

―얼마나 시간이 더 걸릴까요?

―몇 달 정도지요. 모세가 벽돌공들을 얼마나 잘 독려하는지, 그들은 그 비현실적인 공사일정을 잘도 앞당기고 있습니다.

─망할놈의 수도 같으니라구! 그 덕택에 람세스의 명성은 멀리 북쪽 국경 너머까지 퍼지게 되었소.

─파라오는 어디 있습니까?

─누비아에 있소.

─거긴 위험한 지역 아닌가요.

─꿈도 꾸지 마시오, 오피르. 왕실 전령이 놀라운 소식을 전했다오. 람세스는 사막에서 지하수층을 발견해내는 새로운 기적을 이루었을 뿐만 아니라, 그의 군대가 그곳에 농업지역을 조성했다고 하오. 파라오는 도둑맞았던 금을 되찾아 신전에 가져간답니다. 원정은 대단한 성공이었소.

─모세는 언젠가 자기가 람세스와 대치해야 한다는 걸 알고 있습니다.

─그의 가장 좋은 친군데…….

─유일신에 대한 믿음은 그 어떤 것보다도 강하기 때문에, 갈등을 피할 수 없죠. 갈등이 표면화되면, 우리는 모세를 지지해야 합니다.

─그건 당신이 해야 할 일이오, 오피르. 당신은 내가 일선에서 행동할 수 없단 걸 잘 알 거요.

─절 도와주셔야 합니다.

─무엇이 필요합니까?

─멤피스에 집이 한 채 필요합니다. 하인들과 우리 쪽 사람들의 교통편도 있어야 하구요.

─그렇게 해드리지요. 그 대신 당신의 활동상황에 대해 정기적으로 보고서를 제출해주시오.

─그건 제가 해야 할 최소한의 의무지요.

─언제 피-람세스로 돌아갈 거요?

—내일 당장 가보겠습니다. 모세와 대화를 나누고, 우리 쪽 사람들이 점점 더 많아지고 있다는 사실을 확인시키겠습니다.

—생활여건에 대해선 걱정하지 말고 모세를 설득하는 데만 마음을 써주시오. 신앙의 확신을 위해선 람세스와 맞서 싸워야 한다고 말이오.

벽돌공 아브네는 콧노래를 흥얼거렸다. 이제 한 달 정도만 있으면 피-람세스의 병영이 완성된다. 그러면 멤피스에서 이송된 병사들이 그곳에 주둔하게 될 것이다. 널찍하고, 환기도 잘 되는 공간이었다. 마무리 작업도 훌륭했다.

모세 덕택에 아브네는 자신의 자질을 알게 되었다. 그는 경험 많고 부지런한 벽돌공 열 명으로 이루어진 소규모 분임조를 지휘하게 되었다. 사리에게 협박당하던 일도 이제는 기분 나쁜 옛일이 되어버렸다. 아브네는 가족과 함께 새 수도에 정착해서 공공건물을 유지하고 보수하는 일을 맡게 될 예정이었다. 행복한 생활이 그의 앞에 펼쳐져 있었다.

오늘 저녁에 그는 동료들과 함께 나일 강에 가서 농어를 먹고, 뱀놀이를 할 생각이었다. 땅바닥에 뱀을 그려놓고 말을 가지고 노는 놀이였다. 그는 자기 말이 뱀의 몸 위에 그려진 함정에 걸리지 않고 계속 칸을 넘어 앞으로 나아갔으면 하고 바랐다. 정해진 길의 종점에 제일 먼저 도착하는 사람이 놀이의 승자가 된다. 어쩐지 오늘 밤엔 운이 좋을 것 같았다.

피-람세스가 활기를 띠기 시작했다. 거대한 공사장이 조금씩 도시의 모양을 갖추어가고 있었다. 이제 곧 도시의 심장이 뛰게 될 것이다. 사람들은 벌써 람세스가 도시에 생명을 불어넣을 웅장한 완공식 축제를 기대하고 있었다. 운명이라는 게임에서 아브네는 위대한 왕의 이상에 봉사하고, 또한 모세를 알게 되었다는 행운을 잡은 것이다.

―어떻게 지내나, 아브네?

사리는 노란색과 까만색 줄무늬로 된 리바아식 겉옷을 입고, 허리에는 초록색 띠를 매고 있었다. 얼굴이 더 초췌해진 것 같았다.

―나에게 무슨 볼일이 있습니까?

―자네 건강이 어떤가 궁금해서.

―가던 길이나 가보시오.

―건방지게 굴 거야?

―내가 승진했다는 걸 모르시오? 난 이제 당신의 졸개가 아니란 말요.

―어쭈, 꼬마 아브네가 수탉처럼 으스대고 계시군. 자, 자……흥분하지 말라구.

―난 바빠요.

―그대의 오랜 친구 사리를 만족시켜주는 것보다 더 급한 일이 어디 있겠나?

아브네는 겁이 더럭 났다. 사리가 재미있다는 표정을 지었다.

―꼬마 아브네는 뭘 아는 사람이지, 안 그래? 아브네씨는 피-람세스에서 조촐하게 살고 싶어하시지. 그런데 아브네씨는 좋은 물건은 값이 나간다는 걸 아신단 말씀이야. 문제는 물건 가격을 내가 정한다는 거지.

―꺼져버려요!

―이 히브리놈아, 넌 한 마리 벌레에 불과해. 벌레는 으깨어져도 찍소리도 못 하지. 네가 받는 급료와 특별수당의 절반을 내놔. 도시가 완성되면, 네놈은 내 하인이 되겠다고 자청하고 나설 거야. 히브리인 하인을 하나 두는 것도 괜찮을 것 같군. 우리 집에 오면, 심심

하진 않을걸. 꼬마 아브네, 넌 운이 좋아. 내가 널 점찍지 않았더라면, 넌 벌레처럼 살았을 거야.

—난 싫어요, 난…….

—멍청한 소리 작작하고, 시키는 대로 해!

사리가 멀어져갔다. 아브네는 그 자리에 철퍼덕 주저앉아버렸다.

이건 정말 너무하다. 그의 손아귀에서 벗어났다 싶었는데, 악몽은 끝이 없었다. 아브네는 모세에게 말해야겠다고 마음 먹었다.

54

네페르타리는 새해 첫날 떠오르는 새벽별처럼 아름다웠다. 그녀의 손길은 연꽃처럼 부드러웠다. 빛나는 네페르타리…… 길게 풀어내린 그녀의 향기로운 머리카락은 아름다운 함정이었다. 그 안에 빠져 길을 잃고 헤매도 행복하기만 했다.

사랑한다는 것은, 다시 태어난다는 것이었다.

람세스는 네페르타리의 발을 부드럽게 어루만지고, 그녀의 다리에 입을 맞추고, 햇살을 받아 금빛으로 물든 그녀의 부드러운 몸 위로 자기 손가락이 길을 잃고 헤매고 다니도록 내버려두었다. 그녀는 가장 귀한 꽃들이 피어나는 정원, 시원한 물이 그득한 연못, 향기로운 나무들이 자라는 머나먼 정원 같은 여자였다. 그들이 하나가 될 때, 그들의 욕망은 범람하는 강물처럼 힘차고, 석양 무렵의 평화 속에서 들려오는 피리소리처럼 부드러웠다.

단풍나무의 푸르른 나뭇잎 아래에서 네페르타리와 람세스는 서로에게 서로를 주었다. 왕은 원정에서 돌아오자마자 당장 측근들과 고문관들을 물리치고 아내를 찾았다. 커다란 나무의 시원한 그늘, 터키석처럼 푸른 나뭇잎, 가운데에 홈이 패인 벽옥처럼 붉은 열매는 테베 궁전의 보물 가운데 하나였다. 왕과 왕비는 사람들을 따돌리고 단둘이 그 나무 아래 숨는 데 성공한 것이다.

이번 원정은 얼마나 기나긴 것이었는지…….

—우리 딸은?

—카하고 메리타몬은 아주 잘 지내고 있어요. 카는 자기 여동생이 아주 예쁘고 조용하다고 생각해요. 동생에게 벌써부터 글 읽는 걸 가르치고 싶어한다니까요. 개인교사인 네드젬이 카를 말리느라고 혼났어요.

람세스가 아내를 꼭 껴안았다.

—네드젬의 생각이 틀린 거요. 한 사람에게 주어진 불을 왜 꺼버린단 말요?

네페르타리는 왕의 말을 반박할 틈이 없었다. 왕이 입술로 네페르타리의 입을 막아버렸던 것이다. 북풍이 불어와서 단풍나무 가지들이 휘어졌다. 나뭇가지들은 마치 사랑하는 두 사람을 존경한다는 듯이, 그리고 자기들이 그 사랑의 공범이라는 듯이 그들을 향해 몸을 구부렸다.

람세스 즉위 3년 되던 해의 홍수절기 제4월 10일에 바크헨은 긴 장대를 들고 왕과 왕비 앞에 서서 걸어가고 있었다. 공사가 끝난 룩소르 신전을 왕과 왕비에게 보여주려는 것이다. 카르낙에서 출발한 긴 행렬이 왕과 왕비의 뒤를 따라 두 신전을 연결하는 오솔길로 접어들었다. 오솔길 양 옆에는 스핑크스가 늘어서 있었다.

룩소르 신전의 새로운 입구를 보고, 사람들은 할 말을 잃었다. 장엄하고 거대한 오벨리스크와 힘차면서도 우아하고 중후한 탑문이 완벽한 조화를 이루고 있었다. 과거의 어느 건축 못지않은 걸작이었다.

오벨리스크는 사악한 기운을 흩어버리고, 하늘의 힘을 끌어내려 신전에 불어넣는다. 신전이 빚어내는 카에 에너지를 공급하는 것이다. 오벨리스크의 발치에는 토트 신의 지성을 상징하는 커다란 비비원숭이들이 조각되어 있었다. 그놈들은 매일 새벽, 첫새벽의 소리를 지르는 것으로 빛의 탄생을 축하한다. 신성문자에서부터 거대한 오벨리스크에 이르기까지, 하나하나의 요소들이 힘을 모아 매일 되풀이되는 태양의 부활을 돕는 것이다. 태양은 중문(中門) 너머에 있는 탑문의 두 탑 사이에 정좌하고 있었다.

람세스와 네페르타리는 중문을 넘어 지붕이 덮여 있지 않은 큰 마당 안으로 들어갔다. 큰 마당의 벽은 카의 힘을 표현하는 육중한 기둥으로 둘러싸여 있다. 그 기둥들 사이사이에 세워진 거대한 왕의 입상은 왕의 무한한 힘을 표현하고 있다. 가냘프지만 한치의 흔들림도 없는 네페르타리가 그 거대한 입상의 다리를 부드럽게 껴안았다.

카르낙 대사제 네부가 황금빛 지팡이를 짚고 천천히 터벅터벅 왕과 왕비 앞으로 다가왔다.

노인이 고개를 숙여 절했다.

—폐하, 여기에 카의 신전이 있습니다. 이곳에서 폐하가 나라를 다스리는 데 필요한 기운이 매순간 만들어집니다.

룩소르의 증축을 축하하기 위해 테베와 인근 지방에 사는 사람들이 모두 모여 축제를 벌였다. 가장 가난한 사람에서부터 가장 돈 많은 사람에 이르기까지 모두 한자리에 모여 열흘 동안 거리에서 춤추고 노래할 것이다. 술집들과 노천에 차려진 선술집들은 사람들로 북적댈 것이다. 파라오가 베푸는 공짜 맥주가 사람들의 위를 즐겁게 할 것이다.

왕과 왕비는 새로운 시대를 기념하는 연회를 주재했다. 람세스는 카의 신전이 완공되었으며, 앞으로는 이 신전에 아무것도 덧붙여지지 않을 것이라고 선언했다. 이제 람세스의 치세를 상징할 주제와 형태들을 선택하는 일이 남아 있다. 그 상징물들은 탑문의 정문과 큰 마당의 벽을 장식할 것이다. 왕이 생명의 집의 제관들과 상의해 결정하기 위해서 상징의 선택을 뒤로 미룬 것은 현명한 처사라고 모두들 입을 모았다.

람세스는 아몬의 제4예언자인 바크헨의 태도를 높이 평가했다. 그는 자신의 공은 내세우지 않고, 조화의 법칙에 맞게 룩소르를 증축한 건축가들의 공을 높이 칭찬했던 것이다. 축하연이 끝나자, 왕은 누비아의 황금을 아몬 대사제에게 나누어주었다. 이제부터 금의 채취와 운반은 철저하게 감시될 것이다.

왕과 왕비는 북쪽으로 떠나기 전에 라메세움의 공사현장에 들렀다. 그곳에서도 바크헨은 자기가 한 약속을 지켰다. 측량사들과 토목공들, 그리고 석수들이 일하고 있었다. 영원의 신전은 사막으로부터 솟아오르기 시작했다.

―바크헨, 서두르도록 하라. 가능한 한 빨리 기초공사를 끝내야 한다.

―내일부터는 룩소르 현장의 인원이 이곳에 투입될 것입니다. 그러면 저는 실력 있는 인부들을 많이 확보하게 될 것입니다.

람세스는 공사가 자기의 설계도면대로 진행되고 있다는 것을 확인했다. 벌써 제단들과 대열주들이 늘어선 거대한 홀, 봉헌대, 실험실, 도서관 등이 눈에 보이는 것 같았다.

왕은 네페르타리와 함께 그 신성한 장소를 돌아다니며, 벽에 새겨지게 될 조각이나 신성문자들이 벌써 손에 만져지기라도 하는 것처럼, 앞으로 이 신전을 어떻게 꾸미려고 하는지에 대해 열심히 이야기했다.

─라메세움은 당신의 가장 위대한 작품이 될 거예요.

─그럴지도 모르지.

─왜 그렇게 말씀하세요, 안 믿으시는 거예요?

─왜냐하면, 나는 이집트를 신전으로 뒤덮고 싶기 때문이오. 나라 전체가 신들의 에너지로 뒤덮일 수 있도록, 그래서 이 땅이 하늘을 닮을 수 있도록 이집트에 수많은 예배의 전당을 짓고 싶소.

─어떤 신전이 영원의 신전을 능가하겠어요?

─누비아에서, 나는 비범한 장소를 하나 발견했소. 코끼리가 나를 그곳으로 인도했다오.

─이름이 무엇인가요?

─아부 심벨이라고 한다오. 하토르 여신의 보호를 받는 곳으로, 뱃사람들이 쉬어가는 곳이오. 나일 강은 그곳에서 아름다움의 절정을 이루고 있고, 강은 바위들과 결합하고 있소. 사암 절벽은 자기가 그 안에 품고 있는 사원이 세상에 태어나기를 기다리고 있는 것처럼 보였소.

─그렇게 먼 지역에 공사를 벌이면 어려움이 많지 않을까요?

─겉으로 보기엔 그렇겠지.

─선왕들 중에서 그런 모험을 감행했던 분은 아무도 없어요.

─그렇소. 그러나 난 성공할 것이오. 아부 심벨을 보고 난 이후로, 나는 끊임없이 그곳을 생각하고 있소. 그 코끼리는 보이지 않는

분께서 보내주신 전령이었소. 신성문자로 코끼리를 아부라고 부르지. 그건 그 장소의 이름과 같지 않소? 그리고 그 말은 '시작' 또는 '처음'이라는 뜻이 아니오? 이집트의 새로운 시작, 새로운 이집트의 첫 영토는 그곳에 위치해야 하는 거요. 바로 누비아의 심장인 아부 심벨에 말이오. 그 지역을 평화와 행복의 땅으로 만들기 위해선 그 수밖에 없소.

　─무모한 시도가 아닐까요?

　─무모하지. 그러나 그것이 카가 표현되는 방식이 아닐까? 내 안에서 타고 있는 불이 영원의 바위가 되는 거요. 룩소르와 피-람세스, 아부 심벨은 나의 욕망이며 나의 분신이오. 일상적인 일들만 관리한다면, 나는 나의 직분을 배반하게 되는 것이오.

　─나는 당신의 어깨에 기대어 사랑받는 여자의 행복을 느끼고 있어요. 하지만 당신도 내게 기대실 수 있어요. 거대한 입상이 받침돌 위에 세워지듯이 말예요.

　─아부 심벨의 계획에 찬성해주겠소?

　─그 계획이 당신 안에서 무르익고 자라게 하세요. 그 계획이 거역할 수 없는 모습을 가지게 될 때까지 말예요. 그리고 난 다음에 행동하세요.

　영원의 신전 경내에서 람세스와 네페르타리는, 자신들을 무적의 존재로 만들어주는 어떤 신비한 힘이 자기들에게 스며들고 있음을 느꼈다.

　마침내 공방들과 창고, 그리고 병영을 사용할 수 있게 되었다. 수도의 주도로들이 여러 거주지역을 이어놓았고, 신전들에까지 닿아 있었다. 신전들은 아직 건축중이었지만, 성체 안치소에서는 벌써 중요한 제의들이 집전되고 있었다.

일을 다 끝낸 벽돌공들의 뒤를 이어서, 피-람세스에 아름다운 외양을 부여해줄 장식가들과 정원사들, 화가들이 작업을 시작했다. 그러나 한 가지 불안이 남아 있었다. 이 모든 것이 과연 람세스의 마음에 들까?

모세는 궁전 지붕 위에 올라 도시를 바라보았다. 그 역시 람세스처럼 기적을 이루어냈다. 이것은 사람들의 노동과 엄격한 관리만으로 이루어질 수 있는 일이 아니다. 한 인간의 영혼과 열정을 모두 쏟아부어야 가능한 것이다. 모세는 이 도시를 아몬과 세트 따위에게 내어주는 대신 진정한 신에게 바칠 수 있다면 얼마나 좋을까 하고 생각했다. 말없는 우상들을 만족시키기 위해서 그렇게 많은 재능을 낭비하다니…….

다음에 짓는 도시는 진정한 신의 영광을 위해 지으리라. 나의 나라, 신성한 땅 위에! 람세스가 진정한 친구라면 나의 이상을 이해해줄 것이다.

모세는 주먹으로 발코니 가장자리를 내리쳤다.

아니다, 이집트의 왕은 절대로 소수민족의 반란을 용납하지 않을 것이다. 그가 자기의 왕좌를 아케나톤의 후손에게 내어줄 리가 만무하다. 정신나간 마법사놈 때문에 내 정신이 흔들렸을 뿐이다.

마음이 흔들렸다. 막막했다. 분노가 뜨거운 불길을 거느리고 그의 내면을 방향 없이 몰려다녔다.

아래를 내려다보다 그는 궁전의 한 후문 옆에 서 있는 오피르를 발견했다. 마법사가 모세를 올려다보며 말했다.

─얘기 좀 할 수 있을까?

─올라오시오.

오피르는 말이 나지 않게 움직일 줄 아는 사람이었다. 사람들은 그가 피-람세스 건설 총감독에게 이따금 유익한 충고를 해주는 건축가라고 생각하고 있었다.

모세가 오피르에게 단정적으로 말했다.

—난 포기했소. 더이상 길게 얘기할 필요 없소.

마법사는 모세의 말에 미동도 하지 않았다. 여전히 얼음처럼 냉정했다.

—무슨 일이 있었던 건가?

—깊이 생각해보았는데, 당신의 계획은 정신나간 짓이오.

—난 아톤 신을 섬기는 사람들의 전열이 상당히 강화되었다는 것을 알려주러 왔네. 중요한 지위를 가진 인사들이, 리타가 유일신의 축복을 받아 이집트의 왕좌에 올라야 한다고 생각하고 있어. 리타가 왕위에 오르면 히브리인들은 해방될 걸세.

—람세스를 무너뜨린다구…… 농담하는 거요?

—우리의 확신은 흔들림이 없다네.

—당신의 말에 왕이 겁을 집어먹을 거라고 생각하시오?

—우리가 말만 하고 말 거라고 누가 그러던가?

모세는 마치 낯선 사람을 바라보는 것처럼 오피르를 바라보았다.

—무슨 말인지 도무지…….

—그렇지 않아, 모세. 자네 역시 나와 같은 결론에 도달했어. 그 결론 때문에 겁을 집어먹고 있는 거야. 아케나톤이 패배자가 되어 박해당했던 건, 그에게 자기의 적들을 상대로 폭력을 사용할 용기가 없었기 때문일세. 폭력을 사용하지 않으면, 어떤 싸움에서도 이길 수 없어. 람세스가 자기의 권력을 아무에게나 내어줄 거라고 믿는 순진한 사람이 어디 있겠나? 그는 권력의 한 조각도 내어주지 않을 걸세. 우리는 그를 안에서 칠 걸세. 당신네 히브리인들은 반란을 일으켜야 하네.

—수백 명이 죽을 거요. 어쩌면 수천 명이 죽을 수도 있고. 당신

이 원하는 게 그런 살육입니까?

　—자네가 자네의 민족을 전투에 임할 수 있게 준비시킨다면, 이
길 수 있을 거야. 신께서 우리와 함께 계시지 않은가?

　—더이상 듣지 않겠소. 여기서 나가 주시오, 오피르.

　—여기가 싫다면 멤피스에서 다시 만나세. 장소는 어디든 자네
마음대로 정하게.

　—기대하지 마시오.

　—자네가 알다시피, 다른 길은 없네. 자네 내면의 소리에 저항하
지 말게. 자네 운명의 목소리를 짓누르지 말아. 우린 나란히 함께
싸우게 될 거야. 그리고 신께서 승리하실 걸세.

55

시리아 상인 라이아는, 뾰족한 턱수염을 쓰다듬었다. 그는 매년 번창하는 그의 장사에 만족했다. 멤피스에서도 테베에서도 그가 취급하는 절인 고기와 아시아 산 항아리들은 날이 갈수록 부유한 고객들의 인기를 끌었다. 새 수도 피-람세스의 창건은, 그에게는 새로운 시장이 열린다는 것을 의미했다. 라이아는 벌써 상가 중심지에 큰 가게를 열 수 있는 허가증을 받아두었고, 까다로운 고객들을 만족시킬 수 있도록 판매원들을 훈련시키는 중이었다.

그 행복한 날들을 그리면서 그는 시리아의 공방들에서 만들어진 기기묘묘한 형태의 값진 화병들을 백여 개 주문해두었다. 한 가지 화병을 하나씩만 주문해두었으므로, 화병들은 대단히 비싼 값에 팔릴 것이다. 라이아가 보기에는 이집트 장인들의 솜씨가 시리아 장인들보다 더 훌륭했지만, 부유층의 이국 취향과 속물근성 덕분에 그의 재산은 나날이 불어났다.

라이아는 셰나르를 지원하라는 히타이트 제국의 명령을 받아 람세스 암살을 한 차례 시도했지만, 실패한 뒤로는 그런 시도를 거의 포기한 상태였다. 경호체계가 워낙 빈틈없는 데다가, 꼬리가 길면 수사관들이 단서를 찾아낼지도 모른다고 생각했기 때문이다.

이미 3년 동안 람세스는 세티만큼이나 권위 있게 나라를 다스려 왔을 뿐 아니라 젊음의 불꽃까지 겸비하고 있었다. 왕은 어떤 장애물도 휩쓸어버릴 수 있는 격류 같은 사람이었다. 그의 새 수도 건설 계획이 이성을 벗어난 것이었음에도 불구하고, 아무도 그의 결정에 반대하지 못했다. 왕실도 백성도, 반대파를 휩쓸어버린 왕의 추진력에 놀라 모두 굴복해버린 듯했다.

수입해온 화병들 중에는 설화석고 화병이 두 개 있었다.

라이아는 창고 문을 닫고 나서도 한참 동안 바깥에서 나는 소리에 귀를 기울였다. 혼자라는 것이 확실해지자, 그는 주둥이에 보일락말락 붉은 표시가 되어 있는 화병 안에 손을 집어넣고 소나무로 만든 품질 표시판을 끄집어냈다. 거기에는 물건의 크기와 원산지 등을 나타내는 숫자들이 쓰여 있었다.

암호를 외우고 있는 라이아는 남시리아의 수입상이 건네준 히타이트의 메시지를 쉽게 해독해낼 수 있었다.

메시지를 읽고 질겁한 라이아는, 표시판을 부수어버리고 창고 바깥으로 달려나갔다.

―멋지군. 값이 얼만가?

라이아가 내민 긴 목의 파란색 화병을 보고 셰나르가 감탄했다.

―글쎄…… 값이 좀 비싸서요. 딱 하나밖에 없는 물건이거든요.

―흥정을 해보세. 어떤가?

화병을 가슴에 껴안고 라이아가 셰나르를 따라갔다. 셰나르는 지붕이 덮인 테라스로 그를 데려갔다. 여기라면, 아무도 그들이 나누는 밀담을 엿들을 수 없을 것이다.

―라이아, 내 생각이 틀린 게 아니라면, 자네는 지금 긴급조치를 발동한 것 같은데.

―그렇습니다.

―그럴 만한 정보가 있나?

―히타이트인들이 행동을 개시하기로 결정했답니다.

셰나르는 두려워하면서도 이런 소식이 오기를 기다려왔다. 자기가 파라오라면 이집트군에 비상경계령을 내리고, 국경지대의 경비를 강화할 것이다. 그러나 이집트가 가장 두려워하는 적은 그에게 왕위에 오를 기회를 만들어줄지도 모른다. 그는 이 비밀정보를 자기 이익을 위해서 최대한 활용해야 했다.

―좀더 자세하게 말해줄 수 없나?

―혼란스러우신 모양이군요.

―그럴 수밖에 없잖은가?

―그렇습니다, 나리. 저 역시 너무나 충격이 커서 아직까지도 머리가 멍합니다. 히타이트인들의 결정은 현재의 상황을 뒤집어놓을 수도 있습니다.

―그 이상일세, 라이아, 그 이상이란 말일세…… 이건 세계 전체의 운명과 연관되는 일일세. 자네와 나는 앞으로 일어날 사건의 주역이 되는 거야.

―저야, 정보를 전해드리는 하찮은 공작원에 지나지 않습니다.

―내가 외국 동지들과 접촉할 때 자네가 연락책이 되어주게. 내 전략의 상당 부분은 자네가 전해주는 고급 정보에 기대고 있네.

―저를 중요하게 생각해주시는군요.

―우리가 승리를 거둔 다음에도 이집트에서 살기를 원하나?

―전 이곳에 길이 들었습니다.

―부자가 되게 해주지. 아주 큰 부자가 될 거야. 나는 권력을 잡도록 도와준 사람들을 모르는 체하지 않을 걸세.

상인이 허리를 굽혀 절하면서 말했다.

―저는 나리의 시종입니다.

―더 자세한 지시는 없나?

―아직은 없습니다.

세나르는 몇 발짝 앞으로 걸어가 테라스 난간에 팔꿈치를 대고 북쪽을 바라보며 말했다.

―라이아, 오늘은 위대한 날일세. 나중에 우리는 기억하게 될 거야. 오늘 람세스의 몰락이 시작되었다고 말일세.

아샤의 연인은 깜찍한 여자였다. 장난꾸러기에다 기발한 그녀는 절대로 만족할 줄을 몰랐다. 그녀는 아샤의 육체로부터 그가 지금까지 알지 못했던 쾌락의 맛을 이끌어냈다. 그녀는 아샤가 두 명의 리비아 여자들과 세 명의 시리아 여자들을 거친 뒤 새로 사귀기 시작한 여자였다. 앞의 여자들은 예쁘긴 했지만, 재미가 없었다. 젊은 외교관은 사랑의 유희중에도 독창성을 요구했다. 그래야 감각이 해방되어 육체로 하여금 뜻밖의 멜로디를 내게 할 수 있다고 그는 생각했다. 그가 막 아가씨의 귀여운 발가락을 빨려고 하는 순간, 그의 집사가 침실 문을 쾅쾅 두들겨댔다. 어떤 경우에도 방해하지 말라고 단단히 일러두었던 터라, 그는 화가 머리끝까지 나서 옷을 걸칠 생각도 하지 못하고 문을 벌컥 열어젖혔다.

―용서하십시오…… 외무성에서 급한 전갈이 왔습니다.

아샤는 나무 서판을 읽어보았다. 세 마디 말뿐이었다.

'긴급 출두 요망'

새벽 두시, 멤피스의 거리는 텅 비어 있었다. 아샤의 말은 외무성 공관까지 전속력으로 달렸다. 그는 현관에 있는 토트 신의 조상에게 예를 올리는 것도 생략하고 계단을 네 칸씩 뛰어올라 비서가 기다리고 있는 자기 사무실로 달려갔다.

─귀찮으시더라도 알려드리는 게 나을 것 같아서······.

─무슨 일이야?

─북시리아에 있는 공작원이 긴급 문서를 보냈습니다.

북시리아는 히타이트의 지배를 받는 지역이었다.

─이번에도 또 엉터리 정보를 보낸 거라면 징계조치하겠어.

파피루스의 하단에는 아무것도 씌어 있지 않았지만 기름등잔에 대고 열을 쪼이자 초서체 신성문자가 나타났다. 신성문자를 빨리 빨리 쓸 때 사용하는 초서체는 급하게 흘려 쓰면 해독하기가 어려웠다. 더군다나 북시리아 공작원의 글씨체는 워낙 독특해서 도무지 알아보기가 힘들었다.

아샤는 읽고 또 읽었다. 비서가 물었다.

─긴급한 일이 맞습니까?

─나 혼자 있게 해주게.

아샤는 지도를 펼쳐놓고 공작원이 제공한 정보를 확인해보았다. 그가 잘못 판단한 것이 아니라면, 상황은 이집트에 가장 나쁜 방향으로 흘러가고 있는 것이다.

─아직 해도 뜨지 않았는데.

셰나르가 하품을 하며 중얼거렸다. 아샤가 공작원이 보낸 문서를 보이며 말했다.

─이걸 읽어보십시오.

문서는 셰나르의 졸음을 확 앗아가버렸다.

─히타이트인들이 중부 시리아의 마을 몇 개를 장악했나보군. 이집트가 인정한 그들의 영향권을 이탈해서 무력도발을 감행한 모양이야.

─공식적인 문서입니다.

─사상자는 없는 모양이군. 이집트를 떠보는 건지도 모르지.

─사실 처음 있는 일은 아니지요. 하지만 히타이트인들이 이렇게 남쪽으로 많이 내려온 적은 없습니다.

─자네가 내린 결론은 뭔가?

─히타이트인들은 남시리아를 전면 공격하려고 준비하고 있다는 겁니다.

─확실한 사실인가, 아니면 가정인가?

─물론 가정입니다.

─확실한 사실을 알아볼 수 있겠나?

─상황이 상황이니만큼, 짧은 간격으로 부지런히 정보를 보내줄 겁니다.

─어쨌든 가능한 한 오랫동안 침묵을 지키도록 하세.

─커다란 위험 부담을 안게 됩니다.

─알고 있네, 아샤. 하지만 그게 우리의 전략이야. 람세스가 국내외 정치에서 실수를 저지르게끔 만들어서 파멸시키려는 것이지. 그런데 히타이트인들이 생각보다 빨리 움직인 모양이군. 어쨌거나 우리는 이집트 군대의 준비를 최대한 늦춰야 하네.

셰나르의 말을 듣고 아샤가 반박했다.

─옳은 방법이 아닌 것 같습니다.

─이유는?

─첫째, 그래 봤자 우리가 벌 수 있는 시간은 고작 며칠뿐입니다. 반격을 막기에는 턱없이 모자라는 시간이지요. 둘째, 제 비서는 제가 중요한 정보를 전해받은 걸 알고 있습니다. 그 정보를 왕에게 서둘러 보고하지 않으면 비서가 이상하게 생각할 겁니다.

─그렇다면 우리가 제일 먼저 정보를 입수했다는 게 아무 도움도 안 된다는 얘기 아닌가?

─그렇지 않습니다. 왕은 저를 정보부장으로 임명했고, 저를 신임하고 있습니다. 달리 말하면, 그는 제 정보 분석을 믿을 거라는 얘깁니다.

셰나르가 미소를 지었다.

─아주 위험한 생각이군. 사람들 말로는 람세스가 사람들 마음을 읽는다던데?

─외교관의 마음은 읽을 수 없습니다. 저한테서 보고를 받았노라고 말씀하시면서 왕에게 문서 내용을 전하십시오. 그러면, 왕에게 신뢰감을 심어주게 될 겁니다.

셰나르는 고개를 끄덕이며 안락의자에 편안하게 몸을 묻었다.

─아샤, 자네는 무섭게 똑똑한 사람일세.

─저는 람세스를 잘 알고 있습니다. 그가 예민하지 않은 사람이라고 생각했다간 큰코 다칩니다.

─알겠네. 자네 계획대로 하세.

─중요한 문제가 하나 남아 있습니다. 히타이트인들의 진짜 의도가 뭔지 알아내는 겁니다.

셰나르는 그들의 의도를 알고 있었다. 그러나 그는 자기의 정보원을 아샤에게 밝히지 않는 편이 나을 것이라고 판단했다. 만일 상황이 달라지면, 그를 희생시켜야 할지도 모르기 때문이다.

56

모세는 이리저리 뛰어다녔다. 공공건물의 벽과 창문을 점검해보고 마차를 타고 거리를 순회하며 일을 빨리 끝내도록 화가들을 다그쳤다. 왕과 왕비가 도착할 날이 며칠 남지 않았다. 이제 곧 피-람세스의 완공식이 열릴 것이다.

수많은 실수들이 눈에 띄었지만, 어떻게 그 짧은 시간 안에 그 실수들을 다 고치겠는가? 벽돌공들은 일손이 달려 쩔쩔매는 다른 분야의 일꾼들을 도와주었다. 마지막까지 밀어붙이고 있는데도 모세의 인기는 여전했다. 그의 의지는 사람들의 마음에 전달되어 그들을 설득했다. 꿈이 현실이 되었기 때문에 그의 말은 더더욱 호소력 있게 느껴졌다.

피곤했지만, 모세는 저녁마다 그의 히브리인 친구들과 오랫동안 시간을 함께 나누곤 했다. 그는 그들의 하소연과 그들의 희망에 귀 기울였다. 그는 이제 망설임 없이 자신이 자기 정체성을 찾고 있는 한 민족의 지도자임을 스스로 인정했다. 그와 이야기를 나누는 사람들은 그의 생각을 두려워하면서도 그의 존재에 매혹되었다. 사람들은 막연하게 생각했다. 모세는 피-람세스의 엄청난 모험을 끝낸 뒤 자기 민족에게 새로운 길을 열어주려고 하는 것일까?

몸과 마음이 모두 지쳐 있었지만, 모세는 잠을 푹 자지 못했다. 꿈속에 오피르의 얼굴이 자꾸 나타나 잠을 방해했다. 아톤 숭배자인 오피르의 생각은 틀리지 않았다. 서로의 길이 완전히 어긋날 때는 대화로 해결할 수 없다. 행동해야 한다. 또 행동에는 종종 폭력이 수반되게 마련이다.

람세스가 맡긴 임무를 수행했으므로, 모세는 이제 이집트의 왕에 대한 모든 의무에서 풀려날 수 있게 되었다. 그러나 그에게는 친구를 배반할 권리가 없었다. 그는 왕에게 왕을 노리고 있는 위험을 알려주겠다고 다짐했다. 마음의 짐을 덜어버리고 나면, 완전히 자유로워질 수 있을 것이다.

왕실 전령에 의하면, 파라오와 왕비는 다음날 정오 무렵에 피-람세스로 입성할 예정이었다. 인근에 있는 도시와 마을 주민들이 행사를 놓치지 않기 위해 새 수도에 모여들었다. 안전요원들이 손이 달려서 수상한 사람들이 들어와 자리를 잡아도 막을 수가 없을 지경이었다.

모세는 교외의 시골 벌판을 산책하면서 공사장 총감독으로서의 마지막 시간들을 보내고 싶었다. 그러나 그가 막 피-람세스를 벗어나려고 하는 순간, 건축가 하나가 헐레벌떡 달려왔다.

─좌상이…… 좌상이 미쳤나봐요.

―아몬 신전의 좌상 말인가?

―어떻게 해볼 수가 없어요.

―건드리지 말라고 했잖나!

―저희들 생각으로는…….

모세의 마차는 질풍처럼 도시를 가로질러 갔다.

아몬 신전 앞에서 재난이 일어나고 있었다. 왕좌에 앉은 왕의 모습을 조각한 200톤짜리 거대한 좌상이 건물 정면을 향해 서서히 미끄러지고 있었던 것이다. 그것이 건물 정면을 치면, 건물이 부서지든 좌상이 넘어져 부서지든 피해가 엄청날 것 같았다. 만약 그렇게 되기라도 하면 완공식날 람세스가 어떤 광경을 보게 되겠는가!

50명 남짓한 남자들이 겁에 질려 거대한 좌상이 실려 있는 나무 썰매의 밧줄을 있는 힘을 다해 잡아당겼지만 아무 소용도 없었다. 밧줄이 닿는 부분을 보호하기 위해 좌상에 둘러놓은 여러 개의 가죽띠들도 다 찢어져버렸다. 모세가 사람들에게 다급하게 물었다.

―어떻게 된 거야?

―작업을 지시하기 위해서 거상 위에 올라갔던 십장이 앞으로 넘어졌습니다. 그가 돌에 깔리지 않게 하려고, 인부들이 나무 제동 장치를 작동시켰어요. 그랬더니 좌상을 실은 썰매가 자꾸 진흙길을 벗어나 엉뚱한 방향으로 가더라구요. 저 진흙길은 썰매를 움직이는 미끄럼틀 역할을 하거든요. 썰매가 이슬에 젖어서…….

―최소한 150명의 인원이 필요하다!

―기술자들은 다른 데 가 있는데…….

―빨리 우유 항아리를 가져와.

―몇 항아리나요?

―수천 개가 필요해! 그리고 당장 도와줄 사람들을 불러와.

모세가 같이 있다는 사실에 안심이 된 장인들은 다시 침착해졌다. 모세가 거상의 밋밋한 옆면을 따라 올라가, 화강암 발판에 서서 썰매 앞쪽에다 우유를 붓기 시작하는 것을 보고 그들은 희망을 되찾았다. 모세는 새 길을 만들려는 것이다. 사람들은 일렬로 늘어서서 계속해서 모세에게 우유 항아리를 건네주었다. 모세의 지시대로 급하게 달려온 보조 인원들은 썰매의 옆과 뒤에 긴 밧줄을 붙잡아 맸다. 거상이 미끄러지는 속도를 줄이기 위해서 백여 명의 사람들이 밧줄을 잡아당겼다.

거상은 조금씩 방향을 바꾸더니 제 방향으로 접어들었다. 그러자 모세가 소리를 질렀다.

─제동용 들보를 가져와!

그때까지 멍청하게 서 있던 서른 명 정도의 남자들이, 톱니가 나 있어 썰매가 미끄러지지 않게 해주는 들보를 아몬 신전 앞, 람세스의 좌상이 놓일 자리에 가져다놓았다.

좌상은 얌전하게 우유 미끄럼틀을 따라 내려와 적절한 순간에 속도를 늦추더니 제자리에 멈추어 섰다.

땀으로 뒤범벅이 된 모세가 땅으로 뛰어내렸다. 단단히 화가 나 있는 그를 보고, 모두들 이체 크게 혼이 나겠구나 하고 생각했다.

─일을 이렇게 엉망으로 만든 놈을 데려와. 거상에서 떨어졌다는 놈 말야.

─이 사람입니다.

두 명의 인부가 아브네를 앞으로 떠밀었다. 아브네가 모세 앞에 무릎을 꿇고 앉았다. 그가 작은 소리로 신음하듯이 말했다.

─용서해주십시오. 몸이 아파서, 저는…….

─자넨 벽돌공이 아닌가?

─그렇습니다. 아브네라 합니다.

─벽돌공이 이 공사장에서 뭘 하고 있는 거야?

—전…… 몸을 숨기느라고…….

—도대체 무슨 소릴 하고 있는 거야?

—절 믿어주셔야 합니다.

아브네는 히브리인이었다. 모세는 자초지종을 들어보지 않고는 그에게 벌을 내릴 수 없었다. 그는 이 가련한 히브리인이 자기와 단둘이 있고 싶어한다는 것을 알아차렸다.

—아브네, 날 따라와.

이집트인 건축가 하나가 불쑥 끼어들었다.

—이 사람은 중대한 실수를 저질렀습니다. 그를 무죄석방하는 건 그의 동료들을 모욕하는 겁니다.

—그를 심문해보겠다. 그러고 난 다음에, 결정을 내리겠다.

건축가는 고개를 숙여 예를 갖추었다. 그러나 그는, 아브네가 이집트인이었다면 모세가 이렇게까지 세심한 배려는 하지 않았을 것이라고 생각했다. 이 왕실 공사장 총감독은 몇 주 전부터 편파적인 행동을 하고 있는데, 그런 행동은 결국 그에게 해로운 결과를 가져다주게 될 것이다.

모세는 아브네를 자기 수레에 태운 뒤, 가죽끈으로 그를 묶었다.

—오늘 너는 엄청난 실수를 저질렀다. 그렇게 생각지 않나?

—용서해주십시오. 부탁입니다!

—그만 징징대고 나에게 전부 털어놔봐.

모세의 관사 앞에는 작은 안뜰이 하나 있었다. 두 사람은 모세의 집 앞에 도착해 마차에서 내렸다. 모세는 허리에 두른 로인클로스와 가발을 벗은 뒤, 무거운 물동이를 가리키며 아브네에게 지시를 내렸다.

—이 낮은 담장에 올라가서, 내 어깨에다 천천히 물을 부어주게.

모세가 풀로 살갗을 문지르는 동안, 아브네는 무거운 물동이를 들고 모세에게 물을 부어주었다.

　—아브네, 꿀먹은 벙어리가 되어버렸나?

　—무섭습니다.

　—왜?

　—협박을 당했거든요.

　—누구한테?

　—전…… 말씀드릴 수가 없습니다.

　—계속 입을 다물고 있으면, 중대한 업무상 과실을 저지른 혐의로 자네를 재판에 넘기는 수밖에 없네.

　—안 됩니다. 그랬다간 일자리를 잃게 될 거예요.

　—그거야 정당한 조처지.

　—맹세코 그렇지 않습니다.

　—그럼 사실을 말해봐.

　—돈을 빼앗겼습니다. 그리고 협박을 당했어요.

　—누구한테?

목소리를 낮추어서 아브네가 대답했다.

　—어떤 이집트인입니다.

　—그의 이름은?

　—말씀드릴 수 없습니다. 영향력 있는 사람이거든요.

　—두 번 묻지 않겠다.

　—보복할 겁니다.

　—나를 믿나?

　—감독님께 말씀드리려고 여러 차례 생각했었습니다. 하지만 그 사람이 너무나 무서웠습니다.

　—그만 떨고 그 사람 이름을 말하게. 더이상 자네를 괴롭히지 못하게 하겠다.

공포에 질린 아브네가 물동이를 바닥에 떨어뜨렸다. 물동이가 산산조각이 났다. 아브네가 더듬더듬 말했다.

─사리…… 사리입니다.

왕의 함대가 피-람세스로 이르는 운하에 들어섰다. 왕실 인사들 전원이 왕과 함께 함대에 타고 있었다. 모두들 새 수도를 보고 싶어 안달이었다. 왕의 마음에 들고 싶으면, 앞으로 이곳에 와서 살아야 하기 때문이었다. 모두들 드러내놓고 말하진 못했지만 완곡한 표현으로 새 수도 건설을 비난했다. 어떻게 그렇게 급조된 도시를 멤피스에 견줄 수 있겠는가? 람세스는 엄청난 실패를 경험하게 될지도 모른다. 그렇게 되면 피-람세스를 포기할 수밖에 없을 테고.

파라오는 뱃머리에 서서 삼각주를 이루고 있는 나일 강을 바라보았다. 배는 나일 강의 주류에서, 수도로 이어지는 운하에 접어들었다.

세나르가 왕 옆에 다가와, 난간에 팔꿈치를 기대고 섰다.

─때가 적당하지 않다는 생각은 들지만, 어쩔 수 없이 심각한 얘기를 해야겠네.

─그렇게 긴급한 이야기입니까?

─그런 것 같아. 좀더 일찍 이야기를 나눌 수 있었다면, 이렇게 행복한 시간에 성가시게 굴지 않았을 텐데, 하지만 통 가까이 올 수가 없어서…….

─말씀하십시오. 듣겠습니다.

─왕이 맡겨준 일에 전력을 다하고 있네. 그리고 왕에게는 좋은 소식들만 가져오고 싶었지.

─좋은 소식이 아닌 모양이군요.

─나에게 들어온 보고서를 읽어보니, 상황이 좀 나빠지고 있는

것 같네.

─본론을 말씀하십시오.

─히타이트인들이 선대에 약속된 영향권을 이탈해서 중부 시리아로 쳐들어간 것 같네.

─확인된 사실입니까?

─그렇다고 말하기엔 아직 너무 이른 것 같지만, 왕에게 제일 먼저 알려야 할 것 같아서. 요즘 히타이트 족의 도발이 부쩍 늘어났으니, 이번 정보도 실제보다 좀 과장된 소문에 근거한 것일 수도 있겠지. 그러나 어쨌든 조심하는 게 나을 것 같아.

─명심하겠습니다.

─내 말을 안 믿는 건가!

─형님께서 먼저 아직 확실한 사실은 아니라고 말씀하지 않았습니까. 정보를 받으시는 대로 나에게 전해주십시오.

─나를 믿어주게나.

물살이 빠르고 바람도 마침 제대로 불어준 덕에 함대는 빠른 속도로 앞으로 나아갔다. 셰나르의 이야기는 람세스를 생각에 빠지게 만들었다. 형은 그의 역할을 정말 진지하게 수행하고 있는 것일까? 셰나르는 돋보이려고, 외무대신으로서 자신의 능력을 과시하기 위해 히타이트 족의 시리아 침략을 꾸며냈을 수도 있다.

중부 시리아…… 이집트도 히타이트도 영향력을 행사하지 않는 중립지대였다. 두 나라는 그곳을 군사력으로 강점하는 것을 자제하고 정보원들만 상주시키고 있었다. 세티가 카데슈를 무력으로 진압하는 것을 포기한 이후로 두 나라는 잠재적 유격전만을 벌여왔다고 볼 수 있다.

전략적 거점인 피-람세스의 창건이 히타이트 족의 호전적 기질을 자극했을 수도 있다. 그들은 젊은 파라오가 아시아와 아시아의

왕국을 중요하게 생각한다는 사실을 불안하게 생각했을지도 모른
다. 람세스에게 진실을 이야기해줄 수 있는 사람은 단 한 사람, 정
보부장인 그의 친구 아샤뿐이었다. 세나르의 보고는 피상적 사실의
나열일 뿐이다. 아샤는 자신의 조직망을 가지고 있으니 적의 진짜
의도가 무엇인지 알고 있을 것이다.

그때, 커다란 돛대 꼭대기에 기어올라갔던 선원 하나가 환호성을
질렀다.

─저기 도시가 보인다…… 피-람세스다!

57

빛의 아들 람세스는 혼자서 황금빛 마차를 타고 아몬 신전으로 향하는 피-람세스의 간선도로에 접어들었다. 그는 정확히 정오에 맞춰 태양처럼 등장했다. 그에게서 뿜어져 나오는 광채가 그의 도시에 생명력을 불어넣었다. 깃털로 화려하게 장식한 두 마리 말 곁에는 머리를 쳐들고 갈기를 바람에 휘날리며 람세스의 사자가 걸어가고 있었다.

왕에 대해서뿐만 아니라 그 어마어마한 몸집의 야수를 호위병으로 거느릴 수 있는 왕의 초자연적인 힘에 놀라서 군중은 모두 침묵했다. 얼마나 지났을까, 누군가 "람세스 폐하 만세"라고 소리를 질렀다. 봇물이 터지듯 열 명이, 백 명이, 천 명의 목소리가 그 뒤를 이었다. 환호성은 떠나갈 듯했다. 왕이 속도를 바꾸지 않고 천천히,

그러나 위풍당당하게 마차를 모는 동안 환호성은 끊이지 않았다.

귀족들도 장인들도 농부들도 모두들 명절 의상을 입고 있었다. 부드러운 모링가 기름을 바른 그들의 머리카락이 햇빛에 반짝였다. 여자들은 아름다운 가발로 머리를 치장하고 있었으며, 어린이들과 하인들은 꽃과 나뭇잎들을 한아름 안고 있다가 왕의 마차가 자기들 앞을 지나갈 때 힘껏 뿌렸다.

야외 잔치가 준비되어 있었다. 새 궁전의 집사는 고급 밀가루로 만든 빵 천 개, 잘 구워진 커다란 둥근 빵 2천 개, 과자 만 개, 육포와 우유, 캐롭, 포도, 그리고 석류 등을 주문해두었다. 어딜 봐도 구운 거위고기, 사냥으로 잡은 짐승 고기, 생선, 오이와 파 등은 물론이고, 궁전 지하실에서 나온 포도주 수백 항아리와 간밤에 주조된 맥주 항아리들로 넘쳐났다.

새로운 수도가 탄생하는 오늘, 파라오는 자기 백성을 왕의 식탁에 초대했던 것이다.

계집아이들은 모두 울긋불긋한 새 옷을 입고 있었다. 말들은 리본과 작은 장미 모양의 구리장식으로 치장했고, 나귀들의 목에도 꽃다발이 걸려 있었다. 집에서 기르는 개나 고양이, 원숭이들은 평소에 먹던 것보다 두 배는 더 먹을 수 있었다. 노인들은 지위고하를 막론하고 단풍나무와 페르세아 그늘 밑의 편안한 자리에 모셔진 뒤, 제일 먼저 음식 대접을 받았다.

잔치가 끝난 뒤, 사람들은 청원서를 준비했다. 어떤 사람들은 집을, 어떤 사람들은 일자리를, 또 어떤 사람들은 암소 한 마리를 요청했다. 아메니가 그 청원들을 모아서 관대하게 처리할 것이다. 이런 태평성대에 관대함은 반드시 필요한 것이다.

히브리인들도 기뻐했다. 열심히 일한 끝에, 적절한 급료가 지급되는 유급휴가를 오랫동안 누릴 수 있게 되었을 뿐 아니라 이집트 왕국의 수도를 자기들 손으로 지었다는 사실에 보람을 느꼈다. 그들은 두고두고 대를 물려가면서 자기들이 이룬 업적에 대해 이야기할 것이다.

람세스의 마차가 왕의 모습을 조각한 거대한 좌상 앞에 멈추어서자, 그를 따르던 군중이 숨을 죽였다. 바로 어제, 자칫 재난의 주인공이 될 뻔했던 바로 그 파라오의 석상이었다.

자신의 석상 앞에 선 왕은 하늘을 향해 고개를 든 그 바위 거인의 눈 속에 자신의 시선을 박아넣었다. 석상의 이마에는 입을 벌리고 독을 뿜어내는 코브라 우라에우스가 조각되어 있었다. 우라에우스의 뜨거운 독은 왕의 적을 눈멀게 할 것이다. 머리 위에 '두 땅'의 결합을 의미하는 상 이집트의 흰 왕관과 하 이집트의 붉은 왕관을 쓴 파라오의 석상은 의자 위에 앉아 두 손을 로인클로스 위에 반듯하게 올려놓고 자신의 도시를 내려다보고 있었다.

람세스가 마차에서 내렸다. 석상처럼 두 개의 왕관을 쓴 그는, 넓은 소매가 달린 풍성한 아마옷에 금빛의 로인클로스를 받쳐 입고, 은빛 허리띠를 잡아맨 차림을 하고 있었다. 가슴까지 내려온 황금 목걸이가 번쩍였다.

―나의 통치와 내 도시의 카를 상징하는 그대, 내 그대의 입과 눈과 귀를 여노라. 이 순간부터 그대는 살아 있는 존재이니, 감히 그대의 살을 공격하는 자는 죽음의 벌을 면치 못하리라.

태양이 파라오의 머리끝에서 수직으로 이어지는 정점에 있었다. 파라오가 그의 백성을 향해 돌아섰다.

―피-람세스가 태어났도다. 피-람세스는 이 나라의 수도이다!

열광적인 수천 군중의 목소리가 그 선언을 따라 외쳤다.

람세스와 네페르타리는 하루 종일 대로와 골목길을 구석구석 돌아보며 피-람세스의 모든 것을 살펴보았다. 왕비는 눈이 휘둥그레져서 피-람세스에 '터키석의 도시'라는 별명을 붙여주었고 그 별명은 곧 사람들의 입에서 입으로 퍼져나갔다. 반짝이는 파란색 기와 때문이었다. 그 기와야말로 모세가 람세스를 위해서 끝까지 함구했던 그들만의 비밀이었다. 귀족들의 저택이든 서민의 집이든 모두 유약을 발라 구운 찬란한 파란색 기와로 덮여 있었다.

피-람세스에 기와공장을 차리게 하면서도, 람세스는 과연 그렇게 짧은 기간에 그 많은 기와를 구워낼 수 있으리라곤 생각하지 않았다. 어쨌든 도시는 그 기와 덕에 전체적인 통일성을 가지게 되었다.

모세도 우아하고 기품 있는 차림으로 의전장(儀典長)으로서의 역할을 성실히 수행했다. 람세스가 그의 죽마고우를 고위직에 임명하리라는 점엔 의심의 여지가 없어 보였다. 두 사람이 협력해서 이루어낸 일이었지만, 모세의 성공이 더욱 눈부셨다. 왕은 아무런 불만도 표시하지 않았다. 왕은 자기가 바라던 대로 이루어졌고 오히려 자기가 바라던 것 이상을 해주었다며 모세를 칭찬했다.

세나르는 분노했다. 마법사 오피르가 자기에게 거짓말을 했거나, 아니면 모세를 조종하고 있다고 착각한 것이다. 이렇게 대단한 성공을 이루어냈으니, 모세는 이제 부자가 될 것이고 파라오의 충실한 신하가 될 것이다. 종교적인 문제 따위로 람세스에게 맞선다는 것은 자살행위이다. 모세의 동족들은 이미 이집트에 너무나 깊숙이 자리잡고 있었기 때문에 이집트를 빠져나갈 생각은 추호도 하지 않을 것이다. 이제 세나르의 진정한 동지는 히타이트인들뿐이다. 독사처럼 위험한 종족이지만, 동지는 동지였다.

궁전에서 열린 연회는 귀족들을 매혹했다. 기둥이 늘어선 대연회장은 조화롭고 평화로운 자연을 묘사한 그림으로 장식되어 있었다. 귀족들은 네페르타리의 아름다움과 기품에 반해버렸다. 그녀는 왕궁의 마술적인 보호자답게 한 사람 한 사람에게 어울리는 말을 찾아내어 다정하게 말을 걸었다.

사람들의 시선은 바닥에서 떠날 줄 몰랐다. 유약을 발라 구운 타일 하나하나에는 신선한 물이 고인 연못, 꽃핀 정원, 파피루스 숲을 날아다니는 흰 새들, 활짝 핀 연꽃이나 연못에서 헤엄치는 물고기들의 그림이 새겨져 있었다. 연두색, 밝은 파랑, 다른 색이 엷게 밴 흰색, 황금빛 나는 노란색과 보라색이 창조의 완전함을 노래하는 부드러운 색채의 교향악을 빚어내고 있었다. 람세스는 끊임없이 기적을 이루어내고 있는 것이다.

파라오가 모세의 어깨에 손을 올려놓고 큰 소리로 말했다.

—여기 이 사람 덕분에 이 도시가 탄생하게 되었다.

사람들의 대화가 뚝 끊겼다.

—의전 절차상 어쩔 수 없이 나는 내 의자에 앉아서 내 앞에 꿇어앉은 모세에게 그의 선하고 충성스러운 봉사에 대한 보답으로 황금 목걸이를 내린다. 그러나 그는 내 친구, 나의 죽마고우이며, 우리는 함께 이 싸움을 해왔다. 나는 이 수도를 구상하였으며 그는 나의 계획에 따라 그것을 실현하였다.

람세스는 엄숙하게 모세를 껴안았다. 파라오의 가장 각별한 치하의 방법이었다.

—모세는 그의 후계자가 훈련을 받는 몇 달 동안 더 왕실 공사장 총감독으로 일하게 된다. 그후 그는 이집트의 가장 위대한 영광을 위하여 내 곁에서 일하게 될 것이다.

가장 최악의 상태를 예상했던 셰나르의 생각이 들어맞았다. 이 두 친구가 손발을 맞추면 능히 최강의 군대보다 더 무서운 힘을 발휘하게 될 것이다.

모세에게 축하 인사를 건네다 아메니와 세타우는 모세의 짜증스러운 표정을 알아채고 깜짝 놀랐다. 그들은 그가 너무 흥분해서 그런 모양이라고 생각했다.

모세가 단언하듯이 말했다.

─람세스는 잘못 생각하고 있네. 나는 람세스가 생각하는 것만큼 능력이 있는 사람이 아니야.

아메니가 자기의 생각을 이야기했다.

─자넨 뛰어난 총리대신이 될 거야.

세타우가 빙글거리며 말했다.

─하지만 자네는 이 머리숱 없는 서기관의 명령을 받게 되지. 실제로 나라를 다스리는 건 이 친구니까 말일세.

─세타우, 자네 조심해!

─아, 음식이 참 맛있군. 잘생긴 뱀 몇 마리만 잡을 수 있다면, 여기서 로투스랑 자리잡고 살아도 좋겠다. 아샤는 왜 안 왔지?

─몰라.

아메니가 대답했다.

─출세길에 지장 있겠군. 별로 외교관답지 않은 행동인데.

세 친구는 람세스가 어머니 투야 대비에게 다가가 이마에 키스하는 모습을 바라보았다. 결코 걷히지 않을 슬픔이 드리워진 그녀의 진지하고 섬세한 얼굴에 자랑스럽다는 표정이 떠올랐다. 그녀가 당장 피-람세스의 궁전에서 살겠다고 말하는 순간, 람세스의 성공은 완전한 것이 되었다.

이미 완성되어 있기는 했지만 새 사육장은 아직 비어 있었다. 거기에 이국적인 새들을 넣으면 궁정 신하들이 새들을 바라보고, 새

소리를 들으며 즐거워할 것이다. 모세는 잔뜩 긴장한 표정으로 팔짱을 끼고 기둥에 몸을 기대고 서서, 친구를 바라보려고도 하지 않았다. 이젠 인간 람세스는 잊어야 한다. 난 지금 나의 맞수, 이집트의 파라오에게 말을 건네는 것이다.

—자네와 나만 빼고 모두들 잠들었네.

—모세, 자네 피곤해 보이네. 우리 내일 얘기하면 어떨까?

—난 이제 이런 연극은 그만 두겠네.

—무슨 연극 말인가?

—난 히브리인이고, 그리고 유일신을 믿어. 자넨 이집트인이고 그리고 우상을 숭배하지.

—또 어린 시절에 하던 그 이야기인가?

—이 이야기가 듣기 싫겠지. 왜냐하면 그게 진리니까.

—모세, 자넨 이집트의 지혜를 배우고 자라났어. 그리고 형태도 없고 알 수도 없는 자네의 유일신이란 것은 삶의 모든 면면에 숨어 있는 힘이야.

—그분은 양 따위의 몸 속엔 계시지 않아!

—아몬은 생명의 비밀이시지. 그분은 돛을 부풀리는 보이지 않는 바람 속에서도, 빙빙 말린 모양으로 창조의 조화로운 발달의 흔적을 보여주는 산양의 뿔 속에서도, 신전의 살을 이루고 있는 바위 안에서도 모습을 드러내시지. 그분은 그 모든 것이시기도 하고 또 전혀 그 모든 것이 아니기도 해. 자네도 이 지혜를 잘 알고 있지 않나.

—그건 환상에 불과해! 신은 한 분뿐이시네.

—그렇다고 해서 한 분이신 채로 그의 피조물들 안에 여러 모습으로 현현하실 수 없는 건 아니잖은가?

—그분에겐 자네의 신전과 조각들이 필요치 않으시네.

—다시 말하네만, 자넨 지쳤어.

—내 확신은 확고해. 파라오도 그걸 바꿀 순 없네.

—만일 자네의 신이 자네를 옹졸하게 만든다면, 조심하게. 그가 자네를 광신자로 몰고 갈 테니까.

—람세스, 조심해야 할 건 오히려 자넬세. 이 나라 안에서는 이미 어떤 힘이 자라나고 있네. 아직은 망설이고 있는 힘이지만, 그러나 진리를 위해 싸우는 힘일세.

—무슨 말인지 설명해보게.

—아케나톤과 유일신에 대한 그의 믿음을 기억하고 있나? 그가 길을 보여주었네, 람세스. 그의 목소리와 나의 목소리를 듣게. 그렇지 않으면 자네의 왕국은 무너질걸세.

58

이제 상황은 분명해졌다. 모세는 람세스를 배반하지 않았으며, 그에게 그를 노리고 있는 위험이 있다는 것까지 경고했다. 마음이 평화로워진 모세는 이제 자기의 운명을 향해 나아갈 수 있고 그의 영혼을 집어삼켰던 불을 자유롭게 풀어놓을 수 있을 것 같았다.

한 분뿐이신 신 야훼는 어떤 산에 살고 계셨다. 이제 그는 그 산을 찾아가려 하고 있다. 아무리 힘든 여행이라도 그는 기어이 그곳에 이를 것이다. 몇 명의 히브리인들이 모든 것을 잃을 각오로 그를 따라 나서겠다고 결심했다. 짐을 다 꾸리고 나서야 모세는, 자기가 지키지 않은 약속이 있다는 것을 떠올렸다. 이집트를 영원히 떠나기 전에 이 언약의 빚을 청산해야 한다.

도시 서쪽에 있는 사리의 집까지는 멀지 않았다. 그 집은 한때 튼튼한 야자수들이 서 있던 옛 야자수 숲 가장자리에 있었다. 그는 물고기들이 뛰노는 연못가에서 맥주를 마시고 있는 사리를 발견했다.

—모세 아닌가! 피-람세스를 일구어낸 진짜 주역을 맞게 되어 큰 기쁨일세그려! 나에게 어째서 이런 명예를 베풀어주시는가?

—나는 전혀 기쁘지 않소. 이렇게 방문한 건 당신의 명예와 전혀 상관없는 일이오.

사리가 화가 나서 벌떡 일어났다.

—건방지게 굴었다간 장래를 망치기 십상이지. 지금 누구에게 말하고 있는 건지 잊어버렸나?

—악당에게 말하고 있소.

사리가 모세를 치려고 손을 쳐들었지만, 모세가 그의 손을 잡고 꼼짝도 못하게 했다. 그는 사리의 몸을 굽혀서 꿇어앉게 만들었다.

—당신은 아브네라는 사람을 못살게 굴었소.

—아브네라고? 누군지도 모르는 사람이야.

—사리, 거짓말 마시오. 당신은 그의 돈을 빼앗고 협박했소.

—하찮은 히브리 벽돌공일 뿐이야.

—나도 하찮은 히브리놈이오. 하지만 난 당신의 팔을 분지를 수도 있고 당신을 불구자로 만들어버릴 수도 있소.

—감히 못 그럴걸!

—내 인내심이 한계에 와 있으니 알아두시오. 다신 아브네를 괴롭히지 마시오. 안 그랬다간 모가지를 끌고 법정으로 데리고 갈 테니까. 다신 안 그러겠다고 맹세하시오!

—나는…… 다시는 안 그러겠다고 맹세한다.

—파라오의 이름을 걸고?

—파라오의 이름을 걸고.

—맹세를 지키지 않았다간, 저주를 받을 거요.

모세가 사리를 놓아주며 말했다.

―운이 좋은 줄 아시오.

지금 떠나야 할 입장이 아니라면, 모세는 사리를 고발했을 것이다. 그러나 그는 경고만으로 충분하기를 바랐다.

하지만 어쩐지 불안했다. 사리의 눈 속에서 복종의 눈빛이 아니라, 증오의 눈빛이 번쩍이는 것을 보았기 때문이다.

모세는 야자수 뒤에 숨었다. 오래 기다릴 필요도 없었다.

사리는 집에서 몽둥이를 들고 나오더니 남쪽으로 접어들었다. 벽돌공들의 집이 있는 지역이었다.

모세는 충분한 거리를 두고 그를 따라갔다. 그는 사리가 반쯤 열려 있는 문을 통해서 아브네의 집으로 들어가는 것을 보았다. 곧이어 비명소리가 들려왔다.

모세는 당장 집 안으로 달려들어갔다. 어렴풋한 불빛 사이로 아브네를 패고 있는 사리가 보였다. 아브네는 땅을 다져 만든 바닥에 쓰러져 얻어맞지 않으려고 손으로 얼굴을 가리고 있었다.

모세가 사리의 손에서 몽둥이를 빼앗아 그의 머리를 한 대 세게 때렸다. 목덜미에서 피를 흘리며 사리가 쓰러졌다. 모세가 소리를 질렀다.

―사리, 일어나시오. 그리고 꺼져버려요.

사리가 꼼짝도 하지 않았다. 아브네가 그에게 기어갔다.

―감독님…… 죽었나 봐요.

―그럴 리 없어. 별로 세게 치지도 않았는데!

―숨을 안 쉬어요.

모세는 무릎을 꿇고 앉아 사리의 목을 만져보았다.

그는 지금 막 사람 하나를 죽인 것이다.

골목길은 조용했다. 아브네가 모세에게 말했다.

―도망가셔야 해요. 만일 경찰에게 잡히면…….

―난 나를 변호하겠네. 아브네, 자네 목숨을 살리기 위한 행동이었다고 자네가 증언해주면 되잖는가.

―누가 믿어주겠습니까? 우리를 공범으로 고발할 거예요. 도망가세요. 어서 도망가시라구요!

―큰 자루가 있나?

―예, 연장 망태기가 있어요.

―그걸 가져오게.

모세는 망태기 안에 사리의 시체를 집어넣고 어깨에 짊어졌다. 그는 시체를 모래 땅에 묻은 뒤, 정신이 좀 돌아올 때까지 아직 사람이 입주하지 않은 빈 저택에 숨어 있었다.

경찰 순찰견이 심상치 않은 소리로 짖어대기 시작했다. 평소에는 아주 차분한 놈인데, 어찌나 끈을 잡아당기는지 끈이 끊어질 지경이었다. 주인의 끈에서 풀려난 개는 쏜살같이 모래땅을 향해 달려갔다.

개가 정신 없이 땅을 파냈다. 경찰들이 다가갔다. 죽은 자의 팔이, 어깨가, 얼굴이 차례로 드러났다. 경찰 한 사람이 말했다.

―이 사람을 알아. 사리라는 사람이야.

―왕의 매부 말야?

―그래, 분명히 그 사람이야. 이것 봐, 목덜미에 피가 엉겨 있어!

그들은 시체를 파냈다. 의심의 여지가 없었다. 누군가 사리를 때린 것이다. 그 일격이 사리에게는 치명상이었던 것이다.

모세는 밤새 우리에 갇힌 시리아 곰처럼 우왕좌왕했다. 악당의 시체를 숨기고 법의 심판을 피해 달아나려 했다니, 바보 같은 행동이다. 법은 오히려 그에게 무죄선고를 내릴지도 모르지 않는가. 그러나 아브네가 있다. 아브네는 무서워하고, 망설이고 있다. 그런데 그들은 둘 다 히브리인이었다. 모세의 적들은 이 비극을 빌미로 그를 파면시키려 할 것이다. 람세스조차도 모세에 대한 불리한 증언을 듣고 그를 엄하게 처벌할지도 모른다.

누군가가 가운데 부분만 완성되어 있는 그 건물 안으로 들어왔다. 벌써 경찰이 잡으러 온 것일까…… 싸워야지. 그들의 손에 잡혀갈 순 없다.

─감독님…… 감독님 접니다, 아브네예요. 여기 계시면 좀 나와보세요.

모세가 아브네 앞에 모습을 나타냈다.

─날 위해서 증언해주겠나?

─경찰이 사리의 시체를 찾아냈어요. 감독님은 살인죄로 기소되었구요.

─누가 고발했나?

─제 이웃들이요. 그들이 감독님을 보았어요.

─하지만 그들도 우리처럼 히브리 사람들이 아닌가?

아브네는 고개를 푹 숙였다.

─나처럼 그들도 경찰과 말썽이 생기는 게 싫은 거예요. 도망가세요. 여기엔 이제 감독님의 미래가 없어요.

모세는 분노했다. 나, 왕의 공사장 총감독이며, 장차 두 땅의 총리대신이 될 수도 있었던 내가 범인이 되어 도망 다니는 신세로 전락하다니! 몇 시간 만에 절정에서 구덩이로 굴러떨어졌구나…… 신께서 나의 신앙을 시험해보시기 위해 나를 이런 불행으로 짓누르시는 걸까? 이교도의 나라에서 편하지만 공허하게 살아가는 대신, 고적하지만 풍요로운 자유를 베풀어주시기 위해?

─난 밤이 오는 대로 떠나겠다. 잘 있게, 아브네.

모세는 벽돌공들이 살고 있는 구역을 향했다. 자기를 따르던 사람 몇 명에게 함께 떠나서 무리를 만들자고, 그렇게 해서 점점 더 많은 히브리 사람들을 모으자고 이야기할 생각이었다. 그들의 첫번째 조국이 비록 외지고 황폐한 곳이라 할지라도, 본을 보이자고…… 어떤 희생을 치르더라도 본을 보여야 하지 않겠느냐고.

아직 등잔불이 꺼지지 않은 집들이 몇 채 있었다. 아이들은 잠들었고, 부인네들은 두런두런 이야기를 나누고 있었다. 남편들은 잠자리에 들기 전에 처마 밑에 앉아 차 한 잔을 마시고 있었다.

모세의 친구들이 살고 있는 골목길에서 남자들이 싸우고 있었다. 가까이 다가가보니 아는 사람들이었다. 가장 열렬히 모세를 따르던 두 사람이었다. 한 사람이 다른 사람에게서 나무 걸상 하나를 훔친 모양이었다. 두 사람은 그 일로 서로에게 욕지거리를 퍼부어대고 있었다.

모세가 그들을 떼어놓았다.

—당신은…….

—시시한 일 가지고 싸우지 말고 날 따르게. 이집트를 떠나서 우리의 진정한 조국을 찾아가세.

두 히브리인 중 나이가 더 든 사람이 경멸의 눈초리로 모세를 노려보았다.

—누가 당신을 우리의 왕자이며 길잡이로 세웠소? 우리가 만일 당신 말을 듣지 않으면 이집트인을 죽였듯이 우리도 죽일 거요?

충격을 받은 모세는 아무 말도 못 하고 가만히 있었다. 그의 마음속에 자라고 있던 원대한 꿈이 와르르 소리를 내며 무너져내렸다. 이제 그는 모든 사람들로부터 버림받은 도망자에 지나지 않는 것이다.

59

람세스는 사리의 시신을 꼭 봐야겠다고 우겼다. 새로운 수도에서 처음으로 발생한 살인사건인 것이다. 세라마나가 시신을 들여다보면서 단정적인 말투로 말했다.

―폐하, 살해됐습니다. 목덜미를 몽둥이로 한 대 세게 얻어맞은 겁니다.

―누님에겐 알렸는가?

―아메니가 알렸습니다.

―범인은 잡혔나?

―폐하…….

―왜 이렇게 꾸물거리고 대답하지 않는 건가? 어떤 사람이든 죄지은 자는 재판을 받고 벌을 받아야 해.

―범인은 모세입니다.

―말도 안 되는 소리.

―목격자들의 증언이 있습니다.

―증언을 직접 듣고 싶다.

―증인들은 모두 히브리인들입니다. 고발한 자는 아브네라는 벽돌공입니다. 범죄 현장에 있었답니다.

―어떻게 된 일이야?

―싸우다가 그렇게 된 모양입니다. 모세와 사리는 오래 전부터 서로 증오해왔습니다. 제가 조사해본 바로는, 테베에서도 심하게 다툰 적이 있답니다.

―그 증인들이 모두 잘못 봤을 가능성은 없나? 모세는 사람을 죽일 사람이 아니야.

―경찰 서기관들이 증인들의 증언을 기록했고, 그리고 증인들이 그 기록을 확인했습니다.

―모세는 자기가 정당하다는 걸 증명할 거야.

―아닙니다, 폐하. 그는 도망쳤습니다.

람세스는 피-람세스의 집들을 전부 뒤지라고 명령했다. 그러나 소용 없는 일이었다. 기마 경찰들을 델타 지역으로 풀어 샅샅이 뒤지고 다녔지만 모세의 흔적은 전혀 찾아낼 수 없었다. 북동쪽 국경 초소에 아무도 국경을 넘지 못하게 하라고 지시했지만, 이미 때는 늦은 듯했다.

왕은 보고서를 올리라고 끊임없이 재촉했지만, 모세가 도망한 경로를 도무지 알 수 없었다. 지중해 연안의 어촌에 숨은 것일까? 남쪽으로 떠나는 배 위에 몸을 숨기고 있는 것일까?

노심초사하는 왕의 모습에 마음이 안타까워진 네페르타리가 말했다.

—뭘 조금이라도 드셔야 해요. 모세가 사라진 이후로 거의 한 끼도 제대로 안 드셨어요.

왕이 아내의 손을 부드럽게 잡았다.

—모세는 지쳤던 거요. 사리가 그의 화를 돋우었을 거요. 여기 내 앞에 있으면 어찌 된 일인지 설명이라도 들으련만. 그렇게 지친 사람이 도망을 치면 어떡하느냔 말요.

—회한에 사로잡혀 있는 건 아닐까요?

—나도 그걸 걱정하고 있소.

—당신 개가 슬퍼하고 있어요. 자기를 무시한다고 생각하나 봐요.

람세스는 개가 무릎 위에 뛰어오르도록 내버려두었다. 개는 신이 나서 주인의 뺨을 핥고 법석을 떨더니 그의 어깨 위에 머리를 얹고 앉았다.

지난 3년의 통치는 훌륭했다…… 룩소르는 웅장하게 증축되었고 영원의 신전은 아무 문제 없이 건설되고 있다. 새 수도가 창건되고 누비아도 평정되었다. 그런데 갑자기 흉칙한 도마뱀 한 마리가 뛰어든 것이다. 모세가 없으면 람세스가 구축하기 시작한 세계는 허물어져버리고 말 것이다.

네페르타리가 나지막한 소리로 람세스에게 말했다.

—당신은 나도 버려두고 있어요. 당신이 지금 겪고 있는 고통을 극복하실 수 있도록 제가 도와드릴 순 없나요?

—아니오, 당신만이 할 수 있소.

세나르와 오피르는, 날이 갈수록 활기를 띠어가는 피-람세스의 선창가에서 만났다. 식료품과 가구, 살림집기 등 새 수도가 필요로

하는 수많은 물건들이 배에서 내려졌다.

　배는 또 당나귀와 말과 황소들을 실어왔다. 밀 창고는 가득 찼고 품질 좋은 포도주가 지하창고에 저장되었다. 멤피스나 테베에서처럼 상거래가 이루어졌으므로, 새 수도에 물자를 조달하는 데 조금이라도 나은 위치를 차지하려는 도매상들의 경쟁이 활발했다.

　셰나르가 볼멘 소리로 오피르에게 말을 건넸다.

　―모세는 살인을 저지르고 도망중인 죄인에 불과하오.

　―그 소식 때문에 별로 슬퍼하는 것처럼 보이지도 않는군요.

　―모세에 대한 당신 생각은 틀렸소. 그는 절대로 진영을 바꾸지 않았을 거요. 어쩌다가 미친 짓을 저지르는 바람에 람세스가 동지 하나를 잃게 된 것뿐이지.

　―모세는 진실한 인간입니다. 그가 가지고 있는 유일신에 대한 신앙은 일시적인 것이 아닙니다.

　―사실만이 중요하오. 다시는 나타나지 않든지, 아니면 잡혀서 벌을 받든지 하겠지. 이젠 히브리인들을 조종한다는 계획은 글러버린 거요.

　―아톤 신을 섬기는 사람들은 오래 전부터 적과 싸우는 데 익숙해져 있소. 그들은 계속 싸울 겁니다. 우릴 도와주시겠습니까?

　―똑같은 얘기 몇 번씩 하지 맙시다. 그래, 뭘 제안하겠소?

　―매일 밤 저는 왕과 왕비가 다져놓은 기반을 무너뜨릴 수 있기를 꿈꿉니다.

　―그는 절정에 있소. 당신은 람세스의 영원의 신전이 건축되고 있다는 걸 모르는 거요?

　―람세스가 시도하고 있는 것 중에서 완성된 것은 아무것도 없습니다. 그가 약해지는 순간을 노리고 있다가 조금이라도 틈이 생기면 절대로 놓치지 말고 그 틈을 비집고 들어가야 합니다.

마법사의 조용하고 단호한 태도에 셰나르는 깊은 인상을 받았다. 히타이트인들이 그들의 계획을 행동에 옮기면 그 기회에 람세스의 카를 약화시키자. 히타이트의 공격과 안에서의 흑마술…… 아무리 강한 왕이라 하더라도 결국은 보이는 타격과 보이지 않는 타격에 무너지고 말 것이다.

─오피르, 더욱더 활동을 강화하시오. 도망쳐버린 녀석에겐 신경 쓸 것 없소.

세타우와 로투스는 피-람세스에 새 실험실을 열기로 했다. 아메니는 널찍한 새 사무실에서 밤낮으로 일했다. 투야는 궁전 식구들 사이에서 벌어지는 수많은 문제들을 조정하고, 네페르타리는 종교적인 일들과 의전상의 일들을 해결했다. 이제트와 네드젬은 어린 카의 교육을 돌보았고 메리타몬은 날이 갈수록 꽃처럼 피어났다. 집사장 로메는 부엌에서 지하 저장고로, 지하 저장고에서 궁전의 식당으로 뛰어다녔고 세라마나는 끊임없이 그의 경호체계를 점검했다…… 피-람세스에서의 생활은 조화롭고 평화로워 보였다. 그러나 람세스는 모세의 부재를 견디기가 힘들었다.

마지막 순간에 왕과 다투기는 했지만 모세는 온 힘을 쏟아 왕국을 건설했다. 이 도시에 그는 자신의 영혼을 남겨두고 달아나버렸다. 왕은 친구와의 마지막 대화를 곱씹으며, 모세가 자신도 미처 깨닫지 못하는 사이에 누군가의 그물에 걸려들어 나쁜 영향을 받았을 거라고 생각했다.

모세가 뭔가에 씌었던 거야.

왕이 그런 생각에 빠져 접견실을 왔다갔다하는데 아메니가 파피루스를 잔뜩 들고 허둥지둥 왕을 향해 다가왔다.

─아샤가 지금 막 도착했네. 왕을 보고 싶어하네.

—들어오라 하게.

그는 우아한 연두색 드레스 차림의 편한 모습이었다. 드레스 가
장자리는 연두색과 잘 어울리는 붉은색으로 장식되어 있었다. 이
젊은 외교관에게는 유행을 선도하는 재주가 있었다. 남성적인 우아
함에 정통한 아샤였다. 그러나 오늘 그는 평소와는 달리 그다지 말
쑥해 보이지 않았다.

—피-람세스 완공식에 자네가 와주지 않아서 많이 섭섭했네.

—외무대신께서 절 파견하셨습니다, 폐하.

—어디에 가 있었나, 아샤?

—멤피스에 있었습니다. 정보원들로부터 정보를 수집하느라고요.

—셰나르 형님 말로는 히타이트가 중부 시리아에 위협을 가하려
시도한다더군.

—위협 시도에 불과한 것이 아닙니다. 그리고 중부 시리아만이
관련되어 있는 것도 아니구요.

아샤의 목소리는 평소처럼 나긋나긋하지 않았다.

—나는 형님께서 괜히 심각한 태도를 꾸며 과장하시는 거라고 생
각했네.

—그랬더라면 차라리 좋겠습니다. 믿을 만한 정보들을 검토해본
결과, 히타이트인들이 가나안과 시리아 전체를 상대로 어떤 대규모
작전을 이미 시작했다는 확신이 들었습니다. 리비아의 항구들도 위
험할지 모릅니다.

—현지에 주둔하고 있는 우리 병사들을 공격했나?

—아직은 아닙니다만, 중립지역이었던 마을들과 평야를 장악했습
니다. 아직까지는 외견상 비폭력적인 행정조치에 불과합니다. 그러
나 히타이트족은 우리가 관리해왔고 또 우리에게 조공을 바쳐온 지
역의 통제권까지도 장악할 것입니다.

람세스는 서아시아 지역의 지도를 나지막한 탁자에 펼쳐놓고 들여다보았다.

—히타이트인들은 이집트를 향해 우리 북동쪽에 위치해 있는 침투로를 따라 내려오고 있군. 그러니까 이집트를 직접적으로 노리고 있다는 건가.

—성급한 결론이십니다, 폐하.

—그렇지 않다면 이 야금야금 기어들어오는 공격의 목표가 뭐란 말인가?

—영토를 확장하고 우리나라를 고립시키고 주변의 민족들에게 겁을 주어 이집트의 이익을 줄이고, 우리 군대의 사기를 저하시키고…… 목표야 여러 가지가 있겠지요.

—자네 느낌은 어때?

—폐하, 히타이트인들은 전쟁을 준비하고 있습니다.

람세스는 분노한 표정으로 히타이트 제국의 영토, 아나톨리아 반도 위에 붉은 잉크로 줄을 쫙 그었다.

—이 민족이 좋아하는 건 피와 폭력뿐이야. 파멸하지 않는 한 모든 문명을 위험에 몰아넣을 거야.

—외교적인 방법으로…….

—그건 쓸데없는 시간 연장일세!

—선왕께서는 협상을 하시지 않았습니까…….

—카데슈에 있는 국경지역 말이지. 나도 알고 있네! 그러나 히타이트인들은 아무것도 준수하지 않았어. 그들의 동태에 대해 매일 보고를 올리게.

아샤가 고개를 숙여 절했다. 아샤 앞에서 말하고 있는 사람은 친구가 아니었다. 람세스는 파라오로서 명령을 내리고 있는 것이다.

돌아서 나가는 아샤의 등뒤에서 람세스의 침울한 목소리가 들렸다.

　―모세가 죄를 짓고 고발당한 뒤 사라져버렸다는 것을 아는가?

　―모세가? 하지만 그건 있을 수 없는 일입니다!

　―음모에 걸려들었다는 생각이 들어. 우리의 보호령에 그의 인상
착의를 배포하게. 그를 찾아내야 하네.

　네페르타리는 정원에서 류트를 연주하고 있었다. 그녀의 오른쪽
에는 뺨이 빨갛고 통통한 어린 딸이 요람에 누워 잠들어 있다. 왼
쪽에서는 어린 카가 책상다리를 하고 앉아 끔찍한 괴물들을 물리치
는 마법사의 이야기를 읽고 있다. 네페르타리의 앞에서는 왕의 개
가 람세스가 어제 심어놓은 타마리스 묘목을 파내느라고 열심이었
다. 개는 코를 진흙 속에 박고 앞발로 구멍을 하나 파놓았다. 개가
어찌나 열심히 땅을 파대는지 왕비는 개를 야단칠 수가 없었다.

　땅을 파던 개가 갑자기 정원 입구로 달려갔다. 개는 기쁜 듯이
껑충껑충 뛰어가 컹컹거리며 정원 안으로 들어서는 주인을 반겼다.

　람세스의 발걸음 소리를 듣고 네페르타리는 왕이 깊은 혼란을 느
끼고 있다는 것을 알았다. 그녀가 자리에서 일어나 왕 앞으로 나아
갔다. 왕은 고통으로 얼굴이 하얗게 변해 있었고, 눈은 충혈되어 있
었다.

　―혹시 모세가…….

　―아니오, 난 그가 살아 있다고 확신하고 있소.

　―그럼 혹시 대비께서…….

　―어머닌 건강하시오.

　―그럼 왜 이렇게 고통스러워하고 계세요?

　―이집트 때문이오, 네페르타리. 꿈이 부서졌소. 평화로 양식을
삼으며, 매일 행복을 맛보는 위대한 이집트의 꿈 말이오.

왕비가 눈을 감았다.

─전쟁이군요······.

─피할 수 없는 것 같소.

─그럼······ 당신은 떠나겠군요.

─내가 아니면 누가 군대를 지휘하겠소? 히타이트인들이 더 밀고 들어오게 내버려둔다는 것은 이집트를 죽음으로 몰아넣는 것이오.

어린 카는 서로 껴안고 있는 부부를 한 번 힐끗 쳐다보더니 다시 책 속으로 빠져들었고 메리타몬은 여전히 잠들어 있었다. 노란 개는 여전히 구멍을 파댔다. 이 평화로운 정원에서 네페르타리는 람세스의 품에 안겨 있었다.

─람세스, 전쟁이 우리를 갈라놓는군요. 이 시련을 극복할 용기를 어디에서 찾아야 할까요?

─우리를 이어놓고 있는 사랑 안에서, 어떤 일이 일어나더라도 우리를 영원히 이어줄 사랑 안에서 찾으시오. 내가 없는 동안 이 나라의 왕비인 당신이 내 터키석의 도시를 다스려주시오.

네페르타리가 지평선을 바라보았다. 그리고 단호한 목소리로 말했다.

─당신이 옳아요, 람세스. 악과 타협해선 안 돼요.

커다란 하얀색 따오기가 왕과 왕비의 머리 위로 당당하게 날아올랐다. 석양빛이 그들의 얼굴을 붉게 적셨다.

제3권 카데슈 전투로 이어집니다

존재의 신비를 찾아가는 위대한 인간의 여정

–『람세스』를 번역하며

김 정 란

시인 · 문학평론가 · 상지대 교수

    '존재하는 기술'에 관한 한, 현대인들처럼 수준 낮은 종족은 일찍이 없었다. 모두들 삶에 관한 아마추어들뿐이다. 그런 의미에서 현대인의 '입신'의 나이가 고대인에 비해 두 배는 늦어진 것은 너무나 당연한 일이다. 평균수명이 늘었다고 좋아할 일만도 아닌 것이다. 삶 앞에 서서 멍하니 어쩔 줄 모르는 시간만 늘어난 셈이니까.

    20세기 중반에 들어서면서 철학적으로 형태를 갖추기 시작한 현대성에 대한 반성의 패러다임은 이제 대중들에게까지 깊숙이 파고들어가기 시작한 것 같다. 대중들마저 "우리가 잘못 살아왔는지 모른다"고 생각하기 시작했다는 것이다. 프랑스 독서시장에서 수십 년 만의 일대 사건이라고 불리는 대하소설 『람세스』는 그런 의미에서 다양한 여러 가지 분석거리들을 제공한다.

왜 하필 '이집트'일까? 이집트의 상형문자를 처음으로 해독한 샹폴리옹, 콩코드 광장에 오벨리스크를 세워놓은 나폴레옹 등 프랑스인들이 이집트 문화에 특별히 관심을 기울일 만한 요소들이 아주 없지는 않다. 그러나 그것만은 아니다. 무엇인가가 더 있다. 그리고 그 '무엇인가'가 틀림없이 가장 세련된 서구인들이라고 자처하는 프랑스 독자들의 갈증을 채워주었음에 틀림없다. 이 책은 단순한 베스트셀러 현상 이상의 그 무엇을 가지고 있다.

이 방대한 소설의 특징은 여러 방향에서의 독서를 가능하게 한다는 점이다. 이 책은 역사소설이기도 하고 정치소설이기도 하고 풍속소설인가 하면 종교적·신화적 소설이기도 하다. 이집트학 전문가인 작가 크리스티앙 자크는 꼼꼼한 고증과 이집트 문화에 대한 깊은 식견을 통하여 고대 이집트 사회를 생생하게 복원시켜놓고 있다. 우선 독자는 등장인물들의 빠른 성숙에 놀라게 된다. 생물학적 성숙과 사회적·지적 성숙 사이에 커다란 갭이 있는 현대인들로서는 놀라운 일이지만 실은 100년 전까지만 해도 그 갭은 오늘날처럼 심각하지는 않았다. 저자는 또한 때로 지루하다 싶을 정도로 이집트 사회의 물질적 풍요를 강조한다. 그것은 실은 두 가지 복선을 깔고 있다. 첫째, 그것은 모세가 히브리인들을 이끌고 나와 건설한 기독교 문명 — 이후로 '정신문명'의 대명사로 불리게 된 — 의 현실 부정을 비판하기 위한 것이고 둘째, 현대인의 맹목적인 물질적 추구를 비웃기 위한 것이다. 현대인이 그토록 자랑스러워하는 물질적 부는 몇 천 년 전에도 실은 상당한 수준이었다는 것이다.

그러면 우리에게 무엇이 빠져 있는 것일까. 그것이 이 소설이 궁극적으로 강조하고자 하는 것이다. 그 '빠져 있는 것'은 가부장적 기독교문명과 현대의 부르주아 물질문명을 각기 대각선 방향으로 교차, 긍정·부정하며 찾아진다. 각기 모세와 셰나르에 의해 상징되고 있는 두 원칙은 그 사이에서 여성(왕비 네페르타리)이 대리인으로 등장하는 물질과 정신을 잇는 제3원칙으로 제시된다. 그것은 '영성Spiritualité'의 원칙이다. 그것은 순수물질도 순수정신도 아니다. 그것은 오고 가기, 무와 유의 통로, 그것과의 접촉이 불가능해질 때마다 대중이 반드시 문화적 균형잡기를 요구하는 생의 직접성에 대한 직관이다. 겉보기에 남성성을 찬미하는 것으로 보이는 이 소설 안에서 여성에게 상당한 자리가 마련되어 있는 것은 그 때문이다. 모든 '있음'의 원리는 육체의 재생산의 원칙을 담보하는 여성의 육체를 매개로 드러나기 때문이다. 이 작품 전반에 걸쳐 가장 중요한 핵심원리로 등장하는 규범의 신 마아트는 연약한 여신의 모습으로 그려진다.

이집트의 궁극적인 신비는 따라서 어떤 '전이'에 관한 철학적, 종교적 이해 안에서 발견된다. 그것이 그들 지혜의 근원이다. 인간은 물질만으로도 정신만으로도 이루어져 있지 않다. 인간은 그 둘 다로 이루어져 있다. 그리고 이 교훈은 잘 알려져 있다시피 반수반인 '스핑크스'로 상징된다. 이 소설은 이처럼 세계와 인간에 대한 궁극적인 단단한 비전에 의해서 쓰여졌다는 점에서 『개미』류의 단순한 편집자 소설과 확연히 구분된다. 크리스티앙 자크는 정보를 짜깁기하지 않는다. 그는 해석하고 분석하고 투자한다.

이 소설은 '파라오'의 소설이다. 그러나 그 '파라오'는 단순히 어떤 개인이 아니라, 인간이 통째로 우주의 어느 지점과 교통하는

전인적 가치축을 꿰뚫은 '가장 고양된 의미에서의 자아'의 상징이
라고 볼 수도 있다.

　이 책을 읽어나가면서 우리가 마지막으로 깨닫게 되는 것은 바
로 그 점이다. 신비는 아주 가까이, 세계 안에, 내 안에 있다는 것.
다만 성숙한 영혼으로 그것을 들여다볼 줄만 알면 바로 나 자신이
람세스이며 네페르타리라는 것. 존재는 그것을 사용할 줄 아는 자
에 의해서만 왕관을 쓴다는 것. 물론 '시련'이라는 죽음의 방을 거
쳐서.

옮긴이 **김정란**

시인이자 문학평론가이며 불문학자로서 전방위적 활동을 펼치고 있다. 한국외국어대 불어과를 졸업했으며 프랑스 그르노블 대학에서 이브 본푸아 연구로 문학박사학위를 받았고, 상지대학교 문화콘텐츠학과 교수로 재직했다. 지은 책으로 시집 『다시 시작하는 나비』『매혹, 혹은 겹침』『그 여자, 입구에서 가만히 뒤돌아보네』『스.타.카.토. 내 영혼』『용연향』, 문학평론집 『비어 있는 중심』『영혼의 역사』 등이 있다. 『시간의 지배자』『비교문학개요』『생각의 거울』『미셸 투르니에의 상상력을 자극하는 시간』『아발론 연대기』 등을 우리말로 옮겼다.

문학동네 세계문학

람세스 *제2권 영원의 신전*

1판 1쇄 1997년 4월 3일 | 1판 62쇄 2024년 1월 5일

지은이 크리스티앙 자크 | 옮긴이 김정란

펴낸곳 (주)문학동네 | 펴낸이 김소영
출판등록 1993년 10월 22일 제2003-000045호
주소 10881 경기도 파주시 회동길 210
전자우편 editor@munhak.com | 대표전화 031) 955-8888 | 팩스 031) 955-8855
문의전화 031) 955-1927(마케팅) 031) 955-1917(편집)
문학동네카페 http://cafe.naver.com/mhdn
인스타그램 @munhakdongne | 트위터 @munhakdongne
북클럽문학동네 http://bookclubmunhak.com

ISBN 89-8281-032-3 03860
      89-8281-030-7 (세트)

www.munhak.com

제3권
『카데슈 전투』

가공할 철제 무기로 무장한 히타이트 제국이
주변국가를 정복하며 이집트를 향해
계속 진군해온다.
대규모의 전쟁은 피할 수 없을 듯하고…….
두 나라는 북시리아의 난공불락의 요새
카데슈에서 정면으로 충돌하게 된다.
주술에 걸려든 왕비 네페르타리의 건강은
회복이 어려울 정도로 악화되어가고
이집트 안에서조차 셰나르와 결탁한
히타이트 첩자들의 조직이 날뛰는데,
람세스는 어떻게 그 위기를
돌파할 수 있을 것인가?
과연 하늘에 있는 그의 아버지는
그의 호소에 응답할 것인가?